TASCABIL

NARRATIVA

Di Alberto Moravia
nei "Tascabili Bompiani"

LA MASCHERATA
AGOSTINO
LA ROMANA
LA DISUBBIDIENZA
GLI INDIFFERENTI
L'AMORE CONIUGALE
IL CONFORMISTA
I RACCONTI 1927-1951
RACCONTI ROMANI
IL DISPREZZO
RACCONTI SURREALISTI E SATIRICI
LA CIOCIARA
NUOVI RACCONTI ROMANI
LA NOIA
L'AUTOMA
LE AMBIZIONI SBAGLIATE
L'UOMO COME FINE
L'ATTENZIONE
IO E LUI
A QUALE TRIBÙ APPARTIENI?
BOH
LA BELLA VITA
LA VITA INTERIORE
1934
L'INVERNO NUCLEARE
L'UOMO CHE GUARDA
LA COSA
VIAGGIO A ROMA

Alberto Moravia

IL CONFORMISTA

TASCABILI BOMPIANI

ISBN 88-452-0790-0

Via Mecenate 91 - Milano

IX edizione "Tascabili Bompiani" febbraio 1991

TASCABILI BOMPIANI
Periodico settimanale anno VI numero 244 - 13/7/1981
Registr. Tribunale di Milano n. 133 del 2/4/1976
Direttore responsabile: Giovanni Giovannini
Finito di stampare nel febbraio 1991 presso
la Milanostampa S.p.A. - Farigliano (CN)
Printed in Italy

I

Nel tempo della sua fanciullezza, Marcello era affascinato dagli oggetti come una gazza. Forse perché, a casa, più per indifferenza che per austerità, i genitori non avevano mai pensato a soddisfare il suo istinto di proprietà; o, forse, perché altri istinti più profondi e ancora oscuri si mascheravano in lui da avidità; egli era continuamente assalito da voglie furiose per gli oggetti più diversi. Una matita con il puntale di gomma, un libro illustrato, una fionda, un regolo, un calamaio portatile di ebanite, qualsiasi nonnulla sollevava il suo animo, prima ad un desiderio intenso e irragionevole della cosa agognata e poi, una volta la cosa entrata in suo possesso, ad uno stupefatto, stregato, insaziabile compiacimento. Marcello aveva in casa una camera tutta per lui dove dormiva e studiava. Qui, tutti gli oggetti sparsi sulla tavola o chiusi nei cassetti, avevano per lui il carattere di cose ancora sacre o appena sconsacrate secondo che il loro acquisto fosse recente o antico. Non erano, insomma, oggetti simili agli altri che si trovavano in casa, bensì frantumi di un'esperienza da farsi o già fatta, tutta la carica di passione e di oscurità. Marcello si rendeva conto, a modo suo, di questo carattere singolare della proprietà e, mentre ne traeva un godimento ineffabile al tempo stesso ne soffriva, come di una colpa che si rinnovava continuamente e non lasciava neppure il tempo di provarne rimorso.

Tra tutti gli oggetti, però, quelli che lo attraevano di più, forse perché gli erano proibiti, erano le armi. Non già le armi finte con cui giocano i bambini, i fucili di latta, le rivoltelle a detonazione, i pugnali di legno, bensì le armi vere, nelle quali l'idea della minaccia, del pericolo e della morte non è affidata ad una mera somiglianza di forme, bensì è ragione prima e ultima della loro esistenza. Con la rivoltella dei bambini si giocava alla morte senza alcuna possibilità di provocarla davvero, ma con le rivoltelle dei grandi la morte era non soltanto possibile ma incombente, come una tentazione frenata dalla sola prudenza. Marcello aveva avuto qualche volta tra le mani queste armi vere, un fucile da caccia in campagna, la vecchia rivoltella del padre che costui, un giorno, gli aveva mostrato in un cassetto, e, ogni volta, aveva provato un brivido di comunicazione, come se la sua mano avesse finalmente trovato un naturale prolungamento nell'impugnatura dell'arma.

Marcello aveva amici numerosi tra i bambini del quartiere, e ben presto si era accorto che il suo gusto per le armi aveva origini più profonde e oscure delle loro innocenti infatuazioni militari. Essi giocavano ai soldati fingendo spietatezza e ferocia ma in realtà perseguendo il gioco per amore del gioco e scimmiottando quei crudeli atteggiamenti senza alcuna vera partecipazione; in lui, invece, avveniva il contrario: era la spietatezza e la ferocia che cercavano uno sfogo nel gioco dei soldati e, in mancanza del gioco in altri passatempi tutti intonati al gusto della distruzione e della morte. In quel tempo Marcello era crudele senza rimorso né vergogna, del tutto naturalmente, perché dalla crudeltà gli venivano i soli piaceri che non gli sembrassero insipidi e questa crudeltà era ancora abbastanza puerile per non destare sospetti in lui stesso o negli altri. Gli accadeva, per esempio, di scendere nel giardino, ad un'ora calda, in quell'inizio d'estate. Era un giardino angusto ma folto nel quale, in gran disordine, crescevano numerose piante e alberi abbandonati da anni al loro naturale rigoglio. Marcello scendeva nel giardino armato di un giunco sottile e flessibile che aveva strappato in soffitta da un vecchio battipanni; e per un poco si aggirava tra le ombre scherzose degli alberi e i raggi ardenti del sole, per i vialetti ghiaiati, osservando le piante. Sentiva che i propri occhi scintillavano, che tutto il corpo gli si apriva ad una sensazione di benessere che pareva confondersi con la generale vitalità del giardino rigoglioso e pieno di luce, e si sentiva felice. Ma di una felicità aggressiva e crudele, quasi vogliosa di misurarsi al paragone dell'infelicità altrui. Come vedeva nel mezzo di un'aiuola un bel cespo di margherite gremito di fiori bianchi e gialli, oppure un tulipano dalla corolla rossa ritta sul gambo verde, oppure ancora una pianta di calle dagli alti fiori bianchi e carnosi, Marcello vibrava un sol colpo col giunco, facendolo fischiare per l'aria come una spada. Il giunco tagliava di netto fiori e foglie che cadevano pulitamente a terra presso la pianta, lasciando ritti gli steli decapitati. Provava così facendo, un raddoppiamento di vitalità, e quasi il compiacimento delizioso che ispira lo sfogo di un'energia troppo a lungo compressa; ma al tempo stesso non sapeva che sentimento esatto di potenza e di giustizia. Come se quelle piante fossero state colpevoli e lui le avesse punite e avesse insieme sentito che era in suo potere punirle. Ma il carattere proibito e colpevole di questo passatempo non gli era del tutto ignoto. Ogni tanto, quasi suo malgrado, rivolgeva sguardi furtivi alla villa, timoroso che la madre dalla finestra del salotto o la cuoca da quella della cucina potessero osservarlo. E si rendeva conto che temeva non tanto il rimprovero quanto la semplice testimonianza di atti che lui stesso avvertiva anormali e misteriosamente intrisi di colpevolezza.

Dai fiori e dalle piante agli animali, il passaggio fu insensibile, come lo è in natura. Marcello non avrebbe potuto dire quando si accorse che quello stesso piacere che provava nello schiantare le piante e nel decapitare i fiori, gli si rivelava più intenso e più profondo nell'infliggere le stesse violenze agli animali. Forse fu soltanto il caso che lo spinse su questa via, un colpo di giunco che, invece di storpiare un arbusto, colpì sulla schiena una lucertola addormentata su un ramo o forse un principio di noia e di sazietà che gli suggerì di cercare nuova materia sulla quale esercitare la crudeltà ancora inconsapevole. Comunque, un pomeriggio silenzioso che tutti in casa dormivano, Marcello si ritrovò ad un tratto, come colpito da una folgore di rimorso e di vergogna, davanti ad una strage di lucertole. Erano cinque o sei lucertole che con varii modi era riuscito a scovare sui rami degli alberi o sulle pietre del muro di cinta, fulminandole con un solo colpo di giunco proprio nel momento in cui, insospettite dalla sua presenza immobile, cercavano di fuggire verso qualche riparo. Come fosse giunto a questo non avrebbe saputo dire o meglio preferiva non ricordarlo, ma ormai tutto era finito e non restava che il sole ardente e impuro sui corpi sanguinolenti e lordi di polvere delle lucertole morte. Egli stava in piedi davanti al marciapiede di cemento sul quale giacevano le lucertole, il giunco stretto in pugno; e sentiva ancora per il corpo e sul viso l'eccitazione che l'aveva invaso durante la strage, ma non più piacevolmente fervida, come era stata allora, bensì già trascolorante nel rimorso e nella vergogna. Si rendeva conto, inoltre, che al solito sentimento di crudeltà e di potenza si era aggiunto questa volta un turbamento particolare, nuovo per lui, inspiegabilmente fisico; e, insieme con la vergogna e il rimorso, provava un confuso senso di spavento. Come a scoprire in se stesso un carattere del tutto anormale, di cui dovesse vergognarsi, che dovesse mantenere segreto per non vergognarsi oltre che con se stesso anche con gli altri e che, di conseguenza, lo avrebbe per sempre separato dalla società dei coetanei. Non c'era dubbio, egli era diverso dai ragazzi della sua età che, loro, non si dedicavano né insieme né soli a simili passatempi; e per giunta diverso in maniera definitiva. Perché le lucertole erano morte, su questo non c'era dubbio e questa morte e gli atti da lui compiuti, crudeli e folli, per provocarla, erano irreperibili. Egli era, insomma, quegli atti, come in passato era stato altri atti del tutto innocenti e normali.

Quel giorno, a conferma di questa scoperta così nuova e così dolorosa della propria anormalità, Marcello volle confrontarsi con un suo piccolo amico, Roberto, che abitava nel villino attiguo al suo. Verso il crepuscolo, Roberto, dopo aver finito di studiare, scendeva in giardino; e fino all'ora della cena, per mutuo consenso delle famiglie, i due ragazzi giocavano insieme, ora nel giardino dell'uno ora in quello dell'altro. Marcello aspettò quel momento con impazienza, per tutto il lungo pomeriggio silenzioso, solo in camera sua, disteso sul letto. I genitori erano usciti, in casa non c'era che la cuoca di cui, ogni tanto, udiva la voce che cantarellava sommessamente nella cucina, al pianterreno. Di solito, il pomeriggio, studiava o giocava, solo nella propria camera; ma quel giorno né gli studi né il gioco l'attraevano; si sentiva incapace di fare quel che sia e al tempo stesso furiosamente insofferente dell'ozio: lo paralizzavano e, insieme, lo spazientivano lo sgomento della scoperta che gli pareva di aver fatto e la speranza che questo sgomento venisse dissipato dal prossimo incontro con Roberto. Se Roberto gli avesse detto che anche lui uccideva le lucertole e che gli piaceva ucciderle e non vedeva alcun male nell'ucciderle, gli sembrava che ogni senso di anormalità sarebbe scomparso e che egli avrebbe potuto guardare con indifferenza alla strage delle lucertole come ad un incidente privo di significato e senza conseguenze. Non avrebbe saputo dire perché attribuisse tanta autorità a Roberto; oscuramente pensava che se anche Roberto faceva di queste cose e in quel modo e con quei sentimenti, questo voleva dire che tutti le facevano; e quel che tutti facevano era normale ossia bene. Queste riflessioni non erano, d'altronde, ben chiare nella mente di Marcello e gli si presentavano piuttosto come sentimenti e impulsi profondi che come pensieri precisi. Ma di un fatto gli pareva di essere sicuro: dalla risposta di Roberto dipendeva la tranquillità del suo animo.

In questa speranza e in questo sgomento, aspettò con impazienza l'ora del crepuscolo. Stava quasi per assopirsi, quando, dal giardino, gli giunse un lungo fischio modulato: era il segnale convenuto con il quale Roberto l'avvertiva della sua presenza. Marcello si levò dal letto e, senza accender luci, nella penombra del tramonto, uscì dalla camera, discese la scala e si affacciò al giardino.

Nella luce bassa del crepuscolo estivo gli alberi stavano immobili e aggrondati; sotto i rami, l'ombra appariva già notturna. Esalazioni floreali, odor di polvere, irradiazioni solari emananti dalla terra riscaldata stagnavano per l'aria immobile e densa. La cancellata che divideva il giardino di Marcello da quello di Roberto scompariva completamente sotto un'edera gigantesca, folta e profonda, simile ad un muro di foglie sovrapposte. Marcello andò dritto ad un angolo in fondo al giardino dove l'edera e l'ombra erano più fitte, salì in piedi su un grosso sasso e con un solo gesto deliberato scostò tutta una massa di rampicante. Era stato lui ad inventare quella specie di sportello nel fogliame dell'edera, per un senso di gioco segreto e avventuroso. Spostata l'edera, apparvero le sbarre della cancellata e, tra le sbarre, il viso fine e pallido, sotto i capelli biondi, dell'amico Roberto. Marcello si alzò in punta di piedi sul sasso e domandò: "Nessuno ci ha visti?"

Era la formula d'inizio di questo loro gioco, Roberto rispose come recitando una lezione: "No, nessuno..." E poi dopo un momento: "Hai studiato, tu?"

Parlava sussurrando, altro procedimento convenuto. Sussurrando anche lui, Marcello rispose: "No, oggi non ho studiato... non avevo voglia... dirò alla maestra che mi sentivo male."

"Io ho scritto il compito di italiano," mormorò Roberto,

"e ho fatto anche uno dei problemi di aritmetica... me ne resta un altro... perché non hai studiato?"
Era la domanda che Marcello si aspettava: "Non ho studiato", rispose, "perché ho dato la caccia alle lucertole."
Sperava che Roberto gli dicesse: "Ah davvero... anch'io qualche volta do la caccia alle lucertole," o qualche cosa di simile. Ma il viso di Roberto non esprimeva alcuna complicità e neppure curiosità. Soggiunse con sforzo, cercando di dissimulare il proprio imbarazzo: "Le ho uccise tutte."
Roberto prudentemente domandò: "Quante?"
"Sette in tutto," rispose Marcello. E poi, sforzandosi ad una vanteria tecnica e informativa: "Stavano sui rami degli alberi e sui sassi... io ho aspettato che si muovessero e poi le ho colte a volo... con un solo colpo di questo giunco... un colpo per una." Fece una smorfia di compiacimento e mostrò il giunco a Roberto.
Vide l'altro guardarlo con una curiosità non disgiunta da una specie di meraviglia: "Perché le hai ammazzate?"
"Così," egli esitò, stava sul punto di dire: "perché mi faceva piacere," poi non sapeva neppur lui perché, si trattenne e rispose: "Perché sono dannose... non lo sai che le lucertole sono dannose?"
"No," disse Roberto, "non lo sapevo... dannose a che cosa?"
"Mangiano l'uva," disse Marcello, "l'altr'anno, in campagna, hanno mangiato tutta l'uva della pergola."
"Ma qui non c'è uva."
"E poi," egli continuò senza curarsi di raccogliere l'obbiezione, "sono cattive... una, come mi ha visto, invece di scappare, mi è venuta addosso con la bocca spalancata... se non l'avessi fermata a tempo, mi saltava addosso..." Egli tacque un momento poi, più confidenzialmente, soggiunse: "Tu non ne hai mai ammazzate?"
Roberto scosse il capo e rispose: "No, mai." Quindi abbassando gli occhi, compunto, in viso:
"Dicono che non bisogna far male agli animali."
"Chi lo dice?"
"La mamma."
"Dicono tante cose..." disse Marcello sempre meno sicuro di sé, "ma tu prova, stupido... ti assicuro che è divertente."
"No, non proverò."
"E perché?"

"Perché è male."

Così non c'era niente da fare, pensò Marcello con disappunto. Gli venne un impeto d'ira contro l'amico che, senza rendersene conto, lo inchiodava alla propria anormalità. Riuscì tuttavia a dominarsi e propose: "Guarda, domani rifaccio la caccia alle lucertole... se tu vieni a dar la caccia con me, ti regalo il mazzo delle carte del Mercante in Fiera."

Sapeva che per Roberto l'offerta era tentante: aveva più volte espresso il desiderio di possedere quel mazzo. E infatti Roberto, come illuminato da una subita ispirazione, rispose: "Io vengo a caccia ma a un patto: che le prendiamo vive e poi le chiudiamo in una scatolina e poi le lasciamo libere... e tu mi dai il mazzo."

"Questo no," disse Marcello, "il bello sta proprio nel colpirle con questo giunco... scommetto che non ne sei capace."

L'altro non disse nulla. Marcello proseguì: "Allora vieni... siamo intesi... ma cercati anche tu un giunco."

"No," disse Roberto con ostinazione, "non verrò."

"Ma perché? È nuovo quel mazzo."

"No, è inutile," disse Roberto, "io le lucertole non le ammazzo... neppure se," egli esitò cercando un oggetto di un valore proporzionato, "neppure se mi dai la tua pistola."

Marcello comprese che non c'era niente da fare e tutto ad un tratto, si lasciò andare all'ira che gli bolliva da qualche momento nel petto: "Non vuoi perché sei un vigliacco," disse, "perché hai paura."

"Ma paura di che? Mi fai proprio ridere."

"Hai paura," ripeté Marcello adirato, "sei un coniglio... un vero coniglio." Improvvisamente, sporse una mano attraverso le sbarre della cancellata e afferrò l'amico per un orecchio. Roberto aveva orecchie sporgenti, rosse, e non era la prima volta che Marcello gliele afferrava; ma mai con tanta rabbia e con un desiderio così preciso di fargli male. "Confessa che sei un coniglio."

"No, lasciami," cominciò a lamentarsi l'altro torcendosi, "ahi... ahi."

"Confessa che sei un coniglio."

"No... lasciami."

"Confessa che sei un coniglio."

Nella sua mano l'orecchio di Roberto bruciava, caldo e sudato; lacrime apparvero negli occhi azzurri del tormentato.

Egli balbettò: "Sì, va bene, sono un coniglio," e Marcello lo lasciò subito. Roberto saltò giù dalla cancellata e correndo via gridò: "Non sono un coniglio... mentre lo dicevo ho pensato: *non* sono un coniglio... te l'ho fatta." Scomparve, e la sua voce, lacrimosa e beffarda, si perse lontano, oltre i boschetti del giardino attiguo.

Gli restò da questo dialogo un senso di malessere profondo. Roberto, insieme con la sua solidarietà, gli aveva negato l'assoluzione che egli cercava e che gli sembrava legata a quella solidarietà. Così era respinto nell'anormalità, ma non senza aver prima mostrato a Roberto quanto gli premesse uscirne, ed essersi lasciato andare, come si rendeva conto perfettamente, alla menzogna e alla violenza. Adesso alla vergogna e al rimorso di aver ucciso le lucertole, si aggiungeva la vergogna e il rimorso di aver mentito a Roberto circa i motivi che lo spingevano a chiedergli la sua complicità e di essersi tradito con quel movimento d'ira, quando l'aveva afferrato per l'orecchio. Alla prima colpa se ne aggiungeva una seconda; e lui non poteva disfarsi in alcun modo né dell'una né dell'altra.

Ogni tanto, tra queste riflessioni amare, riandava con la memoria alla strage delle lucertole, quasi sperando di ritrovarla depurata di ogni rimorso, un semplice fatto come un altro. Ma subito si accorgeva che avrebbe voluto che le lucertole non fossero mai morte; e, insieme, vivo e, forse non del tutto spiacevole ma, appunto per questo, tanto più ripugnante, gli tornava quel senso di eccitazione e di turbamento fisico che aveva provato mentre dava la caccia; tanto forte da fargli persino dubitare che avrebbe resistito nei giorni prossimi alla tentazione di ripetere la strage. Questo pensiero lo atterrì: così non soltanto egli era anormale, ma, nonché di sopprimere l'anormalità, non era neanche capace di controllarla. Era in quel momento in camera sua, seduto al tavolino, davanti un libro aperto, in attesa della cena. Impetuosamente si alzò, andò a letto, e gettandosi in ginocchio sullo scendiletto, come era solito fare quando recitava le preghiere, disse ad alta voce, giungendo le mani, con accento che gli parve sincero:

"Giuro davanti a Dio che non toccherò mai più né i fiori, né le piante, né le lucertole."

Tuttavia, il bisogno di assoluzione che l'aveva spinto a ricercare la complicità di Roberto sussisteva, cambiato adesso nel suo contrario, in un bisogno di condanna. Roberto, mentre avrebbe potuto salvarlo dal rimorso schierandosi al suo fianco, non aveva abbastanza autorità per confermare la fondatezza di questo rimorso e metter ordine nella confusione della sua mente con un verdetto inappellabile. Era un ragazzo come lui, accettabile come complice ma inadeguato come giudice. Ma Roberto, rifiutando la sua proposta aveva addotto, a sostegno della propria ripugnanza, l'autorità materna. Marcello pensò che si sarebbe appellato anche lui a sua madre. Lei soltanto poteva condannarlo o assolverlo e, comunque, far rientrare il suo atto in un ordine purchessia. Marcello che conosceva sua madre, prendendo questa decisione, ragionava in astratto, come riferendosi ad una madre ideale, quale avrebbe dovuto essere e non qual era. In realtà, dubitava del buon esito del suo appello. Ma tant'era, egli non aveva che quella madre e d'altronde il suo impulso a rivolgersi a lei era più forte di qualsiasi dubbio.

Marcello aspettò il momento in cui la madre, dopo che si era coricato, veniva in camera a dargli la buonanotte. Era questo uno dei pochi momenti che gli riusciva di vederla da solo a solo: il più delle volte, durante i pasti o nelle rare passeggiate coi genitori, il padre era sempre presente. Marcello, sebbene non avesse, d'istinto, molta fiducia nella madre, l'amava, e forse, anche più che amarla, l'ammirava in maniera perplessa e invaghita, come si ammira una sorella maggiore dalle abitudini singolari e dal carattere estroso. La madre di Marcello, che si era sposata giovanissima, era rimasta moralmente e anche fisicamente una fanciulla; inoltre, pur non avendo alcuna confidenza con il figlio di cui si occupava pochissimo a causa dei numerosi impegni mondani, ella non aveva mai separato la propria vita da quella di lui. Così Marcello era cresciuto in un continuo tumulto di entrate ed uscite precipitose, di vestiti provati e gettati via, di interminabili quanto frivole conversazioni al telefono, di bizze con sarti e fornitori, di dispute con la cameriera, di continue variazioni di umore per i più futili motivi. Marcello poteva entrare in camera di sua madre in qualsiasi momento, spettatore curioso e ignorato di un'intimità in cui non aveva alcun posto. Qualche volta la madre, come riscuotendosi dall'inerzia per un improvviso rimorso, decideva di dedicarsi al figlio e se lo portava dietro da una sarta o da una modista. In queste occasioni, costretto a passare lunghe ore seduto sopra uno sgabello, mentre la madre provava cappelli e vestiti, Marcello quasi rimpiangeva la solita turbinosa indifferenza.

Quella sera, come comprese subito, la madre aveva più fretta del solito; e infatti, prima ancora che Marcello avesse avuto il tempo di sormontare la propria timidezza, ella gli voltò le spalle avviandosi attraverso la camera buia, alla porta rimasta socchiusa. Ma Marcello non intendeva aspettare ancor un giorno il giudizio di cui aveva bisogno. Tirandosi a sedere sul letto, chiamò con voce forte: "Mamma."

La vide voltarsi dalla soglia, con gesto quasi infastidito. "Che c'è Marcello?" ella domandò, poi, avvicinandosi di nuovo al letto.

Ora stava in piedi presso di lui, in controluce, bianca e esile nel nero abito scollato. Il viso fine e pallido incorniciato di capelli neri era in ombra, non tanto però che Marcello non vi distinguesse un'espressione scontenta, frettolosa e impaziente. Tuttavia, trasportato dal suo impulso, egli annunziò: "Mamma, debbo dirti una cosa."

"Sì, Marcello, ma fa presto... la mamma deve andar via... il papà sta aspettando." Intanto con le due mani armeggiava sulla nuca, intorno il fermaglio della collana.

Marcello voleva rivelare alla madre la strage delle lucertole e domandarle se aveva fatto male. Ma la fretta materna gli fece cambiar idea. O meglio, modificare la frase che aveva preparato in mente. Le lucertole gli parvero ad un tratto animali troppo piccoli e insignificanti per poter fermare l'attenzione di una persona così distratta. Lì per lì, non sapeva neppure lui perché, inventò una bugia ingrandendo il proprio delitto. Sperava con l'enormità della colpa di riuscire a colpire la sensibilità materna che, in maniera oscura, indovinava ottusa e inerte. Disse con sicurezza che lo meravigliò: "Mamma, ho ucciso il gatto."

In quel momento la madre era riuscita finalmente a fare incontrare le due parti del fermaglio. Le mani riunite sulla nuca, il mento inchiodato sul petto, ella guardava a terra e ogni tanto, per l'impazienza, batteva il tacco sul pavimento. "Ah, sì," disse con voce incomprensiva, come svuotata di ogni attenzione dallo sforzo che stava facendo. Marcello ribadì, malsicuro: "L'ho ucciso con la fionda."

Vide la madre scuotere il capo con disappunto e poi togliere le mani dalla nuca, tenendo in una la collana che non era riuscita a chiudere. "Questo maledetto fermaglio," ella proferì con rabbia. "Marcello... da bravo... aiutami a mettere la collana." Ella sedette sul letto, di sbieco, le spalle al figlio, soggiungendo con impazienza: "Ma sta' attento a far scattare il fermaglio... altrimenti si aprirà di nuovo."

Pur parlando, gli presentava le spalle magre, nude fino alle reni, bianche come la carta nella luce che veniva dalla porta. Le mani sottili dalle unghie aguzze e scarlatte tenevano il monile sospeso sulla nuca delicata, ombreggiata di peluria ricciuta. Marcello si disse che, una volta attaccata la collana, ella l'avrebbe ascoltato con maggiore pazienza; sporgendosi, prese i due capi e li saldò con un solo scatto. Ma la madre si levò subito in piedi e disse chinandosi a sfiorargli il viso con un bacio: "Grazie... ora dormi... buonanotte." Prim'ancora che Marcello avesse potuto trattenerla con un gesto o con un grido, era già scomparsa.

Il giorno dopo il tempo era caldo e rannuvolato. Marcello, dopo aver mangiato in silenzio tra i due genitori silenziosi scivolò di soppiatto giù dalla seggiola e, per la portafinestra, uscì nel giardino. Come il solito, la digestione provocava in lui un torbido malessere tutto mischiato di turgida e riflessiva sensualità. Camminando piano, quasi in punta di piedi, sulla ghiaia scricchiolante, all'ombra degli alberi fervida di insetti, andò fino al cancello e guardò di fuori. Gli apparve la strada così nota, in leggera pendenza, fiancheggiata da due file di alberi del pepe, di un verde piumoso e quasi lattescente, deserta a quell'ora e stranamente buia per via delle basse nuvole nere che ingombravano il cielo. Dirimpetto, si intravvedevano altri cancelli, altri giardini, altre ville simili alla sua. Dopo aver osservato con attenzione la strada, Marcello si staccò dal cancello, trasse di tasca la fionda e si chinò verso terra. Tra la ghiaia minuta, erano frammisti alcuni ciottoli bianchi più grossi. Marcello ne prese uno della grandezza di una noce, lo inserì nel disco di cuoio della fionda e prese a passeggiare lungo il muro che separava il suo giardino da quello di Roberto. La sua idea, o meglio il suo sentimento, era che egli si trovava in stato di guerra con Roberto e che doveva sorvegliare con la massima attenzione l'edera che ricopriva il muro di cinta e al minimo movimento far fuoco, ossia scagliare il sasso che stringeva nella fionda. Era un gioco in cui esprimeva insieme il rancore contro Roberto che non aveva voluto essergli complice nella strage delle lucertole e l'istinto belluino e crudele che l'aveva spinto alla strage medesima. Naturalmente Marcello sapeva benissimo che Roberto, solito a dormire a quell'ora, non lo spiava da dietro il fogliame dell'edera; e tuttavia, pur sapendolo, agiva con serietà e conseguenza, come se fosse stato sicuro che invece Roberto ci fosse. L'edera, vecchia e gigantesca, saliva fino alle punte delle picche della cancellata, e le foglie, sovrapposte le une alle altre, grandi, nere, polverose, simili a volanti di trina su un petto tranquillo di donna, stavano ferme e flosce nell'aria pesante e senza vento. Un paio di volte, gli parve che un leggerissimo fremito facesse palpitare il fogliame o meglio inventò a se stesso di aver veduto questo fremito e tosto, con soddisfazione intensa, scagliò il sasso nel fitto dell'edera.

Subito dopo il colpo si chinava in fretta, raccoglieva un altro sasso e si rimetteva in posizione di combattimento, le gambe larghe, le braccia stese in avanti, la fionda pronta a scattare: non si poteva mai sapere, Roberto poteva essere dietro le foglie, in atto di prender la mira contro di lui, con il vantaggio di essere nascosto, mentre lui, invece, era completamente allo scoperto. Così, in questo gioco, giunse in fondo al giardino, là dove aveva ritagliato lo sportello nel fogliame dell'edera. Qui si fermò, guardando con attenzione al muro di cinta. Nella sua fantasia, la casa era un castello, la cancellata nascosta dal rampicante le mura fortificate, e il pertugio una breccia pericolosa e facilmente valicabile. Allora, improvvisamente e questa volta senza possibilità di dubbio, vide le foglie muoversi da destra a sinistra, tremando e oscillando. Sì, ne era certo, le foglie si muovevano e qualcuno doveva pur farle muovere. Tutto in un sol momento pensò che Roberto non c'era, che era un gioco e che, visto che era un gioco, lui poteva tirare il sasso; e al tempo stesso che Roberto c'era e lui non doveva tirare il sasso se non voleva ammazzarlo. Poi, con subitanea e spensierata decisione, tese gli elastici e scagliò il sasso nel folto delle foglie. Non contento, si chinò, febbrilmente incastrò un altro sasso nella fionda, lo tirò, ne prese un terzo, tirò anche quello. Ormai aveva messo da parte scrupoli e timori e non gli importava più che Roberto ci fosse o non ci fosse: provava soltanto un senso di eccitazione ilare e bellicoso. Finalmente, ansimante, dopo aver ben bene sforacchiato il fogliame, lasciò cadere la fionda in terra e si inerpicò fino al muro di cinta. Come aveva preveduto e sperato, Roberto non c'era. Ma le sbarre della cancellata erano molto larghe e permettevano di sporgere il capo nel giardino attiguo. Punto da non sapeva che curiosità, si affacciò e guardò in basso.

Dalla parte del giardino di Roberto, non c'era rampicante, bensì un'aiuola coltivata a iris che correva tra il muro e il vialetto ghiaiato. Allora, proprio sotto i suoi occhi tra il muro e la fila di iris bianchi e violetti, disteso su un fianco, Marcello vide un grosso gatto grigio. Un terrore insensato gli tagliò il respiro poiché notò la posizione innaturale della bestia: coricata di lato, con le zampe allungate e rilasciate, il muso abbandonato sul terriccio. Il pelo, folto e di un grigio azzurrognolo, appariva leggermente irto e arruffato e insieme inerte, come le piume di certi uccelli morti che aveva osservato tempo addietro sul tavolo di marmo della cucina. Ora il terrore cresceva: balzò a terra, sfilò da un roseto la canna di sostegno, tornò ad inerpicarsi, e, sporgendo il braccio tra le sbarre, si ingegnò di pungere il fianco al gatto con la punta terrosa della canna. Ma il gatto non si mosse, tutto ad un tratto gli iris dagli alti gambi verdi, dalle corolle bianche e violette inclinate intorno il grigio corpo immobile, gli parvero mortuarii, come tanti fiori disposti da una mano pietosa intorno un cadavere. Gettò via la canna e, senza curarsi di rimettere a posto l'edera, saltò a terra.

Si sentiva in preda a diversi terrori e il suo primo impulso fu di correre a chiudersi in un armadio, in un ripostiglio, dovunque, insomma, ci fosse buio e clausura, per sfuggire a se stesso. Provava terrore prima di tutto per aver ucciso il gatto e poi, forse in misura maggiore, per avere annunziato quest'uccisione alla madre, la sera prima: segno indubbio che, in un modo misterioso e fatale, era predestinato a compiere atti di crudeltà e di morte. Ma il terrore che destavano in lui la morte del gatto e la premonizione significativa di questa morte, era di gran lunga superato dal terrore che gli ispirava l'idea che uccidendo il gatto, in realtà, aveva avuto intenzione di uccidere Roberto. Soltanto il caso aveva voluto che il gatto fosse morto in luogo dell'amico. Un caso, però, non privo di senso; che non si poteva negare che ci fosse stata progressione dai fiori alle lucertole, dalle lucertole al gatto e dal gatto all'omicidio di Roberto pensato e voluto seppure non eseguito, ma tuttora eseguibile e, forse, inevitabile. Così egli era un anormale, non poteva fare a meno di pensare, o meglio di sentire, con una viva, fisica consapevolezza di questa anormalità, un anormale segnato da un destino solitario e minaccioso e ormai avviato per una strada sanguigna sulla quale nessuna forza umana avrebbe potuto fermarlo. Tra questi pensieri si aggirava freneticamente nel breve spazio tra la casa e il cancello levando ogni tanto gli occhi alle finestre del villino quasi con desiderio di vedervi apparire la figura della sua frivola e stordita madre: ma ormai ella non poteva più far nulla per lui, se pure era mai stata capace di fare qualche cosa. Quindi, con subitanea speranza, corse di nuovo in fondo al giardino, si arrampicò fino al muro e si affacciò tra le sbarre della cancellata. Quasi si illudeva di ritrovare vuoto il luogo dove prima aveva veduto il gatto esanime. Invece il gatto non se ne era andato, era sempre là, grigio e immobile nella corona funeralesca degli iris bianchi e violetti. E la morte era accusata, con un senso macabro di carogna in putrefazione, da una nera striscia di formiche che partendo dal viale risalivano l'aiuola fino al muso, anzi agli occhi della bestia. Guardava e, tutto ad un tratto, quasi per sovraimpressione, gli parve di vedere in luogo del gatto, Roberto, anche lui disteso tra gli iris, anche lui esanime, con le formiche che andavano e venivano dagli occhi spenti e dalla bocca semiaperta. Con un brivido di raccapriccio, si tolse da questa orribile contemplazione e saltò giù. Ma questa volta ebbe cura di tirare al suo posto lo sportello di edera. Ché adesso, insieme al rimorso e al terrore di se stesso affiorava anche la paura di essere scoperto e punito.

Tuttavia, mentre le temeva, sentiva che al tempo stesso desiderava questa scoperta e questa punizione; se non altro per essere fermato a tempo sulla china sdrucciolevole in fondo alla quale gli sembrava inevitabile che dovesse aspettarlo l'omicidio. Ma i genitori non l'avevano mai punito, che egli ricordasse; e questo non tanto per un concetto educativo che escludesse la punizione, quanto, come capiva vagamente, per indifferenza. Così alla sofferenza di sospettarsi autore di un delitto e soprattutto capace di commetterne altri più gravi, si aggiungeva quella di non sapere a chi rivolgersi per farsi punire e di ignorare persino quale potesse essere la punizione. Marcello si rendeva conto oscuramente che lo stesso meccanismo che l'aveva spinto a confidare la propria colpa a

Roberto nella speranza di sentirsi dire che non era una colpa ma una cosa comune che tutti facevano, adesso gli suggeriva di fare la stessa rivelazione ai genitori nell'opposta speranza di vederli esclamare con indignazione che aveva commesso un crimine orrendo per il quale doveva espiare una pena adeguata. E poco gli importava che nel primo caso l'assoluzione di Roberto l'avrebbe incoraggiato a ripetere l'azione che, nel secondo caso, gli avrebbe invece, attirato una severa condanna. In realtà, come capiva, in ambedue i casi egli voleva uscire dall'isolamento terrificante dell'anormalità a tutti i costi e con qualsiasi mezzo.

Forse si sarebbe deciso a confessare ai genitori l'uccisione del gatto se, quella stessa sera, a cena, non avesse avuto la sensazione che sapevano già ogni cosa. Come, infatti, si fu seduto a tavola, notò con un senso misto di sgomento e di malcerto sollievo, che il padre e la madre parevano ostili e di cattivo umore. La madre, il viso puerile atteggiato ad un'espressione di esagerata dignità, se ne stava dritta, gli occhi bassi, in un silenzio chiaramente sdegnoso. Di fronte a lei, il padre mostrava per segni diversi ma non meno parlanti, analoghi sentimenti di malumore. Il padre, di molti anni più vecchio della moglie, dava spesso a Marcello la sensazione sconcertante di essere accomunato insieme con sua madre in una stessa aria infantile e soggetta, come se ella non gli fosse stata madre ma sorella. Era magro, con un viso secco e rugoso, raramente illuminato da brevi risate senza gioia, nel quale erano notevoli due tratti legati da un nesso indubbio: lo scintillio inespressivo, quasi minerale delle pupille sporgenti e il guizzo frequente, sotto la pelle tirata della guancia, di non si capiva che nervo frenetico. Forse dai molti anni passati nell'esercito egli aveva conservato il gusto per i gesti precisi, per gli atteggiamenti controllati. Ma Marcello sapeva che quando suo padre era adirato, precisione e controllo diventavano eccessivi, cangiandosi nel contrario, ossia in una strana violenza contenuta e puntuale rivolta, si sarebbe detto, a caricare di significato i gesti più semplici. Ora, quella sera, a tavola, Marcello notò subito che il padre sottolineava con forza, quasi a richiamarvi sopra l'attenzione, azioni abituali e di nessuna importanza. Prendeva, per esempio, il bicchiere, beveva un sorso e poi lo rimetteva a posto con un colpo forte sulla tavola; cercava la saliera, ne toglieva un pizzico di sale e poi giù, deponendola, un altro colpo; afferrava il pane, lo spezzava e quindi lo riposava con un terzo colpo. Oppure, come invaso da una subitanea smania di simmetria, si dava a inquadrare, coi soliti colpi, il piatto tra le posate, in modo che coltello, forchetta e cucchiaio si incontrassero ad angolo retto intorno il circolo della scodella. Se Marcello fosse stato meno preoccupato dalla propria colpevolezza si sarebbe accorto facilmente che questi gesti così densi di energia significativa e patetica erano rivolti non già a lui ma a sua madre; la quale, infatti, ad ognuno di quei colpi, si rinsaccava nella propria dignità con certi sospiri di sufficienza e certe alzate di sopracciglia piene di sopportazione. Ma la sua preoccupazione lo accecava, così che non dubitò che i genitori sapessero ogni cosa: certamente Roberto da quel coniglio che era, aveva fatto la spia. Aveva desiderato la punizione, ma adesso vedendo i genitori così corrucciati, gli venne un improvviso ribrezzo della violenza di cui sapeva capace suo padre in simili circostanze. Come le manifestazioni di affetto della madre erano sporadiche, casuali, dettate evidentemente più dal rimorso che dall'amor materno, così le severità paterne erano improvvise, ingiustificate, eccessive, suggerite, si sarebbe detto, piuttosto dal desiderio di rimettersi in pari dopo lunghi periodi di distrazione che da una intenzione educativa. Tutto ad un tratto, su una lagnanza della madre o della cuoca, il padre ricordava di aver un figlio, urlava, dava in smanie, lo percuoteva. Soprattutto le percosse spaventavano Marcello perché il padre aveva al mignolo un anello con un castone massiccio che, durante queste scene, non si sa come, si trovava sempre voltato dalla parte della palma, aggiungendo così, alla durezza umiliante dello schiaffo, un dolore più penetrante. Marcello sospettava che il padre voltasse apposta in dentro il castone, ma non ne era sicuro.

Intimidito, spaventato, incominciò ad architettare in fretta e in furia una bugia plausibile: lui non aveva ucciso il gatto, era stato Roberto, e, infatti, il gatto si trovava nel giardino di Roberto, e come avrebbe fatto lui ad ammazzarlo attraverso l'edera e il muro di cinta? Ma poi, improvvisamente, ricordò che la sera avanti aveva annunziato alla madre l'uccisione del gatto che poi, in effetti, era avvenuta il giorno dopo, e capì che qualsiasi bugia gli era preclusa. Per quanto distratta, sua madre aveva certamente riferito la sua confessione al padre e questi, non meno certamente, aveva stabilito un nesso tra la confessione e le accuse di Roberto; e così non c'era alcuna possibilità di smentita. A questo pensiero, passando da l'uno all'altro estremo, con rinnovato impulso desiderò la punizione, purché venisse presto e fosse decisiva. Quale? Ricordò che Roberto, un giorno, aveva parlato di collegi come di luoghi dove i genitori mettevano i figli discoli per punizione, e si sorprese a desiderare vivamente questo genere di pena. Era l'inconsapevole stanchezza della vita familiare disordinata e poco affettuosa che si esprimeva in questo desiderio; non soltanto facendogli vagheggiare ciò che i genitori avrebbero considerato un castigo, ma anche inducendolo a truffare se stesso e il proprio bisogno di questo castigo, con il calcolo quasi furbo che in tal modo avrebbe al tempo stesso calmato il proprio rimorso e migliorato il proprio stato. Questo pensiero gli suggerì subito delle immagini che avrebbero dovuto essere scuoranti e invece gli riuscivano grate: un severo, freddo edificio grigio dai finestroni sbarrati da inferriate; camerate gelide e disadorne con file di letti, allineati sotto alti muri bianchi; aule smorte, piene di banchi, con la cattedra in fondo; corridoi nudi, scale buie, porte massicce, cancelli invalicabili: tutto insomma, come in una prigione eppure tutto preferibile alla libertà inconsistente, angosciosa, insostenibile della casa paterna. Persino l'idea di portare un'uniforme di rigatino e di aver la testa rasata, come i collegiali che gli accadeva talvolta di incontrare incolonnati per le strade; perfino quest'idea umiliante e quasi ripugnante gli riusciva grata nella sua presente disperata aspirazione ad un ordine e ad una normalità purchessia.

Tra queste fantasticherie non guardava più al padre ma alla tovaglia abbagliante di luce bianca su cui, ogni tanto, si abbattevano gli insetti notturni che dalla finestra spalancata venivano a cozzare contro il paralume della lampada. Poi alzò gli occhi e fece appena in tempo a vedere, proprio dietro suo padre, sul davanzale della finestra, il profilo di un gatto. Ma la bestia, prima che egli avesse potuto distinguerne il colore, saltò giù, attraversò la sala da pranzo e scomparve dalla parte della cucina. Sebbene non ne fosse del tutto sicuro, tuttavia il cuore gli si gonfiò di gioiosa speranza al pensiero che potesse essere il gatto che poche ore prima aveva veduto steso immobile tra gli iris, nel giardino di Roberto. E fu contento di questa speranza, segno che dopo tutto gli premeva più la vita dell'animale che il proprio destino. "Il gatto," esclamò con voce forte. E poi gettando il tovagliolo sulla tavola e stendendo una gamba fuori della seggiola: "Papà, ho finito, posso alzarmi?"

"Tu stai al tuo posto," disse il padre con voce minacciosa. Marcello, intimidito, arrischiò: "Ma il gatto è vivo..."

"Ti ho già detto di stare al tuo posto," ribadì il padre. Quindi, come se le parole di Marcello avessero infranto anche per lui il lungo silenzio, si voltò verso la moglie dicendo: "Allora di' qualche cosa, parla."

"Non ho nulla da dire," ella ripose con ostentata dignità, le palpebre basse, la bocca sdegnosa. Era vestita da sera, con un abito nero scollato; Marcello notò che stringeva tra le dita magre un piccolo fazzoletto che portava frequentemente al naso; con l'altra mano afferrava e lasciava ricadere sulla tavola un pezzo di pane, ma non con le dita, bensì con le punte delle unghie, come un uccello.

"Ma di' quello che hai da dire... parla... perbacco."

"Con te non ho nulla da dire."

Marcello cominciava appena a capire che non era l'uccisione del gatto il motivo del malumore dei genitori quando, improvvisamente, tutto parve precipitare. Il padre ripeté ancora una volta: "Parla, perdio," la madre, per tutta risposta, alzò le spalle; allora il padre prese il bicchiere a calice davanti al piatto e, gridando forte: "Vuoi parlare sì o no?" lo sbatté con violenza sulla tavola. Il bicchiere si ruppe, il padre con un'imprecazione portò la mano ferita alla bocca, la madre spaventata si levò dalla tavola e si avviò in fretta verso la porta. Il padre si succhiava il sangue della mano quasi con voluttà, inarcando le sopracciglia al disopra della mano; ma vedendo la moglie andarsene, interruppe di succhiare e le gridò: "Ti proibisco di andartene... hai capito." Come risposta venne il colpo della porta sbattuta con violenza. Il padre si alzò anche lui e si slanciò verso la porta. Eccitato dalla violenza della scena, Marcello lo seguì.

Il padre si era già avviato su per la scala, una mano sulla balaustrata, senza scomporsi né, apparentemente, affrettarsi; ma Marcello che gli veniva dietro vide che saliva gli scalini due a due, quasi volando silenziosamente verso il pianerottolo; come, pensò, un orco da favola calzato degli stivali delle sette leghe; e non dubitò un momento che questa ascesa calcolata e minacciosa avrebbe avuto ragione della fretta disordinata della madre che poco più su scappava per gli scalini, uno per uno, con le gambe impacciate dalla gonna stretta. "Ora l'ammazza," pensò seguendo il padre. Giunta sul pianerottolo, la madre fece una piccola corsa fino alla sua camera, non tanto rapida però da impedire al marito di insinuarsi dietro di lei per la fessura della porta. Tutto questo Marcello lo vide ascendendo la scala con le sue gambe corte di bambino che non gli consentivano né di salire due gradini per volta come il padre né di saltellare in fretta come la madre. Come arrivò al pianerottolo, notò che al fracasso dell'inseguimento, era, adesso, subentrato, stranamente un silenzio improvviso. La porta della camera della madre era rimasta aperta. Marcello, un po' titubante, si affacciò sulla soglia.

Dapprima non vide, in fondo alla camera in penombra, ai due lati del largo letto basso, che le due grandi tende vaporose delle finestre, sollevate da una corrente di vento dentro la stanza, su su verso il soffitto, fin quasi a sfiorare il lume centrale. Queste tende silenziose, biancheggianti a mezzaria nella camera buia, davano un senso di deserto, come se, inseguendosi, i genitori di Marcello si fossero involati fuori dalle finestre spalancate, nella notte estiva. Poi, nella striscia di luce che dal corridoio, attraverso la porta, giungeva fino al letto, scorse finalmente i genitori. O meglio, non vide che il padre, di schiena, sotto il quale la madre scompariva quasi completamente, salvo che per i capelli sparsi sul guanciale e per un braccio levato verso la spalliera del letto. Questo braccio cercava, convulsamente, di aggrapparsi con la mano alla spalliera, senza però riuscirvi; e intanto il padre, schiacciando sotto il proprio corpo il corpo della moglie, faceva con le spalle e con le mani dei gesti come se avesse voluto strangolarla. "La sta ammazzando," pensò Marcello convinto, fermandosi sulla soglia. Provava in quel momento una sensazione insolita di eccitazione pugnace e crudele e insieme un desiderio forte di intervenire nella lotta, non sapeva neppur lui se per dar mano forte al padre o difendere la madre. Nello stesso tempo, quasi gli sorrideva la speranza di vedere, attraverso questo delitto tanto più grave, cancellato il proprio: che era infatti l'uccisione di un gatto in confronto di quella di una donna? Ma proprio nel momento in cui, vincendo l'ultima esitazione, affascinato e pieno di violenza, si muoveva dalla soglia, la voce della madre, per niente strozzata, anzi quasi carezzevole, mormorò piano: "lasciami," e, in contraddizione con questa preghiera, il braccio che ella aveva tenuto sino allora alzato a cercare l'orlo della spalliera, si abbassò a cingere la nuca del marito. Meravigliato, quasi deluso, Marcello indietreggiò e uscì nel corridoio.

Pian piano, procurando di non far rumore sugli scalini, discese a pianterreno e si diresse verso la cucina. Adesso lo pungeva di nuovo la curiosità di sapere se il gatto che era saltato giù dalla finestra nella sala da pranzo fosse quello che temeva di avere ucciso. Spinta la porta della cucina, gli apparve un tranquillo quadro casalingo: la cuoca matura e la giovane cameriera, sedute alla tavola di marmo in atto di mangiare, nella cucina bianca, tra il fornello elettrico e la ghiacciaia. E, in terra, sotto la finestra, il gatto intento a leccare con la lingua rosea il latte di una ciotola. Ma, come si accorse subito con delusione, non era il gatto grigio bensì un gatto striato del tutto diverso.

Non sapendo come giustificare la propria presenza nella cucina, andò al gatto, si abbassò e lo accarezzò sul dorso. Il gatto, pur senza interrompere di leccare il latte, prese a far le fusa. La cuoca si alzò e andò a chiudere la porta. Poi aprì la ghiacciaia, ne trasse un piatto con una fetta di dolce, lo posò sulla tavola e, accostando una seggiola, disse a Marcello: "Vuoi un po' del dolce di ieri sera?... L'ho messo apposta da parte per te." Marcello, senza dir parola, lasciò il gatto, sedette e cominciò a mangiare il dolce. La cameriera disse: "Io però certe cose non le capisco... hanno tanto tempo durante la giornata, hanno tanto posto in casa e, invece, proprio a tavola, in presenza del bambino, debbono litigare."

La cuoca rispose sentenziosamente: "Quando non si ha voglia di occuparsi dei figli, è meglio non metterli al mondo."

La cameriera, dopo un breve silenzio, osservò: "Lui per l'età potrebbe essere suo padre... si capisce che non vanno d'accordo..."

"Fosse soltanto questo..." disse la cuoca con uno sguardo pesante in direzione di Marcello.

"E poi," continuò la cameriera, "secondo me quell'uomo non è normale..."

Marcello, a questa parola, pur continuando a mangiare lentamente il dolce, drizzò l'orecchio. "Anche lei la pensa come me," proseguì la cameriera, "sai che mi ha detto l'altro giorno mentre la spogliavo per andare a letto? Giacomina, un giorno o l'altro, mio marito mi uccide... io le ho risposto: ma signora che aspetta a lasciarlo? E lei..."

"Sss..." la interruppe la cuoca indicando Marcello. La cameriera comprese e domandò a Marcello: "Dove sono papà e mamma?"

"Su, in camera," rispose Marcello. E poi tutto ad un tratto, come spinto da un impulso irresistibile: "È proprio vero che papà non è normale. Lo sapete cosa ha fatto?"

"No, che cosa?"

"Ha ammazzato un gatto," disse Marcello.

"Un gatto, e come?"

"Con la mia fionda... L'ho visto io, nel giardino, seguire un gatto grigio che camminava sul muro... poi ha preso un sasso e ha tirato al gatto e l'ha colpito in un occhio... il gatto è caduto nel giardino di Robertino e poi io sono andato a vedere e ho visto che era morto." Via via che parlava, si era infervorato, senza tuttavia abbandonare il tono dell'innocente che con ignara e candida ingenuità racconta qualche misfatto al quale abbia assistito. "Ma pensa un po'" disse la cameriera giungendo le mani, "un gatto... un uomo di quell'età, un signore, prendere la fionda del figlio e ammazzare un gatto... e poi non bisogna dire che è un anormale."

"Chi è cattivo con le bestie, è anche cattivo con i cristiani," disse la cuoca, "si comincia con un gatto e poi si ammazza un uomo."

"Perché?" domandò ad un tratto Marcello levando gli occhi dal piatto.

"Si dice così," rispose la cuoca facendogli una carezza. "Sebbene," soggiunse rivolta alla cameriera, "non sia sempre vero... quello che ammazzò tutta quella gente a Pistoia... l'ho letto nel giornale... sai cosa fa adesso, in prigione? Alleva un canarino."

Il dolce era finito. Marcello si alzò e uscì dalla cucina.

II

Durante l'estate, al mare, il terrore della fatalità espressa così semplicemente dalla cuoca: "Si comincia con un gatto e poi si ammazza un uomo," pian piano svanì dall'animo di Marcello. Egli pensava ancora spesso a quella specie di meccanismo imperscrutabile e spietato in cui per alcuni giorni pareva che si fosse impigliata la sua vita; ma con sempre minore spavento, piuttosto come a un segnale d'allarme che alla condanna senza appelli che per qualche tempo aveva temuto. I giorni passavano lieti ardenti di sole, inebrianti di salsedine, varii di svaghi e di scoperte; e a Marcello, ogni giorno che passava, pareva di conseguire non sapeva che vittoria non tanto contro se stesso che non aveva mai sentito colpevole in maniera volontaria e diretta, quanto contro la forza oscura, malefica, astuta ed estranea, tutta colorata delle tinte brune della fatalità e della disgrazia, che l'aveva portato, quasi suo malgrado, dallo sterminio dei fiori alla strage delle lucertole e da questa al tentativo di uccidere Roberto. Questa forza la sentiva sempre presente e minacciosa seppure non più incombente; ma, come avviene talvolta negli incubi quando, atterriti dalla presenza di un mostro, si pensa di blandirlo fingendo di dormire mentre in realtà è tutto un sogno che si fa dormendo; gli pareva che non potendo allontanare definitivamente la minaccia di quella forza, gli convenisse addormentarla, per così dire, fingendo un oblio spensierato che era ancor lontano dall'aver raggiunto. Fu quella una delle estati più sfrenate se non più felici di Marcello e certamente l'ultima della sua vita in cui fu bambino senza alcun disgusto della puerizia e alcun desiderio di uscirne. In parte quest'abbandono era dovuto alla naturale inclinazione dell'età; ma in parte anche alla volontà di uscire a tutti i costi dal cerchio maledetto dei presagi e della fatalità. Marcello non se ne rendeva conto, ma l'impulso che lo spingeva a gettarsi nell'acqua del mare dieci volte in una mattina; a gareggiare in turbolenza coi più violenti compagni di giochi; a remare per ore sul mare infuocato; a fare, insomma, con una specie di zelo eccessivo tutte le cose che si fanno sulle spiagge; era pur sempre lo stesso che gli aveva fatto ricercare la complicità di Roberto dopo la strage delle lucertole e la punizione dei genitori dopo la morte del gatto: un desiderio di normalità; una volontà di adeguazione ad una regola riconosciuta e generale; una voglia di essere simile a tutti gli altri dal momento che essere diverso voleva dire essere colpevole. Ma il carattere volontario e artificioso di questa sua condotta si tradiva ogni tanto nel ricordo improvviso e doloroso del gatto morto disteso fra gli iris bianchi e violetti, nel giardino di Roberto. Quel ricordo lo spaventava come spaventava il debitore il ricordo della propria firma apposta in fondo al documento che comprova il suo debito. Gli pareva, con quella morte, di aver preso un impegno oscuro e terribile al quale presto o tardi non avrebbe potuto sottrarsi, anche se si fosse nascosto sotto terra oppure avesse varcato gli oceani per far perdere le proprie tracce. In quei momenti si consolava pensando che erano passati un mese, due mesi, tre mesi; che presto sarebbe passato un anno, due anni, tre anni; e che, insomma, quel che più importava era non svegliare il mostro e far trascorrere il tempo. Del resto questi soprassalti di sconforto e di paura erano rari e verso la fine dell'estate cessarono del tutto. Come Marcello tornò a Roma, dell'episodio del gatto e di quelli che l'avevano preceduto, non gli restava ormai che una diafana, quasi evanescente rimembranza. Come di una esperienza che egli aveva forse vissuto ma in un'altra vita con la quale, appunto, non aveva altri rapporti che di ricordo irresponsabile e senza conseguenze.

All'oblio, poi, contribuì anche, una volta tornato in città, l'eccitazione dell'ingresso a scuola. Marcello aveva sin'allora studiato in casa e quello era il suo primo anno di scuola pubblica. La novità dei compagni, dei professori, delle aule, degli orari, novità in cui traluceva, pur nella varietà d'aspetti, un'idea di ordine, di disciplina e di occupazione in comune, piacque assai a Marcello dopo il disordine, la mancanza di regole e la solitudine di casa sua. Era un po' il collegio da lui sognato, quel giorno, a tavola, ma senza costrizioni né servitù, soltanto coi suoi aspetti piacevoli e senza quelli spiacevoli che lo facevano rassomigliare ad una prigione. Marcello si accorse ben presto che un gusto profondo lo portava alla vita scolastica. Gli piaceva, alla mattina, alzarsi a tempo di orologio, lavarsi e vestirsi in fretta, chiudere, ben stretto e nitido, il suo pacco di libri e di quaderni nell'incerato legato con gli elastici e affrettarsi per le strade verso la scuola. Gli piaceva irrompere con la folla dei compagni nel vecchio ginnasio, correre su per i sudici scaloni, per i corridoi squallidi e sonori e poi smorzare la foga della corsa nell'aula, tra i banchi allineati davanti la cattedra vuota. Gli piaceva soprattutto il rituale delle lezioni: l'ingresso del professore; l'appello; le interrogazioni; l'emulazione con i compagni per rispondere alle domande; le vittorie e le sconfitte di questa emulazione; il tono pacato, impersonale, della voce dell'insegnante; la disposizione stessa, così eloquente, dell'aula, loro in fila accomunati dallo stesso bisogno di imparare, davanti il professore che insegnava. Marcello era, però, un mediocre scolaro e, per certe materie, addirittura uno degli ultimi. Ciò che amava a scuola non era tanto lo studio quanto un modo tutto nuovo di vita, più conforme ai suoi gusti di quello tenuto sinora. Ancora una volta era la normalità che l'attraeva; e tanto più in quanto gli si rivelava non casuale né affidata alle preferenze e alle inclinazioni naturali dell'animo bensì prestabilita, imparziale, indifferente ai gusti individuali, limitata e sorretta da regole indiscutibili e tutte rivolte ad un fine unico.

Ma la sua inesperienza e il suo candore lo rendevano goffo e incerto di fronte alle altre regole, taciute eppure esistenti, che riguardavano i rapporti dei ragazzi tra di loro, fuori della disciplina scolastica. Era anche questo un aspetto della nuova normalità, ma più difficile a padroneggiare. Ne ebbe la sensazione la prima volta che fu chiamato alla cattedra per mostrare il compito scritto. Poiché il professore gli ebbe preso di mano il quaderno e, posandolo sulla cattedra, davanti a sé si accinse a leggerlo, Marcello avvezzo ai rapporti affettuosi e familiari con le maestre che sin allora lo avevano istruito a casa, invece di starsene ritto in disparte sul palco aspettando il responso, molto naturalmente mise un braccio intorno le spalle dell'insegnante e chinò il viso accanto a quello di lui per seguire con lui la lettura del compito. Il professore si limitò, senza mostrare alcuna meraviglia, a togliere la mano che Marcello gli posava sulla spalla e a liberarsi del braccio; ma tutta la scolaresca ruppe in una risata clamorosa in cui parve a Marcello di avvertire una disapprovazione diversa da quella del professore, molto meno indulgente e comprensiva. Con quel gesto ingenuo, non poté fare a meno di riflettere più tardi, appena gli riuscì di sormontare il disagio della vergogna, egli aveva mancato insieme a due norme diverse, quella scolastica che lo voleva disciplinato e rispettoso del professore e quella dei ragazzi che lo voleva malizioso e dissimulato negli affetti. E, ciò che era ancor più singolare, queste due norme non si contraddicevano anzi si completavano, in maniera misteriosa.

Ma, come capì subito, se era abbastanza facile diventare in breve tempo uno scolaro efficiente, molto più difficile era diventare un compagno scaltrito e disinvolto. A questa seconda trasformazione, si opponevano la sua inesperienza, le sue abitudini familiari e perfino il suo aspetto fisico. Marcello aveva ereditato da sua madre una perfezione di tratti quasi leziosa nella sua regolarità e dolcezza. Aveva un viso tondo, dalle guance brune e delicate, il naso piccolo, la bocca sinuosa, dall'espressione capricciosa e imbronciata, il mento rilevato e sotto la frangia dei capelli castani che gli ricopriva quasi per intero la fronte, occhi tra grigi e azzurri, di espressione un po' fosca sebbene innocente e carezzevole. Era quasi un viso di fanciulla; ma i ragazzi, così rozzi, non se ne sarebbero forse accorti se la dolcezza e bellezza del viso non fossero state confermate da alcuni caratteri addirittura femminili così da far dubitare che Marcello non fosse davvero una bambina vestita da maschio: una facilità insolita di arrossire, un'inclinazione irresistibile a esprimere la tenerezza dell'animo con gesti carezzevoli, un desiderio di piacere spinto fino alla servilità e alla civetteria. Questi tratti erano nativi in Marcello epperò inconsapevoli; quando si rese conto che lo rendevano ridicolo agli occhi dei ragazzi, era ormai troppo tardi: anche se avesse potuto controllarli, se non sopprimerli, la sua reputazione di femminuccia in calzoni era ormai stabilita.

Lo prendevano in giro in una maniera quasi automatica, come se il suo carattere femminile fosse ormai fuori discussione. Ora gli chiedevano con finta serietà come mai non sedesse nei banchi delle ragazze e che idea gli era venuta di cambiare la gonna coi calzoni; ora come passasse il tempo a casa, se ricamando oppure giocando con le bambole; ora perché non avesse i buchi ai lobi delle orecchie per infilarci gli orecchini. Talvolta gli facevano trovare sotto il banco una pezzuola con un ago e un gomitolo, chiara allusione al genere di lavoro al quale avrebbe dovuto dedicarsi; talora uno scatolino di cipria; un mattino, addirittura un reggipetto rosa che uno dei ragazzi aveva rubato alla sorella maggiore. Fin da principio, poi, trasformando il suo nome in un diminutivo femminile, l'avevano chiamato Marcellina. Egli provava di fronte a queste canzonature un sentimento misto di stizza e di non sapeva che lusingato compiacimento, come se una parte di lui, in fondo, non fosse stata troppo scontenta; tuttavia non avrebbe saputo dire se questo compiacimento fosse dovuto alla qualità della canzonatura oppure al fatto che, sia pure per beffarlo, i compagni si occupavano di lui. Ma una mattina che, al solito, gli sussurravano dietro le spalle: "Marcellina... Marcellina... è vero che hai le mutandine di donna?" egli si alzò e, richiesto con il braccio alzato di parlare, si lagnò con voce forte, nel silenzio improvviso della classe, di esser chiamato con un soprannome femminile. Il professore, un omaccione barbuto, lo ascoltò, sorridendo tra i peli della barba grigia, e poi disse: "Ti chiamano con un soprannome di donna... e qual è?"

"Marcellina," disse Marcello.

"E ti dispiace?"

"Sì... perché sono un uomo."

"Vieni qui," disse il professore. Marcello ubbidì e venne a mettersi accanto alla cattedra. "Ora," continuò piacevolmente il professore, "mostra i tuoi muscoli alla classe."

Marcello, ubbidiente, piegò il braccio gonfiando i muscoli. Il professore si sporse dalla cattedra, gli toccò il braccio, scosse il capo in segno di ironica approvazione e poi rivolto alla scolaresca, disse: "Come potete vedere, Clerici è un ragazzo forte... ed è pronto a dimostrare di essere un uomo e non una donna... chi vuole sfidarlo?"

Seguì un lungo silenzio. Il professore girò lo sguardo sulla classe e quindi concluse: "Nessuno... allora è segno che avete paura di lui... dunque smettetela di chiamarlo Marcellina." Tutta la scolaresca scoppiò in una risata. Rosso in viso, Marcello tornò al suo posto. Ma da quel giorno, invece di cessare, le canzonature raddoppiarono, inasprite forse dal fatto che Marcello, come gli dissero, aveva fatto la spia, mancando in tal modo alla tacita legge di omertà che legava tra loro i ragazzi.

Marcello si rendeva conto che per far cessare queste canzonature, doveva dimostrare ai compagni di non essere così effeminato come sembrava; ma intuiva che per una simile dimostrazione non bastava, come gli aveva suggerito il professore, ostentare i muscoli del braccio. Ci voleva qualche cosa di più insolito, atto a colpire le immaginazioni e a suscitare ammirazione. Che cosa? Non avrebbe saputo dirlo con precisione, ma, in senso generale, un'azione o un oggetto che suggerissero idee di forza, di virilità, se non addirittura di brutalità. Aveva notato che i compagni ammiravano assai certo Avanzini perché possedeva un paio di guantoni di cuoio, da boxe. Quei guantoni, Avanzini, un biondino mingherlino, più piccolo e meno forte di lui, non sapeva neppure adoperarli; tuttavia gli avevano fruttato una considerazione particolare. Analoga ammirazione andava pure a certo Pugliese perché conosceva o meglio pretendeva di conoscere un colpo di lotta giapponese, infallibile, a suo dire, per mettere a terra l'avversario. Alla prova, a dire il vero, Pugliese non aveva mai saputo applicarlo; questo però non impediva che i ragazzi lo rispettassero allo stesso modo di Avanzini. Marcello capiva che doveva quanto prima ostentare il possesso di un oggetto come i guantoni oppure escogitare qualche prodezza del genere della lotta giapponese; ma capiva pure di non essere così leggero e così dilettantesco come i suoi compagni; di appartenere, invece, gli piacesse o no, alla razza di coloro che prendono sul serio la vita e i suoi impegni; e che, al posto di Avanzini, avrebbe rotto il naso ai suoi avversari e, al posto di Pugliese gli avrebbe fiaccato il collo. Questa sua incapacità di retorica e di superficialità gli ispirava un'oscura diffidenza verso se stesso; così mentre desiderava fornire ai compagni la prova di forza che sembravano domandargli in cambio della loro considerazione, al tempo stesso ne era oscuratamente spaventato.

Uno di quei giorni, si accorse che alcuni dei ragazzi, tra i più accaniti di solito a canzonarlo, confabulavano tra di loro; e gli parve di capire dai loro sguardi che tramassero qualche nuovo scherzo ai suoi danni. Tuttavia, l'ora della lezione trascorse senza incidenti, sebbene le occhiate e i bisbigli lo confermassero nel suo sospetto. Venne il segnale dell'uscita e Marcello, senza guardarsi attorno, si incamminò verso casa. Si era ai primi giorni di novembre con un'aria tempestosa e mite, in cui parevano mescolarsi gli ultimi calori e profumi dell'estate ormai defunta con i primi, ancora incerti rigori autunnali. Marcello si sentiva oscuramente eccitato da questa atmosfera di sgombero e di strage naturale in cui avvertiva una smania di distruzione e di morte molto simile a quella che, mesi addietro, gli aveva fatto decapitare i fiori e uccidere le lucertole. L'estate era stata una stagione immobile, perfetta, piena, sotto un cielo sereno, con alberi carichi di foglie e rami gremiti di uccelli. Adesso, egli vedeva con delizia il vento autunnale lacerare e distruggere quella perfezione, quella pienezza, quell'immobilità spingendo scure nubi stracciate nel cielo, strappando le foglie agli alberi e mulinandole a terra, cacciando via gli uccelli che, infatti, si scorgevano migrare tra le foglie e le nubi, in neri stuoli ordinati. Ad una svolta, si accorse che un gruppo di cinque compagni lo seguiva; e che lo seguisse non era dubbio perché due di loro abitavano nella direzione opposta; ma, immerso nelle sue sensazioni autunnali, non ci fece caso. Adesso, aveva fretta di raggiungere un grande viale piantato di platani dal quale, per una via traversa, si giungeva a casa sua. Sapeva che le foglie morte in quel viale si ammucchiavano a migliaia sopra i marciapiedi, gialle e sonore; e pregustava il piacere di trascinare i piedi nei mucchi, scompigliandoli e facendoli frusciare. Intanto, quasi per gioco, tentava di far perdere le tracce ai suoi inseguitori, ora entrando in un portone, ora confondendosi con la folla. Ma i cinque, come si accorse ben presto, dopo un momento di incertezza, sempre lo ritrovavano. Ormai il viale era vicino; e Marcello si vergognava di farsi vedere in atto di divertirsi con le foglie morte. Decise allora di affrontarli e, voltandosi improvvisamente, domandò: "Perché mi seguite?" Uno dei cinque, il biondino dalla faccia aguzza e dalla testa rapata, rispose prontamente: "Non ti seguiamo, la strada è di tutti, no?" Marcello non disse nulla e riprese il cammino.

Ecco il viale, tra le due file di platani giganteschi e spogli, con le case piene di finestre allineate dietro i platani, ecco le foglie morte, gialle come l'oro, sparse sull'asfalto nero e ammucchiate nei fossati. I cinque, adesso, non si vedevano più, forse avevano rinunziato a seguirlo e lui era solo per il largo viale dai marciapiedi deserti. Senza fretta entrò coi piedi tra il fogliame sparso sul lastrico e cominciò a camminare piano godendo a sprofondare le gambe fino al ginocchio in quella mobile e leggera massa di spoglie sonore. Ma come si chinava ad afferrare una manciata di foglie con l'intenzione di gettarle per aria, udì di nuovo le voci canzonatorie: "Marcellina... Marcellina... mostra la mutandina." Allora gli venne ad un tratto una voglia di battersi, quasi piacevole, che gli accese il viso di eccitazione pugnace. Si rialzò e andò con decisione incontro ai suoi persecutori dicendo: "Volete andarvene, sì o no?"

Invece di rispondere, gli si gettarono tutti e cinque addosso. Marcello aveva pensato di fare un po' come gli Orazi e i Curiazi, secondo l'aneddoto dei libri di storia: prenderli uno per uno, correndo qua e là, e assestare a ciascuno qualche brutto colpo, in modo da convincerli ad abbandonare la loro impresa. Ma si accorse subito che questo piano era impossibile: previdentemente i cinque gli si erano stretti tutti insieme addosso e ora lo tenevano uno per le braccia, un altro per le gambe e due a mezzo corpo. Il quinto, come si accorse, aveva intanto aperto in fretta un involto e ora gli si avvicinava guardingo, tenendo sospesa con le mani una gonnella di bambina, di cotone turchino. Tutti ridevano, adesso, pur mantenendolo fermo, e quello della gonnella disse: "Su Marcellina... lasciati fare... ti mettiamo la gonnella e poi ti lasciamo andare dalla mamma." Era, insomma, proprio il genere di scherzo che Marcello aveva presentito, suggerito, al solito, dal suo aspetto non abbastanza maschile. Rosso in viso, furioso, prese a dibattersi con estrema violenza; ma i cinque erano più forti e, sebbene gli riuscisse di graffiare il viso a uno e di assestare un pugno nello stomaco ad un altro, sentì che, gradualmente, i propri movimenti venivano ridotti. Finalmente, mentre gemeva: "Lasciatemi... cretini... lasciatemi," un grido di trionfo fuggì dalle bocche dei suoi persecutori: la gonnella calava sulla sua testa e ormai le sue proteste si perdevano dentro quella specie di sacco. Egli si dibatté ancora, ma invano. Abilmente i ragazzi gli fecero discendere la gonna fino alla vita; e poi sentì che gliela legavano con un nodo sul dorso. Allora, mentre essi gridavano: "Stringi... dàgli... più stretto," udì una voce tranquilla domandare più in tono di curiosità che di rimprovero: "Ma si può sapere cosa fate?"

Subito i cinque lo lasciarono fuggendo via; e lui si ritrovò solo, tutto scarmigliato e ansimante, la gonnella legata alla vita. Levò gli occhi e vide ritto davanti a lui l'uomo che aveva parlato. Vestito di una uniforme grigio-scura, il colletto stretto sotto la gola, pallido, scarno, gli occhi infossati, il naso grande e triste, la bocca sdegnosa e i capelli tagliati a spazzola, dava a tutta prima un'impressione di austerità quasi eccessiva. Ma poi, ad un secondo sguardo, come notò Marcello, si rivelavano alcuni tratti che nulla avevano di austero, al contrario: lo sguardo ansioso, ardente degli occhi; un che di molle e di quasi sfatto nella bocca; la generale insicurezza dell'atteggiamento. Egli si chinò, raccolse i libri che Marcello, dibattendosi, aveva lasciato cadere in terra, e disse, porgendoglieli: "Ma che ti volevano fare?"

Aveva una voce anch'essa severa, come il viso, ma insieme non priva di una sua strangolata dolcezza. Marcello rispose irritato: "Mi fanno sempre degli scherzi... sono dei veri stupidi." Intanto cercava di slegare sul dorso la cintura della gonna. "Aspetta," disse l'uomo chinandosi e sciogliendo il nodo. La gonna cadde in terra e Marcello ne uscì calpestandola e poi lanciandola con un calcio sul mucchio delle foglie morte. L'uomo domandò, con una specie di timidezza: "Non stavi forse andando a casa tua?" "Sì," rispose Marcello levando gli occhi verso di lui.

"Ebbene," disse l'uomo, "ti ci porto io, in macchina," e indicò a non grande distanza, un'automobile ferma presso il marciapiede. Marcello la guardò: era una macchina di un tipo che non conosceva, forse straniera, lunga nera, di foggia antiquata. Stranamente, gli venne fatto di pensare che quella macchina ferma, lì a due passi da loro, denotasse una premeditazione nei casuali approcci dell'uomo. Esitò, prima di rispondere; l'uomo insistette: "Vieni, su... prima di portarti a casa ti faccio fare un bel giro... ti va?"

Marcello avrebbe voluto rifiutare o meglio sentì che avrebbe dovuto. Ma non ne ebbe il tempo: l'uomo gli aveva già tolto di mano il pacco dei libri dicendo: "Te lo porto io," già si avviava verso l'automobile. Lo seguì un po' stupito dalla propria docilità, ma non scontento. L'uomo aprì lo sportello, fece salire Marcello nel posto accanto al suo, e scaraventò i libri sul sedile posteriore. Poi sedette al volante, chiuse lo sportello, infilò i guanti e mise in moto la macchina.

L'automobile prese a correre senza fretta, maestosamente,

con un ronzio sommesso, per il lungo viale alberato. Era proprio una macchina di vecchio tipo, come pensò Marcello, ma tenuta in perfetta efficienza, amorosamente lucidata, con tutti gli ottoni e le nichelature sfavillanti. Adesso l'uomo, pur tenendo con una mano il volante, con l'altra aveva preso un berretto a visiera e se l'aggiustava sul capo. Il berretto confermava il suo aspetto severo, vi aggiungeva un'aria quasi militare. Marcello domandò impacciato: "È sua la macchina?"

"Dammi del tu," disse l'uomo senza voltarsi e andando con la mano destra a premere la pompa di una tromba dal suono grave e anch'esso antiquato come la macchina. "Non è mia... è di chi mi paga... io sono l'autista."

Marcello non disse nulla. L'uomo, sempre stando di profilo e continuando a condurre la macchina con una precisione distaccata ed elegante, soggiunse: "Ti dispiace che io non sia il padrone? Ti vergogni?"

Marcello protestò con vivacità: "No, perché?"

L'uomo ebbe un leggero sorriso di compiacimento e accelerò l'andatura. Disse: "Adesso andiamo un po' in collina... sul Monte Mario... ti va?"

"Non ci sono mai stato," rispose Marcello.

L'uomo disse: "È bello, si vede tutta la città..." Tacque un momento e poi soggiunse, con dolcezza: "Come ti chiami?"

"Marcello."

"Già, è vero," disse l'uomo come parlando a se stesso, "ti chiamavano Marcellina, quei tuoi compagni... io mi chiamo Pasquale."

Marcello non fece a tempo a pensare che Pasquale era un nome ridicolo che l'uomo, quasi avesse intuito il suo pensiero, soggiunse: "Ma è un nome ridicolo... tu, chiamami Lino."

Adesso la macchina attraversava le larghe e sudicie strade di un quartiere popolare, tra squallidi casamenti. Gruppi di monelli che giocavano in mezzo all'asfalto, si facevano da parte trafelati, donne scapigliate, uomini stracciati guardavano dai marciapiedi l'insolito passaggio. Marcello abbassò gli occhi, vergognoso di questa curiosità. "È il Trionfale," disse l'uomo, "ma ecco Monte Mario." La macchina uscì dal quartiere povero, attaccò una larga strada a spirale, dietro un tram, tra due file di case allineate in salita. "A che ora devi essere a casa?"

“C’è tempo,” disse Marcello, “non mangiamo mai prima delle due.”

“Chi ti aspetta a casa? Il papà e la mamma?”

“Sì.”

“Hai anche fratelli?”

“No.”

“E cosa fa tuo papà?”

“Non fa nulla,” rispose Marcello un po’ incerto.

La macchina, ad una svolta, sorpassò il tram e l’uomo, per prendere la voltata più stretta che fosse possibile, pesò con le braccia sul volante, ma senza muovere il busto, con una destrezza piena di eleganza. Poi la macchina, sempre in salita, prese a correre lungo alte mura erbose, cancelli di ville, steccati di sambuco. Ogni tanto un ingresso decorato di lampioncini veneziani o un arco con l’insegna color sangue di bue, rivelava la presenza di qualche ristorante, di qualche rustica osteria. Lino domandò ad un tratto: “Tuo papà e tua mamma ti fanno dei regali?”

“Sì,” rispose Marcello un po’ vagamente, “qualche volta.”

“Molti o pochi?”

Marcello non voleva confessare che i regali erano pochi, e che, talvolta, le feste passavano addirittura senza regali. Si limitò a rispondere: “Così così.”

“Ti piace ricevere regali?” domandò Lino aprendo uno sportellino del cruscotto, togliendone un panno giallo e pulendo il vetro.

Marcello lo guardò. L’uomo stava sempre di profilo, eretto il busto, la visiera del berretto sugli occhi. Disse a caso: “Sì, mi piace.”

“E che regalo ti piacerebbe ricevere, per esempio?”

Questa volta la frase era esplicita e Marcello non poté fare a meno di pensare che il misterioso Lino, per qualche suo motivo, intendesse davvero fargli un regalo. Ricordò ad un tratto l’attrazione che gli ispiravano le armi; e nel tempo stesso, quasi con la sensazione di fare una scoperta, si disse che il possesso di una vera arma gli avrebbe assicurato la considerazione e il rispetto dei compagni. Arrischiò un po’ scetticamente, consapevole di domandare troppo: “Per esempio, una rivoltella...”

“Una rivoltella,” ripeté l’uomo senza mostrare alcuna sorpresa. "Che specie di rivoltella? Una rivoltella con le cartucce oppure una rivoltella a aria compressa?"

"No," disse Marcello arditamente, "una rivoltella vera."

"E che ne faresti di una rivoltella vera?"

Marcello preferì non dire la vera ragione. "Ci sparerei al bersaglio," rispose, "fino a quando mi sembrasse di avere una mira infallibile."

"Ma perché ti importa tanto di avere una mira infallibile?"

L'uomo pareva, come pensò Marcello, muovere le domande più per gusto di farlo parlare che per vera curiosità. Tuttavia, rispose seriamente: "Con una mira sicura ci si può difendere contro chiunque."

L'uomo tacque per un momento. Poi suggerì:

"Metti la mano in quella saccoccia, lì, nello sportello accanto a te."

Marcello, incuriosito, ubbidì e sentì sotto le sue dita il freddo di un oggetto di metallo. L'uomo disse: "Tirala pure fuori."

L'automobile ebbe un rapido scarto, per evitare un cane che attraversava la strada. Marcello tirò fuori l'oggetto di metallo: era proprio una rivoltella del tipo automatico, nera e piatta, pesante di distruzione e di morte, protesa in avanti con la canna come per sputare le pallottole. Quasi senza volerlo, con dita tremanti di compiacimento, egli strinse in pugno il calcio. "Una rivoltella come quella?" domandò Lino.

"Sì," disse Marcello.

"Ebbene," disse Lino, "se proprio la desideri, te la darò... non quella però, che è in dotazione alla macchina... un'altra eguale."

Marcello non disse nulla. Gli pareva di essere entrato in una magica aria di favola, in un mondo diverso da quello solito, nel quale autisti sconosciuti invitavano a salire in macchina e regalavano rivoltelle. Tutto sembrava diventato oltremodo facile; ma, al tempo stesso, non sapeva neppur lui perché gli pareva che questa facilità così appetitosa rivelasse in un secondo momento un sapore sgradevole, come se, legata ad essa, si celasse una difficoltà ancora ignota ma incombente e di prossima rivelazione. Probabilmente, come pensò con freddezza, nella macchina erano in due ad avere uno scopo: il suo era di possedere una rivoltella, quello di Lino di ottenere in cambio della rivoltella qualche cosa di ancora misterioso e forse inaccettabile. Si trattava ora di vedere chi dei due avrebbe tratto dal baratto il maggiore vantaggio. Egli domandò: "Ma dove andiamo?"

Lino rispose: "Andiamo nella casa dove abito... a cercare la rivoltella."

"E dov'è la casa?"

"Ecco, siamo arrivati," rispose l'uomo, togliendogli di mano la rivoltella e mettendosela in tasca.

Marcello guardò: la macchina si era fermata sulla strada che ormai sembrava proprio un'ordinaria strada di campagna, con gli alberi, le siepi di sambuco, e, dietro le siepi, i campi e il cielo. Ma poco più giù, si vedeva un portale con un arco, due colonne e un cancello dipinto di verde. "Aspetta qui," disse Lino. Egli discese e andò al portale. Marcello lo guardò mentre spalancava i due battenti del cancello e poi tornava indietro: non era alto, sebbene, seduto, lo sembrasse; aveva le gambe corte rispetto al busto e i fianchi larghi. Lino risalì nella macchina e la guidò attraverso il portale. Apparve un viale ghiaiato tra due file di piccoli cipressi spennacchiati che il vento tempestoso scuoteva e tormentava. In fondo al viale, ad un labile raggio di sole, qualche cosa scintillò stridulamente sullo sfondo del cielo temporalesco: una vetrata di veranda incassata in un edificio di due soli piani. "È la villa," disse Lino, "ma non c'è nessuno."

"Chi è il padrone?" domandò Marcello.

"Vuoi dire la padrona," corresse Lino, "una signora americana... ma è fuori, a Firenze."

La macchina si fermò sul piazzale. La villa, lunga e bassa, con superfici rettangolari di cemento bianco e di mattoni rossi alternate qua e là alle strisce di vetro specchiante delle finestre, aveva un porticato sostenuto da pilastri quadrati, di pietra greggia. Lino aprì lo sportello e balzò a terra dicendo: "Allora, scendiamo."

Marcello non sapeva che cosa volesse Lino da lui né gli riusciva di indovinarlo. Ma sempre più cresceva in lui la diffidenza di chi teme di essere ingannato. "E la rivoltella?" domandò senza muoversi.

"È là dentro," rispose Lino con qualche impazienza indicando le finestre della villa, "ora l'andiamo a prendere."

"Me la darai?"

"Certo, una bella rivoltella nuova."

Senza dir parola, Marcello discese anche lui. Subito l'investì, con una raffica calda e piena di polvere, l'inebriante, funebre vento autunnale. Non sapeva neppur lui perché, gli venne, a quella raffica, come un presentimento, e, pur seguendo Lino, si voltò a guardare un'ultima volta allo spiazzo ghiaiato, circondato di cespugli e di stenti oleandri. Lino lo precedeva ed egli notò che qualche cosa gli gonfiava la tasca laterale della tunica: la rivoltella che, in macchina, all'arrivo, l'uomo gli aveva tolto di mano. Improvvisamente fu sicuro che Lino non disponeva che di quella rivoltella e si domandò perché mai gli avesse mentito e, adesso, lo attirasse dentro la villa. Cresceva in lui il senso dell'inganno e, insieme, la volontà di tenere gli occhi aperti e non lasciarsi ingannare. Intanto erano entrati in una vasta sala di soggiorno, sparsa di gruppi di poltrone e di divani, con un camino dalla cappa di mattoni rossi sulla parete di fondo. Lino, sempre precedendo Marcello, si diresse, attraverso la sala, verso una porta dipinta di turchino, in un angolo. Marcello domandò inquieto: "Ma dove andiamo?"

"Andiamo in camera mia," rispose Lino leggermente, senza voltarsi.

Marcello decise di fare, ad ogni buon conto, una prima resistenza, in modo che Lino comprendesse che aveva penetrato il suo gioco. Come Lino aprì la porta azzurra, disse tenendosi a distanza: "Dammi la rivoltella subito o se no me ne vado."

"Ma non ce l'ho qui la rivoltella," rispose Lino voltandosi a metà, "l'ho in camera mia."

"Sì che ce l'hai," disse Marcello, "l'hai nella tasca della giacca."

"Ma questa è della macchina."

"Tu non ne hai altre."

Lino parve avere un moto di impazienza subito represso. Marcello notò una volta di più il contrasto che formavano, con il viso asciutto e severo, la bocca un po' molle e gli occhi ansiosi, dolenti, supplichevoli. "Ti darò questa," disse alfine, "ma vieni con me... che ti fa?... Qui possiamo essere visti da qualche contadino, con tutte queste finestre..."

"E che male c'è che ci vedano?" avrebbe voluto domandare Marcello; ma si trattenne perché avvertiva oscuramente che il male c'era sebbene gli fosse impossibile definirlo. "Va bene," disse puerilmente, "ma dopo me la darai?"

"Stai tranquillo."

Entrarono in un piccolo corridoio bianco e Lino chiuse la porta. In fondo al corridoio c'era un'altra porta azzurra. Questa volta Lino non precedette Marcello, ma gli si mise a lato e gli passò leggermente un braccio intorno la vita domandando: "Ci tieni tanto alla tua rivoltella?"

"Sì," disse Marcello incapace di parlare per l'imbarazzo che quel braccio gli ispirava.

Lino tolse il braccio, aprì la porta e introdusse Marcello nella camera. Era una stanzetta bianca, lunga e stretta, con una finestra in fondo. Non c'era che un letto, un tavolo, un armadio e un paio di seggiole. Tutti questi mobili erano dipinti di verde chiaro. Marcello notò appeso alla parete, sopra il capezzale, un crocifisso di bronzo, del tipo più comune. Sul comodino si vedeva un libro spesso, rilegato in nero, con il taglio rosso, che Marcello giudicò essere un libro di devozioni. La camera, vuota di oggetti e di panni, sembrava oltremodo pulita; tuttavia per l'aria c'era un odore forte, come di sapone all'acqua di colonia. Dove l'aveva già sentito? Forse nel bagno, subito dopo che sua madre, al mattino, vi si era lavata. Lino gli disse negligentemente: "Siediti sul letto, vuoi... è più comodo," ed egli ubbidì, in silenzio. Lino adesso andava e veniva per la camera. Si tolse il berretto e lo posò sopra il davanzale della finestra; si sbottonò il colletto e con un fazzoletto si asciugò il sudore intorno il collo. Poi aprì l'armadio, ne trasse una grande bottiglia di acqua di colonia, vi bagnò il fazzoletto e se lo passò con sollievo intorno il viso e sulla fronte. "Ne vuoi anche tu?" domandò a Marcello, "è rinfrescante."

Marcello avrebbe voluto rifiutare, la bottiglia e il fazzoletto gli incutevano non sapeva che ribrezzo. Ma lasciò che Lino gli passasse, con fresca carezza, la palma sulla faccia. Lino ripose l'acqua di colonia nell'armadio e venne a sedersi sul letto, di fronte a Marcello.

Si guardarono. Il viso di Lino, secco e austero, era adesso atteggiato ad un'espressione nuova, struggente, carezzevole, supplichevole. Egli contemplava Marcello e taceva. Marcello, spazientito, anche per far cessare quella contemplazione imbarazzante, domandò alfine: "E la rivoltella?"

Vide Lino sospirare e poi trarre di tasca, come a malincuore, l'arma. Egli tese la mano, ma il viso di Lino si indurì, egli ritirò l'oggetto e disse in fretta: "Te la darò... ma devi meritartela."

Marcello a queste parole provò quasi un sollievo. Dunque, era come aveva pensato, Lino voleva qualche cosa in cambio della rivoltella. Con tono sollecito e falsamente ingenuo, come a scuola quando faceva qualche baratto di pennini o di palline di vetro, disse: "Di' tu quello che vuoi in cambio e ci metteremo d'accordo."

Vide Lino abbassare gli occhi, esitare e poi domandare lentamente: "Cosa faresti per avere questa rivoltella?"

Notò che Lino aveva eluso la sua proposta: non si trattava di un oggetto da scambiare con la rivoltella ma di qualche cosa che egli avrebbe dovuto fare per ottenerla. Sebbene non capisse che cosa potesse essere disse sempre con quel suo tono falsamente ingenuo: "Non so, dimmi tu." Ci fu un momento di silenzio. "Faresti qualsiasi cosa?" domandò ad un tratto Lino con voce più alta, afferrandogli una mano.

Il tono e il gesto allarmarono Marcello. Egli si domandò se per caso Lino non fosse un ladro che gli chiedesse la sua complicità. Gli parve dopo riflessione, di poter scartare quest'ipotesi. Tuttavia rispose prudentemente: "Ma che cos'è che vuoi che io faccia? Perché non lo dici?"

Lino si trastullava adesso con la sua mano guardandola, rivoltandola, stringendola e allentando la stretta. Poi con gesto quasi sgarbato, la respinse e disse, guardandolo, lentamente: "Sono sicuro che certe cose non le faresti."

"Ma dillo," insistette Marcello con una specie di buona volontà tutta mischiata di imbarazzo.

"No, no," protestò Lino. Marcello notò che un rossore singolare, ineguale gli macchiava il viso pallido al sommo delle guance. Gli parve che Lino fosse tentato di parlare ma volesse essere sicuro che lui lo desiderava. Allora ebbe un gesto di consapevole seppure innocente civetteria. Si sporse e andò con la sua ad afferrare la mano dell'uomo: "Dillo, su, perché non lo dici?"

Seguì un lungo silenzio. Lino guardava ora alla mano di Marcello, ora al viso e pareva esitare. Finalmente, respinse di nuovo la mano del ragazzo, ma con dolcezza questa volta, si levò e mosse qualche passo per la stanza. Quindi tornò a sedersi e riprese la mano di Marcello, in maniera affettuosa, un po' come un padre o una madre prendono la mano al figlio. Disse: "Marcello, sai chi sono io?"

"No."

"Sono un prete spretato," disse Lino con uno scoppio di voce doloroso, accorato, patetico, "un prete spretato scacciato per indegnità dal collegio dove insegnava... e tu, nella tua innocenza, non ti rendi conto di quello che potrei chiederti in cambio di questa rivoltella che ti fa tanto gola... e io sono stato tentato di abusare della tua ignoranza, della tua innocenza, della tua infantile avidità!... Ecco chi sono, Marcello." Egli parlava in tono di profonda sincerità; poi si voltò verso il capo del letto e, in una maniera inaspettata, apostrofò il crocifisso senza alzare la voce, come lamentandosi: "Ti ho tanto pregato... ma tu mi hai abbandonato... e sempre, sempre ricado... perché mi hai abbandonato?" Queste parole si persero in una specie di mormorio, come se Lino avesse parlato con se stesso. Quindi si levò dal letto, andò a prendere il berretto che aveva posato sul davanzale e disse a Marcello: "Andiamo... vieni... ti riaccompagno a casa."

Marcello non disse nulla: si sentiva stordito e incapace per adesso di giudicare quanto era avvenuto. Seguì Lino per il corridoio e poi attraverso la sala di soggiorno. Fuori sullo spiazzo, il vento soffiava tuttora intorno la grande macchina nera, sotto un cielo rannuvolato e senza sole. Lino salì sulla macchina e lui gli sedette accanto. La macchina si mosse, percorse il viale, uscì dolcemente dal portale, nella strada. Per un lungo momento non parlarono. Lino guidava come prima, eretto il busto, la visiera del berretto sugli occhi, le mani guantate posate sul volante. Percorsero un buon tratto di strada e poi Lino senza voltarsi, domandò in maniera inopinata: "Ti dispiace di non avere avuto la rivoltella?"

A queste parole si riaccese nell'animo di Marcello l'avida speranza di possedere l'oggetto tanto desiderato. Dopo tutto, gli venne fatto di pensare, poteva darsi che nulla fosse ancora perduto. Rispose con sincerità: "Certo che mi è dispiaciuto."

"Così," domandò Lino, "se ti dessi appuntamento per domani alla stessa ora di oggi... tu ci verresti?"

"Domani è domenica," rispose giudiziosamente Marcello, "ma lunedì sì... possiamo incontrarci sul viale, allo stesso punto di oggi."

L'altro tacque un momento. Quindi, improvvisamente, con

voce lamentosa e forte gridò: "Non parlarmi più... non guardarmi più... e se lunedì mi vedrai a mezzogiorno sul viale, non darmi retta, non salutarmi... hai capito?"

"Ma che gli prende?" si domandò Marcello un po' indispettito. E rispose: "Io non ci tengo a vederti... sei tu che oggi mi hai fatto venire a casa tua."

"Sì, ma non deve più ripetersi... mai più," disse Lino con forza, "io mi conosco e so di certo che stanotte non farò che pensare a te... e che lunedì ti aspetterò sul viale, anche se oggi decido di non farlo... io mi conosco... ma tu non devi curarti di me."

Marcello non disse nulla. Lino proseguì, sempre con la stessa furia: "Io penserò a te tutta la notte Marcello... e lunedì sarò sul viale... con la rivoltella... ma tu non devi curarti di me." Egli girava intorno la stessa frase, ripetendola; e Marcello con la sua fredda e innocente perspicacia, capiva che in realtà Lino voleva dargli un appuntamento e, col pretesto di metterlo in guardia, effettivamente glielo dava. Lino, dopo un momento di silenzio, domandò di nuovo: "Hai sentito?"

"Sì."

"Che cosa ho detto?"

"Che lunedì sarai sul viale ad aspettarmi."

"Non ti ho detto soltanto questo," disse l'altro con dolore.

"E che," finì Marcello, "io non dovrò curarmi di te."

"Sì," confermò Lino, "a nessun patto... guarda che io ti chiamerò, ti supplicherò, ti seguirò con la macchina... ti prometterò tutto quello che vuoi... ma tu devi tirare dritto, e non darmi retta."

Marcello, spazientito, rispose: "Va bene, ho capito."

"Ma tu sei un bambino," disse Lino passando dalla furia ad una specie di carezzevole dolcezza, "e non sarai capace di resistermi... verrai senza dubbio... sei un bambino, Marcello."

Marcello si offese: "Non sono un bambino... sono un ragazzo... e poi tu non mi conosci."

Lino fermò di colpo la macchina. Erano ancora sulla strada della collina, sotto un alto muro di cinta, più avanti si intravvedeva l'arco ornato di lampioncini veneziani di un ristorante. Lino si voltò verso Marcello: "Veramente," domandò con una specie di dolorosa ansietà, "veramente ti rifiuterai di venire con me?"

"Non sei forse tu," domandò Marcello ormai consapevole del suo gioco, "che me lo chiedi?"

"Sì, è vero," disse Lino disperato, rimettendo in movimento l'automobile, "sì è vero... hai ragione... sono io, il pazzo, che te lo chiedo... proprio io."

Dopo questa esclamazione, egli tacque e ci fu silenzio. La macchina discese fino in fondo alla strada e percorse di nuovo le sudicie vie del quartiere popolare. Ecco il grande viale con gli alti platani nudi e bianchi, i mucchi di foglie gialle lungo i marciapiedi deserti, le fabbriche piene di finestre. Ecco il quartiere dove si trovava il villino di Marcello. Lino domandò senza voltarsi: "Dove sta la tua casa?"

"È meglio che fermi qui," disse Marcello consapevole del piacere che ispirava all'uomo questo suo accento di complicità, "altrimenti potrebbero vedermi mentre scendo dalla tua macchina."

L'automobile si fermò. Marcello discese e Lino, attraverso il finestrino, gli tese il pacco di libri, dicendo decisamente: "Allora a lunedì, sul viale, allo stesso posto di oggi."

"Ma io," disse Marcello prendendo i libri, "debbo fingere di non vederti, no?"

Vide Lino esitare e provò quasi un sentimento di crudele soddisfazione. Gli occhi di Lino, intensamente accesi in fondo alle orbite incavate, lo covavano adesso con uno sguardo supplichevole e angosciato. Poi egli disse appassionatamente: "Fa' come credi... fa' di me quello che vuoi." La sua voce terminò in una specie di lamento cantante e voglioso.

"Guarda che io non ti guarderò neppure," avvertì per l'ultima volta Marcello.

Vide Lino fare un gesto che non capì ma che gli parve di disperato assenso. Quindi la macchina partì, allontanandosi lentamente in direzione del viale.

III

Ogni mattina Marcello veniva svegliato, a ora fissa, dalla cuoca che aveva un'affezione particolare per lui. Ella entrava al buio nella camera portando il vassoio della colazione che andava a posare sul marmo del cassettone. Poi, Marcello la vedeva appendersi con le due braccia alla corda della persiana, e tirarla su con due o tre spinte della persona robusta. Ella gli metteva il vassoio sulle ginocchia e assisteva in piedi alla colazione, pronta, appena egli avesse finito, a gettargli via le coperte e a incitarlo a vestirsi. Lei stessa lo aiutava porgendogli i panni, talvolta inginocchiandosi a calzargli le scarpe. Era una donna vivace, allegra, e piena di buon senso; della provincia in cui era nata conservava l'accento e le affettuose abitudini. Il lunedì, Marcello si destò con il confuso ricordo di avere udito la sera avanti, mentre si addormentava, uno scoppio di voci irate non sapeva bene se al pianterreno o nella camera dei genitori. Aspettò di aver consumato la colazione e poi domandò casualmente alla cuoca, che, al solito, attendeva in piedi che avesse finito: "Che è successo stanotte?"

La donna lo guardò con finto ed esagerato stupore: "Che io sappia, nulla."

Marcello capì che ella aveva qualche cosa da dire: il falso stupore, lo scintillio malizioso degli occhi, tutto l'atteggiamento lo denotavano. Disse: "Ho sentito gridare..."

"Ah, i gridi," disse la donna, "ma questo è normale... non lo sapevi che il tuo papà e la tua mamma gridano spesso?"

"Sì," disse Marcello, "ma gridavano più forte del solito."

Ella sorrise e, appoggiandosi con le due mani alla spalliera del letto, disse: "Almeno, gridando, si saranno capiti meglio, non credi?"

Era questo uno dei suoi vezzi: far delle domande che non aspettavano risposta, affermative. Marcello domandò: "Ma perché hanno gridato?"

La donna sorrise di nuovo: "Perché gridano le persone? Perché non vanno d'accordo."

"E perché non vanno d'accordo?"

"Loro?" ella gridò felice di queste domande del ragazzo. "Oh, per mille motivi... magari un giorno perché la tua mamma vorrebbe dormire con la finestra aperta e il tuo papà non vuole... un altro giorno perché a lui piace andare a letto presto e invece alla tua mamma piace fare tardi... i motivi non mancano mai, no?"

Marcello disse ad un tratto, con gravità e convinzione, come esprimendo un suo antico sentimento: "Io non ci vorrei più stare, qui."

"E che vorresti fare?" gridò la donna sempre più allegra. "Tu sei piccolo, non puoi mica andare via di casa... devi aspettare di essere grande."

"Preferirei," disse Marcello, "che mi mettessero in un collegio."

La donna lo guardò intenerita e gridò: "Hai ragione... in un collegio avresti almeno chi penserebbe a te... lo sai perché hanno gridato tanto stanotte tuo padre e tua mamma?"

"No, perché?"

"Aspetta che ti faccio vedere." Sollecita, ella andò alla porta e scomparve. Marcello l'udì scendere a precipizio giù per la scala e si domandò una volta di più che cosa avesse potuto succedere la notte avanti. Di lì ad un momento, sentì la cuoca risalire la scala; poi ella entrò nella camera con aria di allegro mistero. Teneva in mano un oggetto che Marcello subito riconobbe: una grande fotografia, fatta quando Marcello aveva poco più di due anni. Vi si vedeva la madre di Marcello, vestita di bianco, con in braccio il figlio, anche lui in una vesticciola bianca, un fiocco bianco sui capelli lunghi. "Vedi questa fotografia," gridò la cuoca gioiosa, "la tua mamma iersera, tornando dal teatro, è entrata nel salotto e la prima cosa che ha veduto, sul pianoforte, è stata questa fotografia... poveretta, per poco non è svenuta... guarda un po' che gli ha fatto a questa fotografia il tuo papà."

Marcello stupito guardò la fotografia. Qualcuno con la punta di un temperino o di un punteruolo aveva forato gli occhi così alla madre come al figlio e poi, col lapis rosso, aveva segnato tanti piccoli tratti sotto gli occhi ad ambedue, come a indicare lagrime sanguigne sporgenti dai quattro fori. La cosa era così strana e inaspettata e insieme oscuramente funesta che Marcello per un momento non seppe che pensare. "È il tuo papà che ha fatto questo," gridò la cuoca, "e la tua mamma aveva ragione di gridare."

"Ma perché l'ha fatto?"

"È una fattura, lo sai che cos'è una fattura?"

"No."

"Quando si vuol male a qualcuno... si fa quello che ha fatto il tuo papà... qualche volta invece di bucare gli occhi, si buca il petto... in direzione del cuore... e poi qualche cosa succede."

"Che cosa?"

"La persona muore... oppure gli succede una disgrazia... dipende."

"Ma io," balbettò Marcello, "non ho fatto niente di male a papà."

"E la tua mamma allora che gli ha fatto?" gridò la cuoca indignata. "Ma sai che cos'è tuo padre? Matto... e sai dove finirà? A Sant'Onofrio, alla casa dei matti... e adesso su, vestiti, è ora che vai a scuola... io vado a riporre questa fotografia." Tutta allegra, ella corse via, e Marcello rimase solo.

Impensierito, incapace di spiegarsi in alcun modo l'incidente della fotografia, riprese a vestirsi. Non aveva mai provato per il padre alcun sentimento particolare e l'ostilità di lui, vera o falsa che fosse, non lo addolorava; ma le parole della cuoca circa i malefici poteri della fattura gli davano da pensare. Non che fosse superstizioso e credesse veramente che bastasse bucare gli occhi ad una fotografia per far del male alla persona fotografata; ma questa follia del padre ridestava in lui un'apprensione che si era illuso di avere definitivamente sopita. Era il senso spaurito e impotente di essere entrato nel cerchio di una fatalità funesta che l'aveva ossessionato per tutta l'estate, e che, adesso, come al richiamo di una malefica simpatia, di fronte a quella fotografia macchiata di lagrime sanguigne, si ridestava nel suo animo, più forte che mai.

Cos'era la disgrazia, si domandò, cos'era se non il punto

nero sperduto nell'azzurro dei cieli più sereni, che, tutto ad un tratto, ingrandisce, diventa uccellaccio spietato e piomba addosso al disgraziato come un avvoltoio sulla carogna? Oppure la trappola di cui si è avvertiti e che, anzi, si vede distintamente e nella quale, tuttavia, non si può fare a meno di mettere il piede? Oppure, addirittura, una maledizione di goffaggine, di imprudenza e di cecità insinuata nei gesti, nei sensi, nel sangue? Quest'ultima definizione gli sembrò la più appropriata, come quella che riconduceva la disgrazia ad una mancanza, appunto, di grazia e la mancanza di grazia ad una fatalità intima, oscura, nativa, imperscrutabile, sulla quale il gesto del padre, come un'indicazione all'imboccatura di una strada funesta, aveva richiamato di nuovo la sua attenzione. Egli sapeva che questa fatalità voleva che egli uccidesse; ma ciò che lo spaventava di più non era tanto l'omicidio quanto di esservi predestinato, qualunque cosa facesse. Lo atterriva, insomma, l'idea che persino la consapevolezza fosse stata ignoranza; ma un'ignoranza di un genere particolare che nessuno avrebbe potuto riputare tale; e lui meno degli altri.

Ma più tardi, a scuola, con puerile volubilità, dimenticò improvvisamente questi suoi presentimenti. Egli aveva per compagno di banco uno dei suoi tormentatori, un ragazzo a nome Turchi, il più vecchio e insieme il più ignorante della classe. Era il solo che, per aver preso alcune lezioni di pugilato, sapesse tirar pugni a regola d'arte: il suo viso duro e angoloso dai capelli tagliati a spazzola, dal naso camuso e dalle labbra sottili, affondato in un maglione da atleta, pareva già quello di un pugilista di professione. Turchi non capiva nulla di latino; ma quando nei crocchi, fuori dal ginnasio, per strada, alzando una mano nodosa a togliersi di bocca una piccolissima cicca e aggrottando le molte rughe della fronte bassa in uno sguardo di autorità sufficiente, dichiarava: "Per me, al campionato vincerà Colucci," tutti i ragazzi ammutolivano pieni di rispetto. Turchi che all'occorrenza poteva dimostrare, prendendosi il naso tra le dita e spostandolo da una parte, di avere il setto nasale rotto come i veri pugilisti, non si occupava soltanto di pugni ma anche di pallone e di qualsiasi altro sport popolare e violento. Verso Marcello, Turchi manteneva un contegno sarcastico, quasi sobrio nella sua brutalità. Era stato appunto Turchi, due giorni prima, a tenere le braccia a Marcello mentre gli altri quattro gli infilavano la gonnella; e Marcello, che se ne ricordava, credette quel mattino di aver finalmente trovato una via per conquistare quella sdegnosa e inaccessibile stima.

Approfittando di un momento che il professore di geografia si voltava a indicare con un suo lungo bastone la carta d'Europa, egli scrisse in fretta su un quaderno: "Oggi avrò una rivoltella vera," e poi spinse il quaderno verso Turchi. Costui, nonostante la sua ignoranza, era però, per quanto riguardava la condotta, un alunno modello. Sempre attento, immobile, quasi tetro nella sua inespressiva e melensa serietà, la sua incapacità ogni volta che era interrogato di rispondere alle più semplici domande meravigliava profondamente Marcello il quale si domandava spesso che cosa mai pensasse durante le lezioni e perché se non studiava, fingesse tanta diligenza. Ora come Turchi ebbe veduto il quaderno, fece un gesto impaziente, quasi a dire: "Lasciami in pace... non vedi che sto ascoltando la lezione?" Ma Marcello insistette con una gomitata; e, allora, Turchi, senza muovere la testa, abbassò gli occhi a leggere la scritta. Marcello lo vide prendere una matita e scrivere a sua volta: "Non ci credo." Punto sul vivo, si affrettò a confermare, sempre scrivendo: "Parola d'onore." Turchi diffidente ribatté: "Che marca è?" Questa domanda sconcertò Marcello; tuttavia dopo un attimo di esitazione, rispose: "Una Wilson." Egli confondeva con Weston, nome che aveva sentito fare appunto da Turchi qualche tempo addietro. Turchi subito, scrisse: "Mai sentita nominare." Marcello concluse: "La porto a scuola domani," e il dialogo improvvisamente finì, perché il professore, voltandosi, chiamò ad un tratto Turchi chiedendogli quale fosse il maggior fiume della Germania. Al solito, Turchi si alzò in piedi e, dopo una lunga riflessione, confessò senza imbarazzo, quasi con lealtà sportiva, che non lo sapeva. In quel momento la porta si aprì e il bidello si affacciò ad annunziare la fine delle lezioni.

Egli doveva a tutti i costi ottenere che Lino mantenesse la promessa e gli desse la rivoltella, pensò Marcello più tardi affrettandosi per le strade, verso il viale dei platani. Marcello si rendeva conto che Lino gli avrebbe dato l'arma soltanto che egli l'avesse voluto e, pur camminando, si domandò quale contegno avrebbe dovuto tenere per raggiungere più sicuramente il suo scopo. Pur non penetrando il vero motivo delle smanie di Lino, con istintiva civetteria quasi femminile intuiva che il modo più spiccio per entrare in possesso della rivoltella era quello suggeritogli il sabato avanti da Lino stesso: non curarsi di Lino, disprezzarne le offerte, respingerne le suppliche, rendersi, insomma, prezioso; finalmente non accettare di salire nella macchina se non quando fosse ben sicuro che la rivoltella era sua. Perché, poi, Lino tenesse tanto a lui, e lui fosse in grado di fare questa specie di ricatto, Marcello non avrebbe saputo dirlo. Lo stesso istinto che gli suggeriva di ricattare Lino, gli lasciava intravvedere, dietro i suoi rapporti con l'autista, l'ombra di un affetto insolito, di una qualità imbarazzante quanto misteriosa. Ma la rivoltella era in cima a tutti i suoi pensieri; né, d'altra parte, avrebbe potuto affermare che quell'affetto e la parte quasi femminile che gli toccava di recitare gli riuscissero veramente spiacevoli. La sola cosa che avrebbe voluto evitare, come pensò affacciandosi tutto sudato per il gran correre, sul viale dei platani, era che Lino lo prendesse per la vita, come aveva fatto nel corridoio della villa, la prima volta che si erano veduti.

Come sabato, la giornata era tempestosa e rannuvolata, percorsa da un vento caldo che pareva ricco di spoglie rapinate un po' dappertutto al suo turbolento passaggio: foglie morte, cartacce, piume, lanugini, fuscelli, polvere. Sul viale il vento aveva investito proprio in quel momento un mucchio di foglie secche sollevandole in gran numero molto in su, tra i rami denudati dei platani. Egli si distrasse a guardare le foglie che volteggiavano per l'aria, sullo sfondo del cielo tetro, in tutto simili a miriadi di gialle mani dalle dita bene aperte, e poi, abbassando gli occhi, vide tra tutte quelle mani d'oro mulinanti nel vento, la lunga forma nera e lucida dell'automobile ferma presso il marciapiede. Il cuore prese a battergli più in fretta, non avrebbe saputo dire perché; tuttavia, fedele al suo piano, non affrettò il passo e tirò avanti, incontro alla macchina. Trascorse senza fretta accanto al finestrino e subito, come ad un segnale lo sportello si aprì e Lino, senza berretto, sporse la testa fuori dicendo: "Marcello, vuoi salire?"

Non poté fare a meno di meravigliarsi di quest'invito così serio, dopo i giuramenti del primo incontro. Così Lino si conosceva bene, pensò; ed era persino comico vederlo fare una cosa che aveva preveduto lui stesso di fare nonostante ogni volontà contraria. Egli proseguì come se non avesse udito e si accorse, con oscura soddisfazione, che la macchina si era mossa e gli veniva dietro. Il marciapiede, molto ampio, era deserto a perdita d'occhio tra le fabbriche regolari e piene di finestre e i grossi tronchi inclinati dei platani. La macchina lo seguiva al passo, con un ronzio sommesso che suonava carezzevole all'orecchio; dopo una ventina di metri, l'oltrepassò, si fermò a qualche distanza; poi lo sportello si aprì di nuovo. Egli passò senza voltarsi e udì di nuovo la voce struggente che supplicava: "Marcello, sali... ti prego... dimentica quello che ti ho detto ieri... Marcello mi senti?" Marcello non poté fare a meno di dirsi che quella voce era un po' ripugnante: che aveva Lino da lamentarsi in quel modo? Era una fortuna che nessuno passasse per il viale, altrimenti egli si sarebbe vergognato. Tuttavia, non volle scoraggiare del tutto l'uomo e, pur oltrepassando la macchina, si voltò a metà a guardare indietro, come per invitarlo ad insistere. Si accorse di lanciare un'occhiata quasi lusinghiera, e, tutto ad un tratto, provò, inconfondibile, lo stesso sentimento di umiliazione non spiacevole, di finzione non innaturale che, due giorni prima, per un momento gli aveva ispirato la gonnella legatagli alla vita dai compagni. Quasi che, in fondo, non gli fosse dispiaciuto, anzi fosse portato per natura a recitare la parte della donna sdegnosa e civetta. Intanto la macchina si era mossa di nuovo dietro di lui. Marcello si domandò se fosse giunto il momento di cedere e decise, dopo riflessione, che il momento non era ancora giunto. La macchina gli passò accanto senza fermarsi, soltanto rallentando. Egli udì la voce dell'uomo che lo chiamava: "Marcello..." quindi, subito dopo, il rombo improvviso della macchina che si allontanava. Improvvisamente temette che Lino si fosse spazientito e se ne andasse; lo invase una gran paura di avere a presentarsi, il giorno dopo, a mani vuote a scuola; e prese a correre gridando: "Lino... Lino, fermati Lino." Ma il vento si portava via le parole, disperdendole per aria insieme con le foglie morte, in un turbinio angoscioso e sonoro; la macchina rimpiccioliva a vista d'occhio; evidentemente Lino non aveva udito e se ne andava; e lui non avrebbe avuto la rivoltella; e Turchi, una volta di più l'avrebbe canzonato. Poi egli respirò e riprese a camminare con passo quasi normale, rassicurato: la macchina era corsa avanti non per sfuggirlo ma per aspettarlo ad una traversa; adesso, infatti, si era fermata, sbarrando il marciapiede per tutta la sua larghezza.

Gli venne una specie di rancore contro Lino per aver provocato in lui quell'umiliante batticuore; e decise in cuor suo con subitaneo impulso di crudeltà, di farglielo scontare con una ben calcolata durezza. Intanto, senza fretta, era giunto alla traversa. La macchina era lì, lunga, nera, luccicante con tutti i suoi vecchi ottoni e la sua carrozzeria antiquata. Marcello accennò a girarle intorno: subito lo sportello si aprì e Lino si affacciò.

"Marcello," disse con una decisione disperata, "dimentica quanto ti ho detto sabato... hai fatto fin troppo il tuo dovere... vieni, su, Marcello."

Marcello si era fermato presso il cofano. Tornò un passo indietro e disse con freddezza, senza guardare l'uomo: "Non ci vengo... ma non perché sabato mi hai detto di non venirci... perché proprio non mi va."

"E perché non ti va?"

"Perché sì... perché dovrei salire?"

"Per farmi piacere..."

"Ma io non ho voglia di farti piacere."

"Perché? Ti sono antipatico?"

"Sì," disse Marcello abbassando gli occhi e giocando con la maniglia dello sportello. Si rendeva conto di fare un viso crucciato, restìo, ostile e non capiva più se lo facesse per commedia o sinceramente. Era certo una commedia quella che stava recitando con Lino; ma se era una commedia, perché provava un sentimento così forte e così complicato, mischiato di vanità, di ripugnanza, di umiliazione, di crudeltà e di dispetto? Udì Lino ridere piano, affettuosamente e poi domandare: "E perché ti sono antipatico?"

Questa volta alzò gli occhi e guardò in viso l'uomo. Era vero, Lino gli era antipatico, pensò ma non si era mai domandato perché. Guardò il viso, quasi ascetico nella sua magrezza severa, e allora comprese perché non aveva simpatia per Lino: perché, come pensò, era un viso doppio, in cui la frode trovava addirittura un'espressione fisica. Gli sembrò, guardandolo, di ravvisare questa frode soprattutto nella bocca: sottile, secca, sdegnosa, casta, a prima vista; ma poi, se un sorriso ne disserrava e rovesciava le labbra, lustra sulla erta e infuocata mucosa di non sapeva che vogliosa acquolina. Esitò guardando Lino che sorridendo aspettava la sua risposta, e poi disse sinceramente: "Mi sei antipatico perché hai la bocca bagnata."

Il sorriso di Lino scomparve, egli si rabbuiò: "Che sciocchezze inventi adesso?..." e poi subito riprendendosi, con disinvoltura scherzosa: "Allora signor Marcello... vuol salire nella sua macchina?"

"Salgo," disse Marcello decidendosi finalmente, "soltanto a un patto."

"Quale?"

"Che mi dài veramente la rivoltella."

"Intesi... vieni, su."

"No, devi darmela adesso, subito," insistette Marcello ostinato.

"Ma non ce l'ho qui, Marcello," disse l'uomo con sincerità, "è rimasta sabato in camera mia... adesso andiamo a casa e la prendiamo."

"Allora non vengo," si decise Marcello in una maniera inaspettata anche lui, "arrivederci."

Mosse un passo come per andarsene; e questa volta Lino perse la pazienza. "Ma vieni, non fare il bambino," esclamò. Sporgendosi, afferrò Marcello per un braccio e lo attirò sul sedile accanto a lui. "Adesso andiamo subito a casa," soggiunse, "e ti prometto che avrai la rivoltella..." Marcello, contento, in fondo, di esser stato costretto con la violenza a salire nella macchina, non protestò, limitandosi ad atteggiare il viso ad un broncio puerile. Lino, alacremente, chiuse lo sportello, accese il motore; e la macchina partì.

Per un lungo momento non parlarono. Lino non pareva loquace, forse, come pensò Marcello, era troppo contento per parlare; quanto a lui, non aveva nulla da dire: adesso Lino gli avrebbe dato la rivoltella e poi egli sarebbe tornato a casa e il giorno dopo avrebbe portato la rivoltella a scuola e l'avrebbe mostrata a Turchi. Più in là di queste semplici e piacevoli previsioni il suo pensiero non andava. Solo timore era che Lino volesse in qualche modo frodarlo. In tal caso, come pensò, avrebbe inventato qualche malizia per spingere Lino alla disperazione e costringerlo a mantenere la promessa.

Fermo, il pacco dei libri sulle ginocchia, egli guardò sfilare i grandi platani e i casamenti fino in fondo al viale. Come la macchina attaccò la salita, Lino quasi a conclusione di una lunga riflessione domandò: "Ma chi ti ha insegnato a essere così civetta, Marcello?"

Marcello, non ben sicuro del significato della parola, esitò prima di rispondere. L'uomo parve accorgersi della sua innocente ignoranza e soggiunse: "Voglio dire così furbo."

"Perché?" domandò Marcello.

"Così."

"Sei tu il furbo," disse Marcello, "che mi prometti la rivoltella e non me la dài mai."

Lino rise e con una mano andò a battere sul ginocchio nudo, con voce esultante: "Lo sai, Marcello, che sono tanto contento che tu sia venuto oggi... quando penso che l'altro giorno ti pregai di non darmi retta e di non venire, mi rendo conto quanto si possa esser sciocchi qualche volta... davvero sciocchi... ma per fortuna tu hai avuto più buon senso di me, Marcello."

Marcello non disse nulla. Non capiva troppo bene quello che gli diceva Lino e, d'altra parte, quella mano posata sul ginocchio gli dava fastidio. Aveva cercato più volte di smuovere il ginocchio ma la mano non era stata tolta. Per fortuna, ad una svolta ecco una macchina venire incontro. Marcello finse di spaventarsi, esclamò: "Attento, quella macchina ci viene addosso," e questa volta Lino ritirò la mano per girare il volante. Marcello respirò.

Ecco la strada di campagna, tra le mura di cinta e le siepi; ecco il portale con il cancello dipinto di verde; ecco il viale di accesso, fiancheggiato di piccoli cipressi spennacchiati e, in fondo, il luccichio dei vetri della veranda. Marcello notò che, come l'altra volta, il vento tormentava i cipressi, sotto uno scuro cielo temporalesco. La macchina si fermò, Lino balzò a terra e aiutò Marcello a discendere, avviandosi, poi, con lui, verso il porticato. Questa volta Lino non lo precedeva ma lo teneva per un braccio, forte, quasi avesse temuto che egli volesse scappare. Marcello avrebbe voluto dirgli di allentare quella stretta ma non fece a tempo. Come volando, tenendolo quasi sollevato da terra per il braccio, Lino gli fece attraversare la sala di soggiorno e lo spinse dentro il corridoio. Qui, in una maniera inaspettata, l'afferrò al collo, duramente, dicendo: "Stupido che sei... stupido... perché non volevi venire?"

La voce non era più scherzosa ma roca e rotta seppure meccanicamente tenera. Marcello stupito fece per levare gli occhi e guardare in faccia a Lino; ma, nello stesso tempo, ricevette una spinta violenta. Come si getta lontano un gatto o un cane dopo averlo afferrato per la collottola, Lino l'aveva lanciato dentro la camera. Poi Marcello lo vide girare la chiave nella serratura, intascarla e voltarsi verso di lui con un'espressione mischiata di gioia e di rabbioso trionfo. Egli gridò forte: "Adesso basta... tu farai quello che vorrò io... basta Marcello, tiranno, piccola carogna, basta... fila dritto, ubbidisci e non una parola di più." Pronunziava queste parole di comando, di disprezzo e di dominio con una gioia selvaggia, quasi con voluttà; e Marcello, per quanto confuso, non poté fare a meno di avvertire che erano parole senza senso, piuttosto strofe di un canto trionfale, che espressioni di un pensiero e di una volontà consapevoli. Spaventato, attonito, vide Lino andare e venire per la cameretta, a gran passi, togliendosi il berretto dal capo e gettandolo sul davanzale; facendo una palla di una camicia appesa su una seggiola e chiudendola in un cassetto; spianando la coperta spiegazzata e compiendo, insomma, altrettanti gesti pratici con una furia piena di oscuro significato. Poi lo vide, sempre gridando all'aria quelle sue incoerenti frasi di prepotenza e di imperio, avvicinarsi alla parete, sopra il capezzale, staccarne il crocifisso, andare all'armadio e gettarlo in fondo al cassetto con ostentata brutalità; e comprese che, con quel gesto, in qualche modo, Lino voleva dare a vedere di aver messo da parte gli ultimi scrupoli. Come a confermarlo in questo timore, Lino trasse dal cassetto del comodino la rivoltella tanto desiderata e mostrandogliela gridò: "La vedi... ebbene non l'avrai mai... dovrai fare quello che voglio io senza regali, senza rivoltelle... per amore o per forza."

Così era vero, pensò Marcello, Lino voleva frodarlo, come aveva temuto. Sentì di diventare bianco in viso per l'ira; e disse: "Dammi la rivoltella o me ne vado."

"Niente, niente... o per amore o per forza." Lino brandiva tuttora la rivoltella in una mano; con l'altra afferrò Marcello per un braccio e lo scagliò sul letto. Marcello cadde a sedere, con tanta violenza che sbatté la testa contro il muro. Subito Lino, passando improvvisamente dalla violenza alla dolcezza e dal comando alla supplica, gli si inginocchiò davanti. Gli circondava le gambe con un braccio e posava l'altra mano, che stringeva tuttora l'arma, sulla coperta del letto. Gemeva e invocava Marcello per nome; quindi, sempre gemendo, gli cinse con ambedue le braccia le ginocchia. La rivoltella adesso era sul letto, abbandonata, nera sulla coperta bianca. Marcello guardò Lino inginocchiato che ora alzava verso di lui il viso supplichevole, bagnato di lacrime e infiammato di desiderio e ora lo abbassava a strofinarglielo contro le gambe come fanno col muso certi cani devoti; poi impugnò la rivoltella e, con una spinta forte, si levò in piedi. Subito Lino, forse pensando che egli volesse secondare il suo amplesso, aprì le braccia e lo lasciò andare. Marcello fece un passo nel mezzo della stanza, e poi si voltò.

Più tardi, pensando a quanto era accaduto, Marcello doveva ricordare che il solo contatto del calcio freddo dell'arma aveva destato nel suo animo una tentazione spietata e sanguinaria; ma in quel momento non avvertiva che un forte dolore alla testa, là doveva l'aveva sbattuta contro la parete; e al tempo stesso un'irritazione, una ripugnanza acuta verso Lino. Questi era rimasto in ginocchio presso il letto; ma come vide Marcello fare un passo indietro e puntare la rivoltella, si girò alquanto, pur senza alzarsi; e spalancando le braccia, con un gesto teatrale, gridò istrionescamente: "Spara, Marcello... ammazzami... sì, ammazzami come un cane." Sembrò a Marcello di non averlo mai odiato come adesso, per quel suo miscuglio ripugnante di sensualità e di austerità, di pentimento e di libidine; e, insieme atterrito e consapevole, quasi parendogli di dover compiacere la richiesta dell'uomo, premette il grilletto. Il colpo echeggiò di schianto nella piccola camera; e lui vide Lino cadere di fianco e poi rialzarsi, mostrandogli la schiena e aggrappandosi con le sue mani al bordo del letto. Lino si tirò su pian piano, cadde di fianco sul letto e rimase immobile. Marcello gli si avvicinò, posò la rivoltella sul capezzale, chiamò a bassa voce "Lino," e poi, senza aspettar risposta, andò alla porta. Ma era chiusa e la chiave, come ricordò, Lino l'aveva tolta dalla toppa e messa in tasca. Esitò, gli ripugnava di frugare nelle tasche del morto; quindi gli occhi gli caddero sulla finestra e rammentò che era a pianterreno. Scavalcando la finestra girò in fretta il capo gettando un lungo sguardo circospetto e pieno di paura allo spiazzo e all'automobile ferma davanti al porticato: capiva che se qualcuno fosse passato in quel momento, l'avrebbe visto a cavalcioni sopra il davanzale; e tuttavia non c'era altro da fare. Ma non c'era nessuno, e, al di là dei radi alberi che circondavano lo spiazzo, anche la campagna brulla e collinosa appariva deserta a perdita d'occhio. Egli discese dal davanzale, prese il pacco dei libri dal sedile della macchina e si incamminò senza fretta verso il cancello. Nella sua coscienza, come in uno specchio, si rifletteva tutto il tempo, mentre camminava, l'immagine di se stesso, ragazzo in pantaloni corti, i libri sotto il braccio, nel viale fiancheggiato di cipressi, figura incomprensibile e piena di sbigottito presagio.

PARTE PRIMA

il cappello in mano, ungheresi [illegible] in [illegible]
dal naso e [illegible], e il tascapane della gruccia. Marcello entrò nell'atrio della biblioteca e domandò all'usciere dove si trovassero le collezioni dei giornali. Poi si avviò senza fretta per
la larga scala in cima alla quale il [illegible] dei [illegible]
[illegible] della luce forte di maggio, gli sembrava [illegible]
quasi vacante. [illegible] perché [illegible]
di [illegible] e [illegible] nuovo alle [illegible]
[illegible] e di [illegible] semplice, [illegible] a questa [illegible]
quella non meno [illegible] di [illegible] eleganza [illegible]
secondo i suoi gusti. Al [illegible] dove [illegible]
[illegible] nell'ingresso, [illegible] verso la sala di lettura, ed [illegible]
banco dietro il quale [illegible] un vecchio usciere [illegible]
aspetto [illegible] per [illegible] la scheda che
[illegible] la collezione [illegible] del principale giornale [illegible].
Aspettò pazientemente appoggiato al banco, guardando [illegible]
[illegible] la sala di lettura. Perché [illegible] con un
[illegible] il [illegible] la [illegible]
[illegible] Marcello osservò [illegible] questi [illegible]
mente [illegible] per lo più di studenti [illegible]
[illegible] in fondo, a destra. La ragazza [illegible]
[illegible] con le due braccia il grande [illegible]
giornali [illegible] prese il [illegible] e [illegible]
[illegible]

Poi il [illegible] un poco inclinato [illegible]
avendo cura di [illegible] un [illegible] sopra il [illegible]
quindi [illegible] il [illegible] e [illegible]

I

Il cappello in mano, togliendosi con l'altra gli occhiali neri dal naso e riponendoli nel taschino della giubba, Marcello entrò nell'atrio della biblioteca e domandò all'usciere dove si trovassero le collezioni dei giornali. Poi si avviò senza fretta per la larga scala in cima alla quale il finestrone del pianerottolo risplendeva della luce forte di maggio. Si sentiva leggero e quasi vacante, in una sensazione di perfetto benessere fisico, di intatta vigoria giovanile; e il vestito nuovo che indossava, grigio e di taglio semplice, aggiungeva a questa sensazione quella non meno piacevole di una eleganza seria e nitida, secondo i suoi gusti. Al secondo piano, dopo aver riempito la scheda nell'ingresso, si diresse verso la sala di lettura, ad un banco dietro il quale stavano un vecchio usciere e una ragazza. Aspettò che fosse il suo turno e poi consegnò la scheda, chiedendo la collezione del 1920 del principale giornale cittadino. Aspettò pazientemente appoggiato al banco, guardando davanti a sé verso la sala di lettura. Parecchie file di scrittoi, ciascuno con un lume dal paralume verde, si allineavano fino in fondo alla sala. Marcello osservò attentamente questi scrittoi scarsamente popolati per lo più da studenti e scelse mentalmente il suo, l'ultimo nella sala, in fondo, a destra. La ragazza riapparve reggendo con le due braccia il grande fascicolo rilegato del giornale richiesto. Marcello prese il fascicolo e andò allo scrittoio.

Posò il fascicolo sul piano inclinato dello scrittoio e sedette, avendo cura di tirare un poco i pantaloni sopra il ginocchio; quindi, con calma, aprì il fascicolo e cominciò a sfogliarne le pagine. I titoli avevano perduto l'originaria lucentezza, erano diventati di un nero quasi verde; la carta era ingiallita; le fotografie apparivano sbiadite, confuse, senza rilievo. Osservò che più i titoli erano grandi ed estesi e più davano un senso di futilità e di assurdità: annunzi di avvenimenti che avevano perduto importanza e significato la sera stessa del giorno in cui erano apparsi e che adesso, clamorosi e incomprensibili, ripugnavano non soltanto alla memoria ma anche all'immaginazione. I titoli più assurdi, come notò, erano quelli che portavano sotto la notizia un commento più o meno tendenzioso; facevano pensare con la loro mescolanza di vivacità suggestiva e di totale mancanza d'eco alle vociferazioni stravaganti di un pazzo, che assordano ma non toccano. Marcello paragonò il proprio sentimento di fronte a questi titoli a quello che immaginava avrebbe provato di fronte al titolo che lo riguardava e si domandò se anche la notizia che andava cercando avrebbe destato in lui lo stesso senso di assurdità e di vuoto. Questo era, dunque, il passato, però continuando a voltare le pagine, questo fracasso ormai muto, questa furia ormai spenta, cui la materia stessa del giornale, quella carta ingiallita che presto si sarebbe sbriciolata e sarebbe caduta in polvere, prestava un carattere volgare e spregevole. Il passato era fatto di violenze, di errori, di inganni, di frivolezze e di menzogne, pensò ancora leggendo una dopo l'altra le notizie delle pagine: e queste erano le sole cose che giorno per giorno gli uomini ritenevano degne di essere pubblicate e con le quali si raccomandavano alla memoria dei posteri. La vita normale e profonda era assente da quei fogli; ma lui stesso, mentre faceva queste riflessioni, che altro vi cercava se non la testimonianza di un delitto?

Non aveva fretta di trovare la notizia che lo riguardava, sebbene sapesse con precisione la data e potesse trovarla a colpo sicuro. Ecco il ventidue, il ventitré, il ventiquattro di ottobre del millenovecentoventi: egli si avvicinava sempre più, ad ogni pagina che voltava, a quello che considerava il fatto più importante della sua vita; ma il giornale non ne preparava l'annunzio, non ne registrava i preliminari. Tra tutte quelle notizie che non lo toccavano in alcun modo, la sola che lo riguardasse sarebbe affiorata ad un tratto, senza preavviso, come affiora alla superficie, dalla profondità del mare, un pesce salato dietro un'esca. Provò a scherzare, pensando: "Invece di questi grandi titoli sugli avvenimenti politici avrebbero dovuto stampare: *Marcello incontra per la prima volta Lino, Marcello gli chiede la rivoltella, Marcello accetta di salire sulla macchina.*" Ma tutto ad un tratto lo scherzo gli morì nella mente e un turbamento improvviso gli fece mancare il respiro: era giunto alla data che cercava. Voltò in fretta la pagina e, nella cronaca nera, come si aspettava, trovò la notizia, con un titolo su una colonna: *mortale incidente.*

Prima di leggere si guardò intorno, quasi avesse temuto di essere osservato. Poi abbassò gli occhi sul giornale. La notizia diceva: *Ieri lo chauffeur Pasquale Seminara, abitante in via della Camilluccia numero trentatré, mentre puliva una rivoltella, ne faceva partire inavvertitamente alcuni colpi. Prontamente soccorso, il Seminara veniva trasportato d'urgenza all'ospedale di Santo Spirito dove i sanitari gli riscontravano una ferita di arma da fuoco al petto, in direzione del cuore e giudicavano il caso disperato. Infatti, in serata, nonostante le cure prodigategli, il Seminara cessava di vivere.* La notizia non avrebbe potuto essere più concisa né più convenzionale, pensò subito, rileggendola. Tuttavia, pur con le formule logore del giornalismo più anonimo rivelava due fatti importanti. Il primo che Lino era morto davvero, cosa di cui era stato sempre convinto ma che non aveva mai avuto il coraggio di accertare; il secondo che questa morte era stata attribuita per evidente suggerimento del moribondo ad una casuale disgrazia. Così egli era completamente al riparo di ogni conseguenza: Lino era morto e questa morte non avrebbe potuto mai essergli imputata.

Ma non era per rassicurarsi che si era deciso finalmente a ricercare nella biblioteca la notizia del fatto avvenuto tanti anni prima. La sua inquietudine, mai del tutto sopita durante quegli anni, non aveva mai considerato le conseguenze materiali del fatto. Per vedere, invece, quale sentimento gli ispirasse la conferma della morte di Lino, aveva varcato quel giorno la soglia della biblioteca. Da questo sentimento, come aveva pensato, avrebbe giudicato se egli era ancora il ragazzo di un tempo, ossessionato dalla propria fatale anormalità o l'uomo, del tutto normale, che aveva in seguito voluto essere ed era convinto che era.

Provò un singolare sollievo e, forse, più che sollievo, stupore accorgendosi che la notizia stampata sulla carta ingiallita di diciassette anni prima, non destava nel suo animo alcuna eco apprezzabile. Gli era avvenuto pensò, come a chi, dopo aver tenuto per lunghissimo tempo una fasciatura intorno una profonda ferita, finalmente si decida a togliere le bende e scopra con meraviglia, là dove credeva di trovare almeno una cicatrice, la pelle liscia e unita, senza alcuna traccia di alcun genere. Ricercare la notizia nel giornale era stato come togliere le bende, pensò ancora; e scoprirsi insensibile voleva dire scoprirsi guarito. Come fosse avvenuta questa guarigione, non avrebbe saputo dirlo. Ma, senza dubbio, non era stato soltanto il tempo a produrre un tale risultato. Molto doveva anche a se stesso, alla sua consapevole volontà, attraverso tutti quegli anni, di uscire dall'anormalità e farsi eguale agli altri.

Con una specie di scrupolo, distogliendo gli occhi dal giornale e fissandoli nel vuoto, volle tuttavia pensare esplicitamente alla morte di Lino, cosa che, sin'allora, d'istinto, aveva sempre evitato. La notizia del giornale era scritta nel linguaggio convenzionale della cronaca, e questo poteva anche essere un motivo di indifferenza e di apatia; ma la sua rievocazione non poteva non essere viva e sensibile e, come tale, atta a ridestare nel suo animo gli antichi terrori, se ancora c'erano. Così, docilmente, dietro la memoria che, simile ad una guida impietosa e imparziale, lo conduceva a ritroso nel tempo, rifece il cammino di se stesso fanciullo: il primo incontro con Lino, sul viale; il suo desiderio di possedere una rivoltella; la promessa di Lino; la visita alla villa; il secondo incontro con Lino; le smanie pederastiche dell'uomo; lui che puntava la rivoltella; l'uomo che gridava, istrionicamente, le braccia aperte, inginocchiato presso il letto: "Ammazzami Marcello... ammazzami come un cane..." Lui che, quasi ubbidendo, sparava; l'uomo che cadeva contro il letto, si tirava su, restava immobile, reclinato sul fianco. Si accorse subito, esaminando parte a parte tutti questi particolari che l'insensibilità riscontrata di fronte alla notizia del giornale, si confermava e si allargava. Non soltanto, infatti, non provava alcun rimorso ma neppure sfioravano la superficie immobile della sua coscienza i sentimenti di compassione, di rancore e di ripugnanza per Lino che per molto tempo gli erano sembrati indivisibili da quel ricordo. Non provava nulla, insomma, e un impotente disteso al fianco di un corpo nudo e desiderabile di donna, non era più inerte del suo animo di fronte a quel remoto avvenimento della sua vita.

Fu contento di questa indifferenza, segno indubbio che tra il ragazzo che era stato e il giovane che era non correva ormai più alcun rapporto, neppure nascosto, neppure indiretto, neppure sopito. Egli era veramente un altro, pensò ancora chiudendo pian piano il fascicolo e levandosi dallo scrittoio, e sebbene la sua memoria fosse in grado di ricordare meccanicamente quanto era accaduto in quel lontano ottobre, in realtà tutta la sua persona, fin nelle fibre più segrete, l'aveva ormai dimenticato.

Senza fretta, andò al banco e restituì il fascicolo alla bibliotecaria. Quindi, sempre con la compostezza piena di misura e di vigore che era il suo atteggiamento preferito, uscì dalla sala di lettura e si avviò giù per lo scalone, verso l'atrio. Era vero, non poté fare a meno di pensare, affacciandosi dalla soglia alla forte luce della strada, era vero, la notizia e poi la rievocazione della morte di Lino non avevano destato alcuna eco nel suo animo; e, tuttavia, non si sentiva più così sollevato come a tutta prima gli era sembrato. Ricordò la sensazione che aveva provato sfogliando le pagine del vecchio giornale: come di togliere le bende da una ferita e trovarla con sorpresa perfettamente guarita; e si disse che, forse, sotto la pelle intatta, l'antica infezione covava tuttora in forma di ascesso chiuso e invisibile. Questo sospetto gli era confermato non soltanto dal carattere effimero del sollievo avvertito per un momento quando aveva scoperto che la morte di Lino gli era indifferente, ma anche dalla leggera, tetra malinconia che, come un diafano velo funereo, si frapponeva tra i suoi sguardi e la realtà. Come se il ricordo del fatto di Lino, pur dissolto dagli acidi potenti del tempo, avesse tuttora steso un'ombra inspiegabile su tutti i suoi pensieri e i suoi sentimenti.

Camminando piano per le strade affollate e piene di sole cercò di stabilire un paragone tra il se stesso di diciassette anni prima e quello di adesso. Ricordò che a tredici anni era stato un ragazzo timido, un po' femminile, impressionabile, disordinato, fantastico, impetuoso, passionale; adesso, invece, a trenta, era un uomo per nulla timido anzi perfettamente sicuro di sé, del tutto maschile nei gusti e negli atteggiamenti, calmo, ordinato fino all'eccesso, quasi privo di immaginazione, controllato, freddo. Gli pareva, inoltre, di rammentare che c'era stata in lui, allora, una ricchezza tumultuosa e oscura. Adesso, invece, tutto in lui era chiaro sebbene, forse, un poco spento, e la povertà e rigidezza di poche idee e convinzioni avevano preso il posto di quella generosa e confusa abbondanza. Finalmente, era stato incline alla confidenza ed espansivo, talvolta addirittura esuberante. Adesso era chiuso, di umore sempre uguale, senza brio se non proprio triste, silenzioso. Il tratto, però, più distintivo del radicale cambiamento intervenuto in quei diciassette anni, era la scomparsa di una specie di eccesso di vitalità costituito dal ribollire di istinti insoliti e, forse, anche anormali; in luogo del quale, adesso, era subentrata, come pareva, una certa mortificata e grigia normalità. Soltanto il caso, pensò ancora, aveva impedito allora che egli soggiacesse alle voglie di Lino, e, certamente, al suo contegno con l'autista, pieno di civetteria e di femminile dispotismo, aveva contribuito, oltre ad un'infantile venalità, anche un'inclinazione torbida e inconsapevole dei sensi. Ma adesso egli era veramente un uomo come tanti altri. Si fermò davanti allo specchio di un negozio e si guardò a lungo, osservandosi con un distacco obbiettivo e privo di compiacimento: sì, era proprio un uomo come tanti altri, con il suo vestito grigio, la sua cravatta sobria, la sua figura alta e ben proporzionata, la sua faccia bruna e rotonda, i suoi capelli ben pettinati, i suoi occhiali neri. All'università, come ricordò, aveva ad un tratto scoperto con una specie di gioia, che c'erano almeno mille giovani della sua età che si vestivano, parlavano, pensavano, si comportavano come lui. Adesso, probabilmente, quella cifra andava moltiplicata per un milione. Era un uomo normale, pensò con dispettosa e acre soddisfazione, questo era fuori dubbio, sebbene non potesse dire come fosse avvenuto.

Ricordò improvvisamente che aveva finito le sigarette e entrò in una tabaccheria, nella galleria di Piazza Colonna. And al banco e chiese le sigarette preferite; in quel momento stess altre tre persone chiedevano le stesse sigarette e il tabaccai rapidamente disseminò sul marmo del banco, davanti le quattr mani che tendevano il denaro, quattro pacchetti identici ch con identico gesto le quattro mani ritirarono. Marcello notò ch prendeva il pacchetto, lo palpava per vedere se fosse abbastanza morbido e quindi ne lacerava l'involucro nella stessa m niera degli altri tre. Notò pure che due dei tre riponeva come lui il pacchetto in una piccola tasca interna della giubb Finalmente uno dei tre, appena uscito dalla tabaccheria, si fe mava ad accendere la sigaretta con un accendino d'argento, tutto simile al suo. Queste osservazioni destavano nel suo animo un compiacimento quasi voluttuoso. Sì, era eguale agli altri, eguale a tutti. A coloro che compravano le sigarette della stessa marca e con gli stessi gesti suoi, a coloro pure che, al passaggio di una donna vestita di rosso, si voltavano a sbirciare, e lui con loro, il fremito delle solide natiche sotto il tessuto sottile del vestito. Sebbene, come per quest'ultimo gesto, la somiglianza talvolta fosse in lui più voluta per imitazione che originata da analoga conformità di inclinazioni.

Un giornalaio basso e deforme gli venne incontro, un fascio di giornali sul braccio, sventolandone una copia e vociando forte, con il viso congestionato dallo sforzo, una frase incomprensibile in cui tuttavia erano riconoscibili le parole VITTORIA e SPAGNA. Marcello comprò il giornale, e lesse con attenzione il titolo che copriva tutta la testata: ancora una volta, nella guerra di Spagna, i franchisti avevano riportato una vittoria. Si rese conto che leggeva questa notizia con una soddisfazione indubbia; la quale, come pensò, era un indizio di più della sua piena, assoluta normalità. Egli aveva visto nascere la guerra dal primo titolo ipocrita: "Che avviene in Spagna?" e poi questa guerra si era allargata, ingigantita, era diventata una contesa, non soltanto di armi, ma anche di idee; e lui, via via, si era accorto di parteciparvi con un sentimento singolare, del tutto separato da ogni considerazione politica e morale (sebbene tali considerazioni gli si affacciassero spesso alla mente), molto simile a quello di uno sportivo entusiasta che parteggi per una squadra di pallone contro un'altra. Fin da principio, aveva desiderato che Franco vincesse, senza accanimento ma con un sentimento tenace e profondo, quasi che quella vittoria avesse dovuto portare una conferma della bontà e giustezza dei suoi gusti e delle sue idee non soltanto nel campo della politica ma anche in tutti gli altri. Forse aveva anche desiderato e desiderava tuttora la vittoria di Franco per amore di simmetria: come qualcuno che, arredando la propria casa, si preoccupi di collocarvi mobili tutti dello stesso stile. Questa simmetria, gli pareva di leggerla nei fatti degli ultimi anni, in progressivo accrescimento di chiarezza e di importanza: prima l'avvento del fascismo in Italia, poi in Germania, poi la guerra di Etiopia, poi quella di Spagna. Questo progresso gli piaceva, non sapeva perché, forse perché era facile ravvisarvi una logica più che umana e saperla ravvisare dava un senso di sicurezza e di infallibilità. D'altra parte, come pensò ripiegando il giornale e mettendolo in tasca, non si poteva dire che egli si fosse convinto della bontà della causa di Franco per ragioni politiche o di propaganda. Questa convinzione gli era venuta dal nulla, come è da credersi che venga alla gente ignorante e comune; dall'aria, insomma, come si intende quando si dice che un'idea è nell'aria. Egli parteggiava per Franco come parteggiavano per Franco altre innumerevoli persone del tutto comuni, che poco o nulla sapevano della Spagna, che leggevano appena le testate dei giornali, che non erano colte. Per simpatia, insomma, dando a questa parola un senso tutto irriflesso, alogico, irrazionale. Una simpatia che si poteva dire soltanto per metafora che veniva dall'aria; ma in aria ci sono il polline dei fiori, i fumi delle case, la polvere, la luce, non le idee. Questa simpatia, dunque, veniva da zone più profonde e dimostrava una volta di più che la sua normalità non era né superficiale, né abborracciata razionalmente e volontariamente, con ragioni e motivi opinabili, ma legata ad una condizione istintiva e quasi fisiologica, ad una fede, insomma, che egli condivideva con altri milioni di persone. Egli faceva tutta una cosa sola con la società e il popolo in cui si trovava a vivere, non era un solitario, un anormale, un pazzo, era uno di loro, un fratello, un cittadino, un camerata; e questo dopo aver tanto temuto che l'uccisione di Lino potesse separarlo dal resto dell'umanità, era in alto grado consolante.

Franco o un altro, del resto, pensò ancora, poco importava purché ci fosse un legame, un ponte, un segno di collegamento e di comunione. Ma il fatto che fosse Franco e non un altro, dimostrava che oltre ad essere un indizio di comunione e di compagnia, la sua partecipazione sentimentale alla guerra di Spagna era anche una cosa vera e giusta. Che altro poteva essere infatti la verità se non qualche cosa a tutti evidente da tutti creduta e ritenuta inoppugnabile. Così la catena era ininterrotta, con tutti gli anelli ben saldati dalla sua simpatia anteriore ad ogni riflessione, alla consapevolezza che questa simpatia era condivisa da altri milioni di persone nella stessa maniera; da questa consapevolezza alla convinzione di essere nel vero; dalla convinzione di essere nel vero all'azione. Perché, come pensò ancora, il possesso della verità non soltanto permetteva l'azione ma anche l'imponeva. Come una conferm da fornire a se stesso e agli altri della propria normalit che tale non era se non veniva, appunto, approfondita, ribadita e dimostrata continuamente.

Ormai era giunto. Il portone del ministero si spalancava al di là della strada, oltre una duplice fila di macchine e di autobus in movimento. Aspettò un momento e poi si avviò nella scia di una grossa automobile nera che si dirigeva, appunto, verso il portone. Entrò dietro la macchina, disse all'usciere il nome del funzionario col quale desiderava parlare e poi sedette nella sala d'aspetto, quasi contento di attendere come gli altri, tra gli altri. Non provava fretta, né impazienza, né senso di intolleranza per l'ordine e l'etichetta del ministero. Anzi quell'ordine e quell'etichetta gli piacevano, come indizi di un ordine e di un'etichetta più vasti e più generali e vi si adattava volentieri. Si sentiva del tutto calmo, freddo; semmai, ma anche questo non gli era nuovo, un po' triste. Di una tristezza misteriosa che considerava ormai inseparabile dal suo carattere. Sempre era stato triste a quel modo o meglio mancante di allegria, come certi laghi che hanno una montagna molto alta che si specchia nelle loro acque parando la luce del sole e rendendole nere e melanconiche. Si sa che se la montagna venisse rimossa, il sole farebbe sorridere le acque; ma la montagna è sempre là e il lago è triste. Egli era triste come quei laghi; ma che cosa fosse quella montagna, non avrebbe saputo dire.

La sala d'aspetto, una stanzetta annessa alla portineria del palazzo, era piena di una gente eteroclita, proprio il contrario di quella che ci si sarebbe aspettato di trovare nell'anticamera di un ministero come quello, famoso per l'eleganza e la mondanità dei suoi funzionari. Tre individui dall'aspetto crapuloso e sinistro, forse informatori e agenti in borghese, fumavano e parlottavano a bassa voce accanto ad una donna giovane, dai capelli neri e dal viso bianco e rosso, dipinta e vestita chiassosamente, secondo ogni apparenza una donna di malaffare del genere più basso. Poi un vecchio, vestito pulitamente seppure poveramente di nero, con i baffi e la barba bianchi, forse un professore. Poi una donnetta magra, dai capelli grigi, dall'espressione affannata e ansiosa, forse una madre di famiglia. Poi lui.

Egli osservò di sottecchi, con un vivo senso di ripugnanza, tutta questa gente. Sempre così succedeva: pensava di essere normale, simile a tutti gli altri, quando si raffigurava la folla in astratto, come un grande esercito positivo e accomunato dagli stessi sentimenti, dalle stesse idee, dalle stesse mete, del quale era consolante far parte. Ma appena affioravano fuori da quella folla gli individui, l'illusione della normalità si infrangeva contro la diversità, egli non si riconosceva affatto in loro e provava insieme ripugnanza e distacco. Che c'era di comune tra lui e quei tre biechi e volgari individui, tra lui e quella donna di strada, tra lui e quel vecchio canuto, tra lui e quella madre trafelata e dimessa? Nulla, salvo questo ribrezzo, questa pietà. "Clerici," gridò la voce dell'usciere. Egli trasalì e si levò in piedi. "La prima scala a destra." Senza voltarsi si avviò verso il luogo designato.

Salì un larghissimo scalone in mezzo al quale serpeggiava un tappeto rosso e si trovò, dopo la seconda rampa, in un vasto pianerottolo sul quale davano tre grandi porte a due battenti. Andò a quella di mezzo, l'aprì e si trovò in un salone in penombra. C'era una lunga tavola massiccia, e, sulla tavola, nel mezzo, un mappamondo. Marcello girò un poco per questo salone che era probabilmente in disuso come attestavano le imposte accostate delle finestre e le fodere che ricoprivano i canapé allineati contro le pareti; quindi aprì una delle tante porte, affacciandosi in un corridoio buio e angusto, tra due file di scaffali a vetri. In fondo al corridoio si intravvedeva una porta socchiusa da cui filtrava un po' di luce. Marcello si avvicinò, esitò e poi, pian piano, spinse un poco la porta. Non lo guidava la curiosità bensì il desiderio di trovare un usciere dal quale farsi indicare la stanza che cercava. Mettendo l'occhio alla fessura si accorse che il suo sospetto di aver sbagliato luogo non era infondato. Davanti a lui si stendeva una lunga e stretta stanza, illuminata blandamente da una finestra velata di giallo. Davanti alla finestra c'era una tavola e seduto alla tavola, le spalle alla finestra, di profilo, un uomo giovane, dal viso largo e massiccio, dalla persona corpulenta. In piedi contro il tavolo, il dorso verso di lui, Marcello vide una donna vestita di un abito leggero a grandi fiori neri su fondo bianco, un largo cappello nero di trine e di velo sul capo. Era molto alta e molto snella alla vita, ma larga di spalle e di fianchi, con gambe lunghe dalle magre caviglie. Ella si chinava verso il tavolo e parlava piano all'uomo che l'ascoltava seduto, fermo di profilo, guardando non a lei ma alla propria mano che, sul piano del tavolo, si gingillava con una matita. Poi ella venne a mettersi a fianco della poltrona, incontro all'uomo, il dorso appoggiato al tavolo, faccia alla finestra, in atteggiamento più confidenziale; ma il cappello nero inclinato sull'occhio impedì che Marcello ne distinguesse il viso. Ella esitò, poi si chinò di sbieco e con un gesto goffo, levando una gamba, come ci si piega sotto una fontana per riceverne in bocca lo zampillo, cercò con le sue le labbra dell'uomo, che si lasciò baciare senza muoversi né dare a vedere per alcun segno che il bacio gli fosse gradito. Ella si rovesciava indietro, nascondendo il proprio viso e quello dell'uomo con la larga tesa del cappello, poi vacillò e avrebbe perso l'equilibrio se l'uomo non l'avesse trattenuta cingendole la vita con un braccio. Adesso ella era in piedi, nascondendo con la persona l'uomo seduto, forse gli carezzava il capo. Il braccio dell'uomo le circondava tuttora la vita, quindi parve allentare la stretta e la mano spessa e tozza, come tirata giù dal suo peso, scivolò sulla natica della donna e vi rimase aperta, con le dita larghe, simile a un granchio o ad un ragno posato su una superficie liscia e sferica che ne respingeva la presa. Marcello riaccostò la porta.

Tornò indietro, per il corridoio, nel salone del mappamondo. Quanto aveva veduto confermava la fama di libertino del ministro, poiché era appunto il ministro l'uomo seduto intravvisto nella stanza e Marcello l'aveva subito riconosciuto; ma stranamente, nonostante la sua inclinazione al moralismo, non intaccava affatto il fondo delle sue convinzioni. Marcello non trovava alcuna simpatia per quel ministro mondano e donnaiolo, anzi gli era antipatico; e l'intrusione della vita erotica a quella dell'ufficio gli pareva in sommo grado sconveniente. Ma tutto questo non intaccava neppure minimamente la sua credenza politica. Era come quando gli veniva detto, da persone degne di fede, che altri personaggi importanti rubavano o erano incompetenti o si giovavano delle influenze politiche per fini personali. Egli registrava queste notizie con un senso quasi altro di indifferenza come cose che non lo riguadavano, dal momento che egli aveva fatto una volta per tutte la sua scelta e non intendeva cambiarla. Sentiva pure che tali cose non lo stupivano perché, in certo senso, le aveva scontate, da tempo immemorabile, con la sua precoce conoscenza dei caratteri meno amabili dell'uomo. Ma, soprattutto, avvertiva che tra la fedeltà al regime e il moralismo assai rigido che informava la propria condotta, non poteva esserci alcun rapporto: le ragioni di quella fedeltà avevano origini più profonde di qualsiasi criterio morale e non parevano essere scosse da una mano che palpeggiasse un fianco femminile in un ufficio di stato o da un furto o da qualsiasi altro delitto o errore. Quali poi fossero queste origini, non avrebbe saputo dirlo con precisione; tra esse e il suo pensiero si frapponeva il diaframma smorto e opaco della sua pervicace malinconia.

Impassibile, calmo, impaziente, andò ad un'altra porta del salone, intravvide un altro corridoio, si ritirò, provò una terza porta e si affacciò finalmente nell'anticamera che cercava. Gente seduta sui canapé torno torno le pareti, uscieri gallonati stavano in piedi presso le soglie. Egli comunicò a bassa voce ad uno di questi uscieri il nome del funzionario che desiderava visitare e poi andò a sedersi su uno dei canapé. Per ingannare l'attesa, spiegò di nuovo il giornale. La notizia della vittoria in Spagna era stampata su tutte le colonne e questo, come si accorse, gli dava fastidio come un eccesso di dubbio gusto. Lesse di nuovo il dispaccio in neretto che annunziava la vittoria e poi passò ad una lunga corrispondenza in corsivo ma la lasciò quasi subito perché l'irritava lo stile manierato e falsamente soldatesco dell'inviato speciale. Indugiò un momento a domandarsi come avrebbe scritto lui stesso quell'articolo; e si sorprese a pensare che, se fosse dipeso da lui, non soltanto l'articolo dalla Spagna ma anche tutti gli altri aspetti del regime, dai meno importanti ai più vistosi, sarebbero stati completamente diversi. In realtà, pensò, non c'era quasi nulla nel regime che non gli dispiacesse profondamente; e tuttavia questa era la sua strada e ad essa doveva restare fedele. Aprì di nuovo il giornale e leggicchiò qualche altra notizia, evitando con cura gli articoli patriottici e di propaganda. Finalmente levò gli occhi dal giornale e si guardò intorno.

Nel salone, in quel momento, non era restato che un vecchio signore, dalla testa rotonda e canuta, e dal viso rubizzo improntato ad un'espressione insieme sfrontata, cupida e furba. Vestito di chiaro, di una giubba sportiva e giovanile spaccata sul dorso, certe grosse scarpe con la suola di gomma ai piedi, una cravatta vivace sul petto, costui si dava l'aria di esser di casa nel ministero, camminando in su e in giù per il salone, e interpellando con disinvoltura e scherzosa impazienza gli uscieri ossequienti fermi sulle soglie delle porte. Poi una delle porte si aprì e ne uscì un uomo di mezza età, calvo magro salvo che per il ventre prominente, svuotato e giallo in viso, gli occhi perduti in fondo a larghe occhiaie nere, una espressione pronta, scettica e spiritosa sui tratti aguzzi. Il vecchio gli andò subito incontro con un'esclamazione di giocosa protesta, l'altro gli fece un saluto cerimonioso e deferente e poi il vecchio, con gesto confidenziale, prese l'uomo dal viso giallo non per un braccio ma addirittura per la vita, come una donna, e camminandogli accanto attraverso il salone, incominciò a parlargli a bassissima voce, in tono sussurrato e urgente. Marcello aveva seguito la scena con occhio indifferente; quindi, tutto ad un tratto, si accorse con sorpresa di provare un odio forsennato contro il vecchio, non sapeva neppure lui perché. Marcello non ignorava che in qualsiasi momento e per i più diversi motivi, imprevisto come un mostro che emerga da un mare immobile, poteva affiorare, sulla morta superficie della sua consueta apatia, uno di questi eccessi di odio; ma ogni volta si stupiva come di fronte ad un aspetto sconosciuto del proprio carattere che smentiva tutti gli altri noti e sicuri. Quel vecchio, per esempio, sentiva che avrebbe potuto ucciderlo o farlo uccidere facilmente; anzi, che desiderava ucciderlo. Perché? Forse, pensò, perché lo scetticismo, il difetto che odiava di più, era così chiaramente dipinto su quel viso rubicondo. O perché la giubba aveva lo spacco dietro e il vecchio, tenendo la mano in tasca, ne sollevava un lembo scoprendo la parte posteriore dei pantaloni, floscia e troppo ampia così da dare un senso ripugnante di manichino da vetrina di sarto. Comunque l'odiava e con tanta e così insoffribile intensità che preferì alla fine abbassare di nuovo gli occhi sul giornale. Quando li rialzò, dopo un lungo momento, il vecchio e il suo compagno erano scomparsi e il salone era deserto.

Di lì a poco, uno degli uscieri venne a sussurrargli che poteva passare e Marcello si alzò e lo seguì. L'usciere aprì una delle porte e lo lasciò passare. Marcello si trovò in una vasta stanza dal soffitto e dalle pareti affrescate, in fondo alla quale era una tavola sparsa di carte. Dietro la tavola sedeva l'uomo dal viso giallo, già intravvisto nel salone; di lato, un altro uomo che Marcello conosceva bene, il suo immediato superiore al Servizio Segreto. All'apparire di Marcello l'uomo dal viso giallo, che era uno dei segretari del ministro, si levò in piedi; l'altro, invece, rimase seduto salutandolo con un cenno del capo. Quest'ultimo, un vecchio magro dall'aspetto militaresco, scarlatto e legnoso in viso, con due baffi di una nerezza e di un'ispidezza posticcia di maschera, formava, come pensò, un contrasto completo con il segretario. Era, infatti, come sapeva, un uomo ligio, rigido, onesto, avvezzo a servire senza discutere, ponendo quello che considerava il proprio dovere al disopra di tutto, perfino della coscienza; mentre il segretario, per quanto ricordava, era un uomo di specie più recente e tutta diversa: ambizioso e scettico, mondano, con il gusto dell'intrigo spinto fino all'efferatezza, fuori di ogni obbligo professionale e di ogni limite di coscienza. Al vecchio andava naturalmente tutta la simpatia di Marcello, anche perché gli pareva di ravvisare in quel viso rosso e sciupato la stessa oscura malinconia che l'opprimeva così sovente. Forse, come lui, il colonnello Baudino avvertiva il contrasto tra una fedeltà immobile e quasi stregata che non aveva nulla di razionale e gli aspetti troppo spesso deplorevoli della realtà quotidiana. Ma forse, pensò ancora guardando il vecchio, era soltanto un'illusione; e lui, come avviene, prestava al superiore i propri sentimenti per simpatia, quasi sperando di non esser solo a provarli.

Il colonnello disse seccamente, senza guardare Marcello né il segretario: "Questo è il dottor Clerici di cui ebbi a parlarvi qualche tempo fa," e il segretario con una prontezza cerimoniosa e quasi ironica, sporgendosi sulla tavola, gli tese la mano e l'invitò a sedersi. Marcello sedette, il segretario sedette a sua volta, prese una scatola di sigarette e l'offrì prima al colonnello, che rifiutò, e poi a Marcello che accettò. Quindi, dopo aver acceso anche lui una sigaretta, disse: "Clerici, mi fa molto piacere conoscervi... il colonnello, qui, non fa che cantare le vostre lodi... a quanto pare siete, come si dice, un asso." Egli sottolineò il "come si dice" con un sorriso e poi proseguì: "Abbiamo esaminato insieme con il ministro il vostro piano e l'abbiamo giudicato senz'altro ottimo... voi conoscete bene il Quadri?"

"Sì," disse Marcello, "era mio professore all'università."

"E siete sicuro che il Quadri ignora la vostra qualità di funzionario?"

"Lo credo."

"La vostra idea di simulare una conversione politica allo scopo di ispirare fiducia ed entrare nella loro organizzazione e magari farvi affidare un incarico in Italia," proseguì il segretario abbassando gli occhi verso la tavola, su un punto che aveva davanti a sé, "è buona... anche il ministro è d'accordo che qualche cosa del genere va tentato senza indugio... quando ve la sentireste di partire, Clerici?"

"Appena sarà necessario."

"Molto bene," disse il segretario, un po' sorpreso tuttavia, come se si fosse aspettato una risposta diversa, "benissimo... tuttavia c'è un punto che occorre chiarire... voi vi accingete a portare a termine una missione, diciamo così, piuttosto delicata e pericolosa... si diceva qui col colonnello che per non dare nell'occhio dovreste trovare, escogitare, inventare qualche pretesto plausibile per la vostra presenza a Parigi... non dico che sappiano chi siete né che siano in grado di scoprirlo... ma, insomma, le precauzioni non sono mai troppe... tanto più che il Quadri, come ci dite nella vostra relazione, non ignorava a suo tempo i vostri sentimenti di lealtà verso il regime..."

"Se non ci fossero questi sentimenti," disse Marcello asciutto, "non potrebbe però neppure esserci la conversione..."

"Giusto, giustissimo... ma non si va apposta a Parigi per presentarsi da Quadri e dirgli: eccomi qui... bisogna invece che diate l'impressione di trovarvi a Parigi per motivi privati, non politici, insomma... e di approfittare dell'occasione per rivelare a Quadri la vostra crisi spirituale... bisogna," concluse ad un tratto il segretario levando gli occhi verso Marcello, "che abbiniate la missione con qualche cosa di personale, di non ufficiale." Il segretario si voltò verso il colonnello e soggiunse: "Non vi pare, colonnello?"

"È anche il mio parere," disse il colonnello senza levare gli occhi. E soggiunse dopo un momento: "Ma soltanto il dottor Clerici può trovare il pretesto che gli conviene."

Marcello chinò il capo senza pensar nulla. Gli pareva che non ci fosse nulla da rispondere, per il momento, perché un tal pretesto andava studiato con calma. Stava per rispondere: "Datemi due o tre giorni di tempo e intanto ci penserò," quando, improvvisamente, la lingua gli parlò quasi suo malgrado: "Io mi sposo tra una settimana... si potrebbe abbinare la missione al viaggio di nozze."

Questa volta, la sorpresa del segretario, seppure subito ricoperta da un pronto entusiasmo, fu evidente e profonda. Del tutto impassibile, come se Marcello non avesse parlato, rimase, invece, il colonnello. "Molto bene... benissimo," esclamò il segretario con aria sconcertata, "voi vi sposate... non si poteva trovare un pretesto migliore... il classico viaggio di nozze a Parigi."

"Sì," disse Marcello senza sorridere, "il classico viaggio di nozze a Parigi."

Il segretario temette di averlo offeso. "Volevo dire che Parigi è proprio il luogo adatto per un viaggio di nozze... purtroppo, non sono sposato... ma se dovessi sposarmi, credo che anch'io andrei a Parigi..."

Marcello questa volta non parlò. Gli avveniva spesso di rispondere in questo modo a coloro che gli riuscivano antipatici: con un silenzio completo. Il segretario, per rinfrancarsi, si voltò verso il colonnello: "Avete ragione voi colonnello... soltanto il dottor Clerici poteva trovare un simile pretesto... noi, anche se l'avessimo trovato, non avremmo potuto suggerirglielo."

Questa frase, pronunziata in tono ambiguo e semiserio, era, come pensò Marcello, a doppio taglio: poteva essere davvero una lode, seppure un po' ironica, come dire: "Diavolo, che fanatismo!" e poteva invece essere l'espressione di un sentimento di stupido disprezzo: "Che servilità... non rispetta neppure le proprie nozze." Probabilmente, come pensò, era ambedue le cose, poiché era chiaro che per il segretario stesso il confine tra fanatismo e servilità non era segnato con precisione: ambedue mezzi di cui, volta per volta, si serviva, per raggiungere sempre gli stessi fini. Notò con compiacimento che anche il colonnello rifiutava al segretario il sorriso che colui sembrava impetrare con la sua frase a doppio senso. Seguì un momento di silenzio. Adesso Marcello guardava fisso negli occhi al segretario, con una immobilità e una mancanza di soggezione che sapeva e voleva sconcertanti. E, infatti, il segretario non resse lo sguardo, e tutto ad un tratto, appoggiandosi con le due mani sul piano della tavola, si levò in piedi.

"Bene... allora voi colonnello vi metterete d'accordo con il dottor Clerici per le modalità della missione... voi," egli proseguì volgendosi a Marcello, "dovete però sapere che avete tutto l'appoggio del ministro e mio... anzi," egli soggiunse con affettata casualità, "il ministro ha esternato il desiderio di conoscervi personalmente."

Anche questa volta Marcello non aprì bocca, limitandosi a levarsi in piedi e a fare un leggero inchino deferente. Il segretario, che si era forse aspettato parole di gratitudine, ebbe un nuovo movimento di sorpresa, subito represso: "Restate, Clerici... il ministro mi ha ordinato di portarvi direttamente da lui."

Il colonnello si alzò e disse: "Clerici, voi sapete dove trovarmi." Egli tese la mano al segretario, ma costui volle a tutti i costi accompagnarlo fino alla porta, con una cerimoniosità premurosa e ossequiente. Marcello li vide stringersi la mano e poi il colonnello scomparve e il segretario tornò verso di lui: "Venite, Clerici... il ministro è occupatissimo, ciononostante tiene assolutamente a vedervi e a manifestarvi il suo compiacimento... è la prima volta, nevvero, che siete introdotto dal ministro?" Queste parole furono pronunziate attraverso una minore anticamera attigua alla stanza del segretario. Il quale andò ad una porta, l'aprì, scomparve facendogli cenno di aspettare e poi, quasi subito, si riaffacciò invitandolo a seguirlo.

Apparve a Marcello, entrando, la stessa stanza lunga e stretta che poco prima aveva osservato attraverso la fessura della porta; soltanto adesso, la stanza si presentava ai suoi sguardi per largo con la tavola di fronte a lui. Dietro la tavola, sedeva l'uomo dalla faccia larga e massiccia e dalla persona corpulenta che egli aveva spiato mentre si lasciava baciare dalla donna dal grande cappello nero. Notò che la tavola era sgombra, lucida da specchiarvisi, senza carte, con un grande calamaio di bronzo e una cartella chiusa di cuoio scuro. "Eccellenza, questo è il dottor Clerici..." disse il segretario.

Il ministro si levò in piedi tendendo la mano a Marcello, con una cordialità premurosa ancor più spiccata di quella del segretario, ma priva affatto di amenità, anzi decisamente autoritaria. "Come state Clerici?" Parlava pronunziando con cura e lentezza le parole, imperiosamente, come se fossero state piene di un significato particolare. "Mi è stato parlato di voi in termini elogiativi... il regime ha bisogno di uomini come voi." Adesso il ministro si era riseduto, e, toltosi il fazzoletto di tasca, si soffiava il naso, pur esaminando certe carte che il segretario gli sottoponeva. Per discrezione, Marcello si ritirò verso l'angolo più lontano della stanza. Il ministro guardava le carte mentre il segretario gli sussurrava piano nell'orecchio quindi guardò il fazzoletto e Marcello vide che il fazzoletto di lino bianco era macchiato di rosso e ricordò che, al momento di entrare, la bocca del ministro gli era sembrata più rossa del naturale: il rossetto della donna dal cappello nero. Pur continuando ad esaminare le carte che il segretario gli mostrava, senza scomporsi né preoccuparsi di essere osservato, il ministro prese a fregarsi fortemente la bocca con il fazzoletto, guardandolo ogni tanto, per vedere se il rossetto resistesse ancora. Finalmente l'esame delle carte e quello del fazzoletto finirono insieme, e il ministro si levò in piedi e tese di nuovo la mano a Marcello. "Arrivederci Clerici, come vi avrà già detto il mio segretario, la missione alla quale vi accingete ha il mio appoggio incondizionato, completo."

Marcello si inchinò, strinse la mano spessa e corta, e seguì il segretario fuori della stanza.

Tornarono nella stanza del segretario. Costui posò sulla tavola le carte esaminate dal ministro e poi accompagnò Marcello alla porta. "Allora, Clerici, in bocca al lupo," egli disse con un sorriso, "e auguri per le nozze." Marcello ringraziò con un cenno del capo, un inchino e una frase indistinta. Il segretario, con un ultimo sorriso, gli strinse la mano. Quindi la porta si chiuse.

II

Ormai era tardi e, appena fuori del ministero, Marcello affrettò il passo. Alla fermata dell'autobus, si mise in coda, nel mezzo della folla affamata e nervosa del mezzodì, e pazientemente aspettò il suo turno per salire nel carrozzone già affollato. Compì una parte del percorso appeso di fuori, sul predellino, poi, con molta fatica, riuscì ad insinuarsi sulla piattaforma e lì rimase, stretto d'ogni parte da altri passeggeri, mentre l'autobus sussultando e rombando si inerpicava dal centro della città, su per le strade in salita, verso la periferia. Questi disagi, però, non lo irritavano, anzi gli parevano utili dal momento che erano condivisi da tanti altri e, sia pure in piccola misura, contribuivano a renderlo simile a tutti. D'altra parte i contatti con la folla, per quanto sgradevoli e scomodi, gli piacevano e gli parevano sempre preferibili a quelli con gli individui: dalla folla, come pensò mentre si levava in punta di piedi nella piattaforma per respirare meglio, gli veniva il sentimento confortante di una comunione multiforme che andava dal farsi pigiare dentro un autobus fino all'entusiasmo patriottico delle adunate politiche; ma dagli individui non gli venivano che dubbi sopra se stesso e su gli altri, come quel mattino durante la sua visita al ministero.

Perché per esempio, pensò ancora, subito dopo essersi offerto di abbinare il viaggio di nozze alla missione, egli aveva provato il sentimento penoso di aver compiuto un atto sia di servilità non richiesta, sia di fanatismo ottuso? Perché, si disse, tale offerta era stata fatta a quell'uomo scettico, intrigante e corrotto, a quell'indegno e odioso segretario. Era lui, con la sua sola presenza, che gli aveva ispirato vergogna per un atto, come quello, così profondamente spontaneo e disinteressato. E adesso, mentre l'autobus rotolava da una fermata all'altra, egli si rinfrancava dicendosi che tale vergogna non l'avrebbe provata se non si fosse trovato di fronte a un uomo come quello, per cui non esistevano né fedeltà, né dedizione, né sacrificio, bensì soltanto calcoli, prudenza e tornaconto. In realtà la sua offerta non era scaturita da una speculazione della mente, bensì dall'oscura profondità dell'animo, dimostrazione sicura, oltre tutto, del carattere autentico del suo inserimento nella normalità sociale e politica. Un altro, il segretario per esempio, avrebbe fatto una simile offerta dopo lunghe e furbe riflessioni; lui invece l'aveva improvvisata. Quanto alla sconvenienza di abbinare il viaggio di nozze alla missione politica, non c'era neanche da perder tempo a esaminarla. Egli era quello che era e tutto quello che faceva era giusto che fosse conformato a quello che era.

Tra questi pensieri, discese dall'autobus e si avviò per la strada del quartiere impiegatizio, sul marciapiede piantato di oleandri bianchi e rosa. I palazzi degli impiegati di Stato, massicci e scalcinati, spalancavano su questo marciapiede i grandi portoni in fondo ai quali si intravvedevano vasti e squallidi cortili. Alternate ai portoni si susseguivano le botteghe modeste che Marcello ormai conosceva bene: il tabaccaio, il panettiere, l'erbivendolo, il macellaio, il droghiere. Era il mezzodì, e, perfino tra quelle fabbriche anonime, si rivelava, per molti segni, la tenue effimera letizia propria alla sospensione del lavoro e alla riunione familiare: odori di cucina che venivano dalle finestre socchiuse dei pianterreni; fretta di uomini malvestiti che infilavano quasi di corsa i portoni; qualche voce di radio, qualche suono di grammofono. Da un giardinetto chiuso nella rientranza di uno dei palazzi, la spalliera di rose rampicanti della cancellata salutò il suo passaggio con un'ondata di acuto, polveroso olezzo, Marcello affrettò il passo e, al portone numero diciannove, insieme con altri due o tre impiegati, imitandone non senza compiacimento la fretta, entrò e si avviò su per la scala.

Prese a salire lentamente per le rampe larghe in cui un'ombra squallida si alternava alla luce sfarzosa dei finestroni dei pianerottoli. Ma al secondo piano ricordò che aveva dimenticato qualche cosa: i fiori che non mancava mai di portare alla fidanzata tutte le volte che era invitato a colazione a casa di lei. Contento di essersene ricordato a tempo, ridiscese di corsa la scala, uscì nella strada e andò direttamente all'angolo del palazzo dove una donna accovacciata su uno sgabello esponeva in certi suoi barattoli i fiori di stagione. Scelse in fretta una mezza dozzina di rose, le più belle che la fioraia avesse, lunghe e col gambo dritto, di un rosso cupo, e tenendole al naso e respirandone il profumo, rientrò nel palazzo e salì questa volta, fino all'ultimo piano. Qui, sul pianerottolo, non si apriva che una sola porta; una minore scaletta portava più su ad una porticina rustica, sotto la quale brillava la luce forte della terrazza. Egli suonò pensando: "Speriamo che non venga ad aprirmi la madre." La futura suocera gli dimostrava infatti un amore quasi smanioso che l'imbarazzava profondamente. Di lì ad un momento la porta si aprì e Marcello scorse con sollievo, nell'ombra dell'anticamera, la figura della servetta quasi bambina, infagottata in un grembiule bianco troppo grande per lei, il viso pallido incoronato da un duplice giro di trecce nere. Ella richiuse la porta non senza sporgersi un momento a guardare con curiosità sul pianerottolo; e Marcello, respirando a piene narici il forte odore di cucina che riempiva l'aria, passò nel salotto.

La finestra del salotto era socchiusa, per impedire al caldo e alla luce di entrare, non tanto però che, nell'ombra rada, non si distinguessero gli scuri mobili in falso stile rinascimento che ingombravano la stanza. Erano mobili pesanti, severi, fittamente scolpiti e formavano un contrasto singolare con i soprammobili, tutti di un gusto civettuolo e scadente disseminati sulle mensole e sul tavolo: una donnina nuda inginocchiata sull'orlo di un portacenere, un marinaio di maiolica azzurra che suonava la fisarmonica, un gruppo di cani bianchi e neri, due o tre lumi in forma di boccia o di fiore. C'erano molti portaceneri di metallo e di porcellana che in origine, come sapeva, avevano contenuto confetti di nozze di amiche e parenti della sua fidanzata. Le pareti erano tappezzate di una stoffa rossa di finto damasco e paesaggi e nature morte dai vivaci colori, incorniciate di nero, vi stavano appesi. Marcello sedette sul divano, già ricoperto della foderina estiva, e si guardò intorno con soddisfazione. Era proprio una casa borghese, come rifletté una volta di più, della borghesia più convenzionale e più modesta, in tutto simile ad altre case di quello stesso palazzo, di quello stesso quartiere; e questo era per lui l'aspetto più gradito: la sensazione di trovarsi di fronte a qualche cosa di molto comune, di quasi dozzinale, e però di perfettamente rassicurante. Si accorse di provare, a questo pensiero, un sentimento quasi abbietto di compiacimento per la bruttezza della casa: egli era cresciuto in una casa bella e di buon gusto e si rendeva conto che tutto quanto adesso lo circondava, era brutto senza rimedio; ma proprio di questo aveva bisogno, di questa bruttezza così anonima come di un tratto di più che l'accomunasse ai propri simili. Ricordò che per mancanza di denaro, almeno nei primi anni, loro due, Giulia e lui, dopo sposati, avrebbero dovuto abitare in quella casa; e quasi benedisse la povertà. Da solo, seguendo il suo gusto, una casa così brutta e così comune non sarebbe stato capace di metterla su. Presto dunque quello sarebbe stato il suo salotto; come la camera da letto di stile liberty in cui per trent'anni avevano dormito la futura suocera e il suo defunto marito sarebbe stata la sua camera da letto; e la sala da pranzo di mogano in cui Giulia e i genitori avevano consumato i pasti due volte al giorno per tutta la loro vita, sarebbe stata la sua sala da pranzo. Il padre di Giulia era stato funzionario importante in un ministero e quella casa montata secondo il gusto del tempo della sua giovinezza era una specie di tempio elevato pateticamente in onore delle divinità gemelle della rispettabilità e della normalità. Presto, pensò ancora con una gioia quasi ghiotta e lasciva e al tempo stesso triste, egli si sarebbe inserito di diritto in questa normalità e rispettabilità.

La porta si aprì e Giulia entrò impetuosamente, parlando nel corridoio con qualcuno, forse con la servetta. Quindi, come ebbe finito di parlare, chiuse la porta e venne in fretta incontro al fidanzato. Giulia, a vent'anni, era formosa come una donna di trenta, di una formosità poco fine e quasi popolana ma fresca e solida che rivelava insieme l'età giovanile e non si capiva quale illusione e gioia carnale. Era bianchissima di carnagione, con gli occhi grandi, di una limpidezza scura e languida, i capelli castani folti e ben ondulati, le labbra fiorite e rosse. Marcello, vedendola venirgli incontro, vestita di un leggero abito di taglio maschile nel quale parevano esplodere le forme della persona esuberante, non poté fare a meno di pensare, con rinnovato compiacimento, che sposava proprio una ragazza normale, del tutto comune, molto simile al salotto dal quale poco prima gli era venuto tanto sollievo. E un sollievo simile, quasi un refrigerio, gli venne udendo una volta di più la voce di lei, strascicata, bonaria, dialettale che diceva: "Ma che belle rose... Perché? Te l'ho già detto che non devi disturbarti... fosse la prima volta che vieni a colazione da noi." Intanto andava ad un vaso azzurro collocato sopra una colonna di marmo giallo, in un angolo, e vi metteva le rose. "Mi fa piacere portarti dei fiori," disse Marcello.

Giulia trasse un sospiro di soddisfazione e si lasciò cadere di sfascio sul divano, accanto a lui. Marcello la guardò e notò che un subito impaccio aveva sostituito la impetuosa disinvoltura di un momento prima: segno indubbio di un incipiente turbamento. Poi, ad un tratto, ella si voltò verso di lui e, gettandogli le braccia al collo, gli mormorò: "Baciami."

Marcello le circondò con il braccio la vita e la baciò sulla bocca. Giulia era sensuale, e, in questi baci, quasi sempre richiesti da lei a Marcello riluttante, veniva sempre il momento che questa sua sensualità si insinuasse aggressivamente, modificando il carattere casto e previsto dei loro rapporti di fidanzati. Anche questa volta, quando le loro labbra stavano già per separarsi, ella ebbe come un soprassalto di vogliosa lascivia e, circondando improvvisamente a Marcello il collo con un braccio, riapplicò con forza la sua bocca su quella di lui. Egli sentì la lingua di lei farsi strada tra le sue labbra e poi muoversi rapidamente torcendosi e avvolgendosi dentro la sua bocca. Intanto Giulia gli aveva afferrato una mano e se l'era portata al petto, guidandola a farsi stringere la mammella sinistra. Nello stesso tempo, soffiava per le narici e sospirava forte con un rumore animalesco, innocente, insaziato.

Marcello non era innamorato della fidanzata, ma Giulia gli piaceva e questi abbracci così sensuali non mancavano mai di turbarlo. Tuttavia non si sentiva inclinato a contraccambiare questi trasporti: voleva che i suoi rapporti con la fidanzata si mantenessero dentro i limiti tradizionali, quasi parendogli che una maggiore intimità avrebbe introdotto di nuovo nella sua vita quel disordine e quell'anormalità che si studiava tutto il tempo di scacciare. Così, dopo un poco, staccò la mano dal seno di lei e pian piano la respinse. "Uh, come sei freddo," disse Giulia tirandosi indietro e guardandolo con un sorriso, "davvero che qualche volta penserei che tu non mi voglia bene."

Marcello disse: "Lo sai che ti voglio bene."

Ella proseguì con volubilità: "Sono tanto contenta... non sono mai stata così felice... a proposito, lo sai che la mamma anche stamattina ha insistito che prendiamo la sua camera da letto... lei si ritirerà in quella stanzetta in fondo al corridoio... che ne dici?... Dobbiamo accettare?"

"Credo," disse Marcello, "che le dispiacerebbe se rifiutassimo."

"È quello che penso anch'io... figurati che quando ero bambina sognavo di dormire un giorno in una camera come quella... adesso non so se mi piaccia più tanto... a te piace?" ella domandò in tono dubbioso e insieme compiaciuto come chi tema il giudizio altrui sopra un suo gusto e vorrebbe vederlo approvato. Marcello si affrettò a rispondere: "Mi piace moltissimo... è molto bella." E vide che queste parole destavano in Giulia una soddisfazione visibile.

Piena di gioia ella gli scoccò un bacio sulla guancia e poi continuò: "Ho incontrato stamani la signora Persico... e l'ho invitata al ricevimento... sai che non sapeva che mi sposavo?... Mi ha fatto tante domande... quando gli ho detto chi eri, mi ha detto che conosceva tua madre... l'aveva incontrata al mare qualche anno fa."

Marcello non disse nulla. Parlare di sua madre con cui non viveva da anni e che vedeva raramente, gli riusciva sempre assai sgradevole. Per fortuna, Giulia, senza rendersi conto del suo impaccio, per sola volubilità, cambiò di nuovo argomento: "A proposito del ricevimento... abbiamo fatto la lista degli invitati... vuoi vederla?"

"Sì, fammela vedere."

Ella trasse dalla tasca un foglio di carta e glielo tese. Marcello lo prese e guardò. Era una lunga lista di persone, raggruppate per famiglie: padri, madri, figlie, figli. Gi uomini erano indicati non soltanto col nome e col cognome ma anche coi titoli professionali: medici, avvocati, ingegneri, professori; e, quando li avevano, anche quelli onorifici: commendatori, grandi ufficiali, cavalieri. Accanto a ciascuna famiglia, Giulia, per maggiore sicurezza, aveva scritto il numero delle persone che la componevano: tre, cinque, due, quattro. Erano quasi tutti nomi sconosciuti a Marcello e, pur tuttavia, gli sembrò di conoscerli da tempo: tutte persone della media e piccola borghesia, professionisti e funzionari statali; tutta gente che, senza dubbio, abitava in case come questa, con salotti come questo, mobili come questi; e aveva figlie da sposare molto simili a Giulia e le sposava a giovani laureati e impiegati molto simili, come sperava, a lui stesso. Egli esaminò la lunga lista, soffermandosi su certi nomi più caratteristici e più comuni, con un compiacimento profondo seppure tinto della solita fredda e immobile malinconia. "Ma chi è per esempio Arcangeli?" non poté fare a meno di domandare a caso. "Commendator Giuseppe Arcangeli con la moglie Iole, le figlie Silvana e Beatrice, il figlio dottor Gino?"

"Niente, non li conosci... Arcangeli era un amico del povero papà, al ministero."

"Dove abita?"

"A due passi di qua, in via Porpora."

"E com'è il suo salotto?"

"Ma sai che sei buffo con le tue domande," ella esclamò ridendo, "come vuoi che sia?... Un salotto come questo e come tanti altri... perché, ti interessa tanto di sapere com'è il salotto di Arcangeli?"

"E le figlie sono fidanzate?"

"Sì, Beatrice... ma perché?..."

"Com'è il fidanzato?"

"Uffa... anche il fidanzato... ebbene il fidanzato si chiama con un nome strano. Schirinzi, e lavora nello studio di un notaio."

Marcello notò che, dalle risposte di Giulia, non si poteva arguire in alcun modo come fossero fatti quei suoi invitati. Probabilmente, non avevano più carattere nella sua mente di quanto ne avessero sulla carta: nomi di persone rispettabili, indistinguibili, normali. Egli scorse di nuovo la lista e si fermò a caso sopra un altro nome: "E chi è il dottor Cesare Spadoni, con la moglie Livia e il fratello avvocato Tullio?"

"È un medico per bambini... la moglie è una mia compagna di scuola... forse l'hai conosciuta: tanto carina, bruna, piccola, pallida... lui è un bel giovane... sono gemelli."

"E il cavaliere Luigi Pace con la moglie Teresa e i quattro figli Maurizio, Giovanni, Vittorio, Riccardo?"

"Un altro amico del povero papà... i figli sono tutti studenti... Riccardo va ancora al liceo."

Marcello capì che era inutile continuare a domandare ragguagli sulle persone iscritte nella lista. Giulia non avrebbe saputo dirgli molto di più di quanto risultava nella lista stessa. E anche se, come pensò, l'avesse informato minutamente sul carattere e la vita di quelle persone, per forza queste informazioni non avrebbero oltrepassato i limiti assai angusti del suo giudizio e della sua intelligenza. Ma si accorse di essere contento, quasi in maniera voluttuosa, sebbene di una voluttà senza gioia, di entrare a far parte, grazie al suo matrimonio, di quella società così comune. Una domanda tuttavia gli stava sulla punta della lingua e, dopo un momento di esitazione, si decise a muoverla: "E dimmi... io rassomiglio ai tuoi invitati?"

"Come sarebbe a dire... fisicamente?"

"No... volevo sapere se secondo te... ho dei punti di somiglianza con loro... nei modi, nell'aspetto, nelle apparenze... insomma se gli somiglio."

"Tu per me sei meglio di tutti," ella rispose impetuosamente, "ma pel resto, sì, sei una persona come loro: sei distinto, serio, fine... insomma, si vede che, come loro, sei una persona perbene... ma perché mi fai questa domanda?"

"Così."

"Come sei strano," ella disse guardandolo quasi con curiosità, "tutti vorrebbero essere diversi da tutti... e tu invece si direbbe che ci tieni ad essere come tutti."

Marcello non disse nulla e le rese la lista osservando a fior di labbra: "Comunque non ne conosco neppure uno."

"E che credi, che anch'io li conosca tutti?" disse Giulia allegramente, "molti lo sa soltanto la mamma chi sono... del resto il ricevimento passa presto... un'oretta e poi non li vedrai mai più."

"A me non dispiace vederli," disse Marcello.

"Dicevo così per dire... ora senti il menù dell'albergo e dimmi se ti piace." Giulia cavò di tasca un altro foglio e lesse ad alta voce:

"*Consumato freddo*
Filetti di sogliola alla mugnaia
Pollanca al riso, salsa suprema
Insalata di stagione
Formaggi assortiti
Gelato diplomatico
Frutta
Caffè e liquori."

"Cosa ne dici," domandò, con lo stesso tono dubbioso e

compiaciuto che aveva avuto poc'anzi parlando della camera da letto della madre, "ti pare buono? Ti sembra che mangeranno abbastanza?"

"Mi pare buonissimo e abbondante," disse Marcello.

Giulia continuò: "Per lo champagne abbiamo scelto champagne italiano... è meno buono di quello francese ma per brindare va bene lo stesso." Tacque un momento e poi soggiunse con la solita volubilità: "Lo sai che ha detto Don Lattanzi? Che se vuoi sposarti devi comunicarti e se vuoi comunicarti devi confessarti... altrimenti non ci sposa."

Per un momento, Marcello, sorpreso, non seppe che dire. Non era credente e forse erano dieci anni che non entrava in chiesa. Inoltre era sempre stato convinto di nutrire una decisa antipatia per tutto quanto era ecclesiastico. Ora, invece, si accorgeva con meraviglia, che lungi dall'infastidirlo, quest'idea della confessione e della comunione gli piaceva e l'attraeva, un po' come gli piacevano e l'attraevano il ricevimento di nozze, quegli invitati che non conosceva, il matrimonio con Giulia e Giulia stessa, così comune e simile a tante altre ragazze. Era un anello di più, come pensò, nella catena di normalità con la quale egli cercava di ancorarsi nelle sabbie infide della vita; e, per giunta, quest'anello era fatto di un metallo più nobile e resistente degli altri: la religione. Si sorprese quasi di non averci pensato prima e attribuì questa dimenticanza al carattere ovvio e pacifico della religione in cui era nato e alla quale gli era sempre sembrato di appartenere pur senza praticarla. Disse, uttavia, curioso di sentire che cosa avrebbe risposto Giulia: Ma io non sono credente."

"E chi lo è," ella rispose tranquillamente, "il novanta per ento di coloro che frequentano le chiese, pensi che credano? i preti stessi?"

"Ma tu credi?"

Giulia fece un gesto con la mano, per aria: "Così e così, no ad un certo punto... a Don Lattanzi glielo dico ogni tan- : non m'incantate con tutte le vostre storie, voi preti... ci edo e non ci credo... o meglio," soggiunse con scrupolo, diciamo che ho una religione tutta mia... diversa da quella i preti."

"Che significa avere una religione propria?" pensò Marcello. a sapendo per esperienza che Giulia parlava spesso senza pere troppo bene quel che si dicesse, non insistette. Disse invece: “Il mio caso è più radicale... io non credo affatto, e non ho alcuna religione.”

Giulia fece un gesto con la mano, allegro e indifferente: “Ma che ti costa?... Vacci lo stesso... a loro preme tanto, a te non costa nulla.”

“Sì, ma sarò costretto a mentire.”

“Parole... e poi sarà semmai una bugia a fin di bene... sai che dice Don Lattanzi? Che bisogna fare certe cose, come se si credesse, anche se non si crede... la fede viene dopo.”

Marcello tacque un momento e poi disse: “Va bene... allora mi confesserò e farò la comunione.” E così dicendo provò di nuovo quel fremito di delizia un po’ tetra che poco prima gli aveva ispirato la lista degli invitati. “Allora,” soggiunse, “andrò a confessarmi da Don Lattanzi.”

“Non è mica necessario che vai da lui,” disse Giulia, “puoi andare da qualsiasi confessore, in qualsiasi chiesa.”

“E per la comunione?”

“Quella te la impartisce Don Lattanzi il giorno stesso che ci sposiamo... la facciamo insieme... quanto tempo è che non ti confessi?”

“Ma... credo che non mi sono confessato da quando ho fatto la prima comunione... a otto anni,” disse Marcello un po’ imbarazzato, “poi mai più.”

“Pensa,” ella esclamò con gioia, “chissà quanti peccati hai da dichiarare...”

“E se non mi assolvessero?”

“Ti assolvono di certo,” ella rispose con affetto accarezzan-dogli il viso con una mano, “e poi che peccati vuoi avere?.. Sei buono, di animo gentile, male non ne hai mai fatto nessuno... ti assolvono subito.”

“È complicato sposarsi,” disse Marcello casualmente.

“A me invece tutte queste complicazioni, questi preparativ piacciono tanto... dopo tutto dobbiamo restare uniti tutta l vita, no?... E, a proposito, per il viaggio di nozze che cos decidiamo?”

Per la prima volta Marcello avvertì insieme al solito affett indulgente e lucido quasi un sentimento di pietà per Giulia Capiva che era ancora in tempo a tirarsi indietro e invece ch a Parigi, dove doveva svolgere la missione, andare altrove trascorrere la luna di miele. Poi, al ministero, avrebbe dett che declinava l’incarico. Ma nello stesso tempo, si accorse ch questo era impossibile. La missione era forse il passo più fermo, più compromettente e più decisivo sulla via della normalità definitiva; come erano passi in eguale direzione, ma meno importanti a suo vedere, il matrimonio con Giulia, il ricevimento, le cerimonie religiose, la confessione, la comunione.

Non si fermò più che tanto ad analizzare questa riflessione il cui fondo tetro e quasi sinistro non gli sfuggiva, e rispose in fretta: "Dopo tutto ho pensato che potremmo andare a Parigi."

Ebbra di gioia, Giulia, batté le mani: "Ah, bene... Parigi... il mio sogno!" Gli gettò le braccia al collo e lo baciò con furore. "Se tu sapessi come sono contenta... ma non volevo dirtelo che desideravo tanto di andare a Parigi... temevo che costasse troppo."

"Costerà su per giù come gli altri posti," disse Marcello, "ma non ti preoccupare per il denaro... per questa volta lo troveremo."

Giulia era rapita. "Come sono contenta," ripeteva. Si strinse con forza contro Marcello e gli mormorò: "Mi vuoi bene? Perché non mi baci?"; e così, di nuovo, Marcello ebbe intorno il collo il braccio della fidanzata e la bocca di lei sulla sua. Questa volta l'ardore del bacio parve raddoppiato dalla gratitudine. Giulia sospirava, si torceva con tutto il corpo, si schiacciava contro il seno la mano di Marcello, rapidamente e spasmodicamente avvolgeva la lingua nella bocca di lui. Marcello si sentiva turbato e pensava: "Adesso, se volessi, potrei prenderla, qui, su questo divano," e gli pareva di avvertire una volta di più la fragilità di quello che egli chiamava normalità. Finalmente si separarono e Marcello disse sorridendo: "Per fortuna ci sposiamo presto... altrimenti ho paura che uno di questi giorni diventeremmo amanti."

Giulia rispose, alzando le spalle, ancora tutta colorita in viso dal bacio, con una sua esaltata e ingenua impudenza. "Io ti amo tanto... non domanderei di meglio."

"Veramente?" domandò Marcello.

"Anche subito," ella disse arditamente, "anche qui, adesso..." Ora aveva preso una mano a Marcello e gliela baciava lentamente, sogguardandolo con lucidi occhi commossi. Poi la porta si aprì e Giulia si tirò indietro. La madre di Giulia entrò.

Anche costei, pensò Marcello guardandola avvicinarsi, era uno dei tanti personaggi introdotti nella sua vita dalla ricerca di una normalità riscattatrice. Nulla poteva esserci di comune tra lui e quella donna sentimentale e sempre traboccante di struggente tenerezza, nulla all'infuori del suo desiderio di legarsi durevolmente e profondamente ad una società umana solida e stabilita. La madre di Giulia, signora Delia Ginami, era una donna corpulenta, in cui i cedimenti dell'età matura parevano manifestarsi in una specie di disfacimento così del corpo come dell'animo, il primo afflitto da una grassezza tremolante e disossata, il secondo inclinato agli sdilinquimenti di una bontà fisiologica e smancerosa. Ad ogni passo che ella muoveva, sotto i panni informi, pareva che intere parti del suo corpo enfiato sbandassero e si spostassero per conto loro; ad ogni nonnulla, una commozione spasimosa sembrava soverchiare le sue facoltà di controllo, riempiendole di lagrime gli azzurri occhi annacquati, facendole giungere le mani in atteggiamenti estatici. In quei giorni, poi, l'imminenza delle nozze dell'unica figlia, aveva piombato la signora Delia in una condizione di perpetuo intenerimento: non faceva che piangere, dalla consolazione, come spiegava; e ad ogni momento sentiva il bisogno di abbracciare Giulia o il futuro genero al quale, a suo dire, si era già affezionata come ad un figlio. Marcello, che queste effusioni riempivano d'impaccio, comprendeva tuttavia che esse non erano che un aspetto della realtà in cui egli voleva inserirsi; e come tali le sopportava e le apprezzava, con lo stesso compiacimento un po' tetro che gli ispiravano i brutti mobili della casa, i discorsi di Giulia, i festeggiamenti per le nozze e le imposizioni rituali di Don Lattanzi.

La signora Delia, questa volta, però, non era intenerita, bensì indignata. Sventolava nella mano un foglio di carta e disse, dopo aver salutato Marcello che si era levato in piedi: "Una lettera anonima... ma prima di tutto andiamo di là... è pronto."

"Una lettera anonima?" gridò Giulia precipitandosi dietro la madre.

"Sì, una lettera anonima... che schifo però, la gente."

Marcello entrò a sua volta nella sala da pranzo, cercando di nascondersi il viso con il fazzoletto. La notizia della lettera anonima l'aveva sconvolto e gli premeva di non darlo a vedere alle due donne. Udire la madre di Giulia esclamare: "Una lettera anonima," e subito pensare: "Qualcuno ha scritto del fatto di Lino," era stato per lui una sola cosa. A questo pensiero il sangue gli era fuggito dal viso, il respiro gli era mancato, un senso di sbigottimento, di vergogna e di paura, inspiegabile, inaspettato, fulmineo, mai provato se non nei primi anni dell'adolescenza quando il ricordo di Lino era ancora fresco, l'aveva assalito. Era stato più forte di lui; e tutti i suoi poteri di controllo erano stati travolti in un attimo come è travolto da una moltitudine presa dal panico, il sottile cordone di poliziotti che dovrebbe contenerla. Si morse a sangue le labbra, mentre si avvicinava alla tavola: si era dunque sbagliato, in biblioteca, quando, ricercando la notizia del delitto, si era convinto che l'antica ferita fosse del tutto rimarginata: la ferita non soltanto non era rimarginata ma era anche molto più profonda di quanto avesse sospettato. Per fortuna il suo posto, a tavola, era controluce, con le spalle alla finestra. In silenzio, rigidamente, sedette a capotavola, avendo Giulia a destra e la signora Ginami a sinistra.

La lettera anonima adesso stava sulla tovaglia, presso il piatto della madre di Giulia. Intanto era entrata la serva bambina, reggendo con le due mani un vassoio colmo di pasta asciutta. Marcello affondò il forchettone nella matassa rossa e unta, sollevò una piccola quantità di spaghetti e la depose sul proprio piatto. Subito le due donne protestarono: "Troppo poco... vuoi digiunare... prendine ancora." La signora Ginami soggiunse: "Lei lavora, deve mangiare;" Giulia, addirittura, impulsivamente, inforcò dal vassoio altri spaghetti e li mise sul piatto del fidanzato. "Non ho fame," disse Marcello con una voce che gli parve assolutamente spenta e angosciata. "L'appetito vien mangiando," rispose Giulia servendosi, con enfasi. La servetta uscì portandosi via il vassoio quasi vuoto; e la madre disse subito: "Non volevo mostrarla... pensavo che non ne valesse la pena... però in che mondo viviamo..."

Marcello non disse nulla, chinò il viso sul piatto e si riempì la bocca di spaghetti. Tuttora temeva che la lettera riguardasse il fatto di Lino, sebbene la mente gli dimostrasse che questo era impossibile. Era un timore incoercibile, più forte di qualsiasi riflessione. Giulia domandò: "Ma, insomma, si può sapere che cosa c'è scritto?"

La madre rispose: "Prima di tutto, però, voglio dire a Marcello che per me, anche se avessero scritto in questa lettera cose mille volte peggiori, lui deve lo stesso esser sicuro che il mio affetto rimane inalterato... Marcello, lei per me è un figlio, e lei lo sa che l'amore di una madre per un figlio è più forte di qualsiasi insinuazione." Gli occhi le si empirono ad un tratto di lagrime; ella ripeté: "Proprio un figlio." Quindi afferrata la mano di Marcello, se la portò al cuore dicendo: "Caro Marcello." Non sapendo che fare né che dire, Marcello restò fermo e silenzioso, aspettando che l'effusione fosse finita. La signora Ginami lo guardò con occhi inteneriti e soggiunse: "Lei deve perdonare ad una vecchia donna come me, Marcello."

"Mamma, che assurdità, non sei vecchia," disse Giulia troppo avvezza a queste commozioni materne per darci peso o meravigliarsene.

"Sì, sono vecchia, non mi restano che pochi anni da vivere" rispose la signora Delia. Questo della morte imminente era uno dei suoi argomenti preferiti, forse perché, oltre a commuovere lei stessa, ella pensava che avesse il potere di commuovere anche gli altri. "Morirò presto e perciò sono tanto contenta di lasciare mia figlia ad un uomo così buono come lei, Marcello."

Marcello, che la mano della signora Delia premuta contro il cuore costringeva ad una posizione scomoda al di sopra degli spaghetti, non poté reprimere un leggerissimo moto di impazienza che non sfuggì alla vecchia donna; la quale, però, lo scambiò per una protesta contro gli elogi eccessivi. "Sì," ella confermò, "lei è buono... tanto buono... qualche volta lo dico a Giulia: sei fortunata di aver trovato un giovane così buono... so bene, Marcello, che la bontà oggi non è più di moda... ma lo lasci dire ad una persona che ha molti anni più di lei: non c'è che la bontà al mondo... e lei, per fortuna, è tanto, tanto, tanto buono."

Marcello aggrottò le sopracciglia e non disse nulla. "Ma lascialo mangiare, poveretto," esclamò Giulia, "non lo vedi che gli sporchi la manica di sugo?"

La signora Ginami lasciò la mano di Marcello e prendendo la lettera disse: "È una lettera scritta a macchina... con il timbro di Roma... non mi meraviglierei, Marcello, se l'avesse scritta uno dei suoi colleghi di ufficio."

"Ma mamma, si può sapere una buona volta che cosa c'è scritto?"

"Eccola," disse la madre porgendo la lettera alla figlia, "leggila... ma non leggerla ad alta voce... sono cose brutte che non mi piace sentire... poi, quando l'hai letta, dalla a Marcello."

Non senza ansietà, Marcello vide la fidanzata leggere la lettera. Poi, torcendo la bocca in segno di disprezzo, Giulia pronunziò: "Che schifo." E gliela porse. La lettera, scritta su carta velina da macchina, non conteneva che poche righe dattilografate con un nastro dall'inchiostro sbiadito. "Signora, permettendo che vostra figlia sposi il dottor Clerici, voi commettete peggio che un errore, commettete un delitto. Il padre del dottor Clerici è ricoverato da anni in manicomio perché affetto da pazzia di origine luetica, e, come sapete, questa malattia è ereditaria. Siete ancora in tempo: impedite il matrimonio. Un amico."

"Così questo è tutto," pensò Marcello quasi deluso. Gli parve di capire che la sua delusione era maggiore del sollievo: quasi avesse sperato che qualcun altro apprendesse la tragedia della sua infanzia e lo liberasse in parte del fardello di tale conoscenza. Lo colpiva tuttavia una frase: "Come sapete questa malattia è ereditaria." Sapeva benissimo che l'origine della pazzia paterna non era luetica e che non c'era alcun pericolo che egli un giorno diventasse pazzo come suo padre. E pur tuttavia la frase, nella sua malignità minacciosa, gli parve che alludesse ad altra pazzia, che avrebbe, appunto, potuto essere davvero ereditaria. Quest'idea, subito scacciata, non fece che sfiorargli la mente. Poi restituì la lettera alla madre di Giulia dicendo tranquillamente: "Non c'è nulla di vero."

"Ma lo so che non c'è nulla di vero," rispose la buona donna quasi offesa. Soggiunse dopo un momento: "Io so soltanto che mia figlia sposa un uomo buono, intelligente, onesto, serio... e un bel ragazzo," concluse con una specie di civetteria.

"Soprattutto un bel ragazzo: lo puoi dir forte," confermò Giulia, "ed è per questo che chi ha scritto quella lettera insinua che è tarato... vedendolo così bello, gli pare impossibile che non ci abbia il baco... cretini."

"Chissà cosa direbbero," non poté fare a meno di pensare Marcello, "se sapessero che a tredici anni ho quasi avuto dei rapporti amorosi con un uomo e che l'ho ucciso." Si accorse che, adesso, passata la paura destata dalla lettera, gli era tornata la solita apatia malinconica e speculativa. "Probabilmente," pensò guardando alla fidanzata e alla signora Ginami, "non farebbe loro né caldo e né freddo... la gente normale ha la pelle dura." E capì che invidiava alle due donne una volta di più, la loro "pelle dura".

Disse ad un tratto: "Debbo proprio andarci oggi a visitare mio padre."

"Ci vai con tua madre?"

"Sì."

La pasta asciutta era finita, la serva bambina rientrò, cambiò i piatti e depose sulla tavola un vassoio pieno di carne e di verdura. La madre disse, riprendendo la lettera ed esaminandola, appena la cameriera fu uscita: "Vorrei proprio sapere chi ha scritto questa lettera."

"Mamma," disse ad un tratto Giulia con una serietà improvvisa ed eccessiva, "dammi un po' quella lettera."

Ella prese la busta, la guardò con attenzione, poi tolse il foglio di velina, lo scrutò, le sopracciglia aggrottate e finalmente esclamò con voce alta e indignata: "So benissimo chi ha scritto questa lettera... non possono esserci dubbi... ah, che infame."

"Ma chi è?"

"Un disgraziato," rispose Giulia abbassando gli occhi alla tavola.

Marcello non disse nulla. Giulia lavorava da segretaria nello studio di un avvocato, probabilmente, come pensò, la lettera era stata scritta da uno dei numerosi assistenti. La madre disse: "Qualche invidioso certo... Marcello ha una posizione a trent'anni che molti uomini fatti vorrebbero avere."

Pro forma, sebbene non fosse incuriosito, Marcello domandò alla fidanzata: "Se sai il nome di chi ha scritto la lettera, perché non lo dici?"

"Non posso," ella rispose ormai più riflessiva che indignata, "ma te l'ho detto: è un disgraziato." Rese la lettera alla madre e si servì dal vassoio che la cameriera le porgeva. Per un momento nessuno dei tre parlò. Poi la madre riprese in tono di sincera incredulità: "Eppure non posso crederci che ci sia qualcuno così cattivo da poter scrivere una lettera simile contro un uomo come Marcello."

"Mica tutti gli vogliono bene come noi due, mamma," disse Giulia.

“Ma chi?” domandò ad un tratto la madre con enfasi, “chi non potrebbe volergli bene al nostro Marcello?”

“Lo sai che dice di te la mamma?” domandò Giulia che adesso pareva essere tornata alla solita allegria e volubilità, “che non sei un uomo ma un angelo... così che uno di questi giorni, magari, invece di entrare in casa nostra per la porta... entrerai per la finestra, volando.” Soffocò una risata e soggiunse: “Farà piacere al prete, quando vai a confessarti, di sapere che sei un angelo... mica succede tutti i giorni di ascoltare la confessione di un angelo.”

“Ecco che mi prendi in giro, al solito,” disse la madre, “ma io non esagero affatto... Marcello, per me, è un angelo.” Guardò Marcello con intensa, zuccherosa tenerezza e tosto gli occhi le si empirono visibilmente di lagrime. Soggiunse dopo un momento: “Ho conosciuto in vita mia soltanto un uomo che fosse buono come Marcello... ed era tuo padre, Giulia.”

Giulia questa volta si fece seria, come si addiceva all'argomento e abbassò gli occhi sul piatto. Intanto il viso della madre subiva una graduale trasformazione: dagli occhi le lagrime traboccavano copiose mentre una smorfia patetica le sconvolgeva i tratti molli e gonfi tra i cernecchi dei capelli disfatti, così che colori e lineamenti parevano confondersi e cancellarsi come visti attraverso un vetro inondato di acqua abbondante. Ella cercò in fretta il fazzoletto e, portandolo agli occhi, balbettò: “Un uomo veramente buono... un vero angelo... e stavamo così bene insieme, noi tre... ed ora è morto e non c'è più... Marcello mi ricorda tuo padre, per la bontà, ed è per questo che gli voglio tanto bene... quando penso che quell'uomo così buono è morto, mi si spezza il cuore.” Le ultime parole si persero nel fazzoletto. Giulia disse tranquillamente: “Mangia mamma.”

“No, no, non ho fame,” disse la madre singhiozzando, “scusatemi piuttosto voi due... siete felici e la felicità non deve essere turbata dalla tristezza di una vecchia donna.” Si alzò bruscamente, andò alla porta ed uscì.

“Pensa, sono già sei anni,” disse Giulia guardando alla porta, “ed è come se fosse sempre il primo giorno.”

Marcello non disse nulla. Aveva acceso una sigaretta e fumava a testa bassa. Giulia stese una mano e gli prese la sua. “Che pensi?” domandò quasi supplichevolmente.

Giulia gli domandava spesso che cosa pensasse, incuriosita

e, talvolta, anche allarmata dall'espressione seria e chiusa del viso di lui. Marcello rispose: "Pensavo a tua madre... i suoi elogi mi imbarazzano... non mi conosce abbastanza per dire che sono buono."

Giulia gli strinse la mano e rispose: "Mica lo fa per complimento... anche quando non ci sei, me lo dice spesso: come è buono Marcello."

"Ma come fa a saperlo?"

"Sono cose che si vedono." Giulia si alzò e venne a mettersi in piedi accanto a lui, premendo il fianco rotondo contro la sua spalla e passandogli una mano tra i capelli. "Perché? Non vorresti che si pensasse che tu sei buono?"

"Non dico questo," rispose Marcello, "dico che, forse, non è vero."

Ella scosse la testa: "Il tuo difetto è di esser troppo modesto... guarda: io non sono come mamma che vorrebbe che tutti fossero buoni... per me ci sono i buoni e i cattivi... ebbene, tu sei per me una delle migliori persone che abbia incontrato in vita mia... e non lo dico perché siamo fidanzati e ti voglio bene... lo dico perché è vero."

"Ma in che cosa consiste questa bontà?"

"Te l'ho detto sono cose che si vedono... perché si dice che una donna è bella?... Perché si vede che è bella... così si vede che tu sei buono."

"Sarà," disse Marcello abbassando il capo. La convinzione delle due donne che egli fosse buono, non gli era nuova ma sempre lo sconcertava profondamente. In che cosa consisteva questa bontà? Era poi veramente buono? O non era piuttosto ciò che Giulia e sua madre chiamavano bontà, la sua anormalità, ossia quel suo distacco, quella sua assenza dalla vita comune? Gli uomini normali non erano buoni, pensò ancora, perché la normalità veniva sempre pagata, consapevolmente o no, a caro prezzo, con complicità varie ma tutte negative, di insensibilità, di stupidità, di viltà quando addirittura non di criminalità. Venne tratto da queste riflessioni dalla voce di Giulia che diceva: "A proposito, sai che è arrivato il vestito... voglio mostrartelo... aspettami qui..."

Ella uscì impetuosamente e Marcello si levò dalla tavola, andò alla finestra e la spalancò. La finestra dava sulla strada, o meglio, essendo l'appartamento all'ultimo piano, sopra il cornicione del palazzo, assai sporgente, sotto il quale non si vedeva nulla. Ma, di là del vuoto, si stendeva l'attico del palazzo di fronte: una fila di finestre dalle imposte aperte, attraverso le quali si distinguevano gli interni delle stanze. Era un appartamento molto simile a quello di Giulia: una camera da letto, coi letti ancora disfatti, come pareva; un salotto "buono" coi soliti mobili falsi e scuri; una sala da pranzo alla cui tavola in quel momento si scorgevano sedute tre persone, due uomini e una donna. Queste stanze di fronte erano molto vicine perché la strada non era larga e infatti Marcello poteva vedere distintamente i tre commensali nella sala da pranzo: un uomo tozzo, anziano, con una gran chioma bianca, un uomo più giovane, magro e bruno, e una donna bionda, matura, piuttosto opulenta. Mangiavano tranquillamente, ad una tavola simile a quella a cui poc'anzi si era seduto lui stesso, sotto un lampadario non molto diverso da quello della stanza in cui egli si trovava. Tuttavia, sebbene li vedesse così vicini da aver quasi l'illusione di udire i discorsi che facevano, forse per quel senso di abisso che dava la sporgenza del cornicione, gli sembravano oltremodo lontani, addirittura remoti. Non poté fare a meno di pensare che quelle stanze erano la normalità: le vedeva, avrebbe potuto, appena alzando la voce, parlare ai tre commensali, e ciononostante ne stava fuori, in senso non soltanto materiale ma anche morale. Per Giulia, invece, quella lontananza e quell'estremità non esistevano, erano un fatto puramente fisico e lei stava dentro a quelle stanze, ci era sempre stata e se lui gliele avesse fatte notare, avrebbe fornito con indifferenza tutte le informazioni che possedeva sulla gente che ci abitava; come aveva fatto poco prima per gli invitati al ricevimento di nozze. Indifferenza che denotava più che dimestichezza, addirittura distrazione. In realtà ella non dava alcun nome alla normalità per esserci dentro fino ai capelli, così come è da credersi che gli animali, se parlassero, non darebbero alcun nome alla natura di cui fanno parte integralmente e senza residui. Ma lui stava fuori, e la normalità per lui si chiamava normalità appunto perché ne era escluso e la risentiva come tale in contrapposto alla propria anormalità. Per essere simili a Giulia, o bisognava esserci nati, oppure...

La porta, alle sue spalle, si aprì ed egli si voltò. Giulia gli era davanti, in vestito da sposa di seta bianca, reggendo con le due mani, per farlo ammirare, il velo abbondante che le ricadeva dal capo. Disse esultante: "Non è bello?... Guarda," e sempre tenendo disteso il velo con le due mani, si girò nello spazio tra la finestra e la tavola, affinché il fidanzato potesse ammirare da ogni parte l'abito nuziale. Era un vestito da sposa, come pensò Marcello, in tutto simile a quello di qualsiasi altra sposa; ma gli piacque che Giulia fosse egualmente contenta di questo vestito così comune, allo stesso modo che prima di lei erano state contente milioni e milioni di altre donne. Le forme del corpo di Giulia, esuberanti e rotonde, si stampavano con goffa evidenza nella bianca seta brillante; ella si avvicinò ad un tratto a Marcello e gli disse, lasciando cadere il velo e tendendo il viso: "Ora dammi un bacio... ma senza toccarmi, se no il vestito si sgualcisce." In quel momento Giulia volgeva le spalle alla finestra e Marcello l'aveva di fronte. Come si chinava a sfiorare con le sue le labbra di Giulia, vide nella sala da pranzo dell'attico di fronte, il commensale dai capelli bianchi alzarsi e uscire, e subito dopo gli altri due, il giovane magro e bruno e la donna bionda, levarsi insieme, quasi automaticamente, da tavola e baciarsi in piedi. Questa vista gli fece piacere, dopo tutto egli agiva come quei due dai quali, poco prima, si era sentito diviso da così incolmabile distanza. Nello stesso momento Giulia esclamò con impazienza: "Al diavolo il vestito," e, senza staccarsi da Marcello, accostò con una mano le due imposte. Poi, con un impeto forte di tutto il corpo verso il suo, gli gettò le braccia al collo. Si baciarono al buio, impacciati dal velo, e una volta di più, mentre la fidanzata si stringeva e dimenava contro di lui e sospirava e lo baciava, Marcello pensò che ella agiva con innocenza, senza avvertire alcuna contraddizione tra quest'abbraccio e l'abito nuziale: una prova di più che alle persone normali era lecito prendersi la massima libertà con la normalità stessa. Finalmente si separarono, senza fiato, e Giulia sussurrò: "Non dobbiamo essere impazienti... ancora qualche giorno e poi potrai baciarmi anche nella strada."

"Debbo andare," egli disse asciugandosi la bocca con il fazzoletto.

"Ti accompagno."

Uscirono a tastoni dalla stanza da pranzo, passarono nel vestibolo. "Ci vediamo stasera, dopo cena," disse Giulia. Intenerita, invaghita, lo guardava dalla soglia, appoggiandosi ad uno stipite. Il velo, per il bacio, le si era spostato sul capo e pendeva scompostamente da una parte. Marcello le si avvicinò e le rimise a posto il velo dicendo: “Così va bene.” In quel momento, ci fu un brusio di voci sul pianerottolo del piano di sotto. Giulia, vergognosa, si tirò indietro, gli lanciò un bacio con le punte delle dita e chiuse in fretta l’uscio.

III

L'idea della confessione preoccupava Marcello. Egli non era religioso nel senso di praticare formalmente i riti; né era ben sicuro di esserlo nell'altro senso di una inclinazione naturale alla religiosità; tuttavia, avrebbe considerato volentieri la confessione richiesta da Don Lattanzi come uno dei tanti atti convenzionali cui si sobbarcava per ancorarsi definitivamente nella normalità, se tale confessione non avesse comportato la rivelazione di due cose che per diversi motivi considerava, appunto, inconfessabili: la tragedia della sua infanzia, e la missione a Parigi. In maniera oscura egli intuiva che un nesso sottile univa queste due cose; anche se, poi, gli sarebbe stato difficile dire con chiarezza in che cosa consistesse questo nesso. D'altra parte si rendeva conto che tra le tante norme egli non aveva scelto quella cristiana che proibisce di uccidere, bensì un'altra, tutta diversa, politica e recente, cui il sangue non ripugnava. Al cristianesimo, insomma, quale era rappresentato dalla Chiesa con le sue centinaia di papi, le sue innumerevoli chiese, i suoi santi e i suoi martiri, egli non riconosceva il potere di renderlo a quella comunione con gli uomini che il fatto di Lino gli aveva sbarrato; quel potere, invece, che, implicitamente, attribuiva al corpulento ministro dalla bocca tinta di rossetto, al suo cinico segretario, ai suoi superiori del Servizio Segreto. Tutto questo, più che pensarlo, Marcello lo intuiva oscuramente; e se ne accresceva la sua malinconia, come di chi non veda che una sola via d'uscita, tutte le altre essendo chiuse; e questa via non gli piaccia.

Ma bisognava decidersi, pensò salendo sul tram che portava a

Santa Maria Maggiore, bisognava scegliere: o fare una confessione completa, secondo le norme della Chiesa, oppure limitarsi ad una confessione parziale per far piacere a Giulia. Sebbene non fosse né praticante né credente, inclinava per la prima alternativa; quasi sperando, attraverso la confessione, se non di cambiare il proprio destino, per lo meno di conformarsi una volta di più in esso. Mentre il tram correva, dibatté il problema con la solita serietà un po' smorta e pedante. Per quanto riguardava Lino, si sentiva più o meno tranquillo: egli avrebbe saputo raccontare il fatto come era realmente avvenuto e il prete, dopo il solito esame e le solite raccomandazioni, non avrebbe potuto non assolverlo. Ma per la missione che, come sapeva, comportava la frode, il tradimento e, in ultima istanza, forse anche la morte di un uomo, si rendeva conto che tutto cambiava. Il punto, per la missione, non era tanto di ottenerne l'approvazione, quanto addirittura di parlarne. Egli non era affatto sicuro di esserne capace; ché, appunto, parlarne, avrebbe voluto dire abbandonare una norma per un'altra; sottoporre al giudizio cristiano qualche cosa che fino ad oggi egli aveva considerato del tutto indipendente; mancare ad un implicito impegno di silenzio e di segretezza; insomma, mettere in forse tutto il faticato edificio del suo inserimento nella normalità. Ma valeva la pena di tentare la prova egualmente, come pensò, se non altro per convincersi, una volta di più, attraverso un definitivo collaudo, della solidità di quest'edificio.

Si accorse tuttavia di considerare queste alternative senza soverchia emozione, con animo freddo e inerte, quasi di spettatore; come se la scelta, in realtà, egli l'avesse già fatta e tutto quello che doveva avvenire in futuro fosse già scontato in anticipo, non sapeva come né quando. Era così poco dilaniato dal dubbio, che entrando nella vasta chiesa, piena di un'ombra, di un silenzio e di una frescura davvero consolanti dopo la luce, il fracasso e il caldo della strada, dimenticò persino la confessione e prese ad aggirarsi per quei pavimenti deserti, da una navata all'altra, proprio come un turista ozioso. Le chiese gli erano sempre piaciute come punti sicuri in un mondo fluttuante, costruzioni non casuali in cui in altri tempi aveva trovato espressione massiccia e splendida ciò che egli cercava: un ordine, una norma, una regola. Gli avveniva, anzi, assai spesso di entrare nelle chiese, così numerose a Roma, e sedersi ad un banco, senza pregare, in contemplazione di qualche cosa che, come pensava, avrebbe fatto al caso suo soltanto che le condizioni fossero state diverse. Ciò che lo seduceva nelle chiese non erano le soluzioni che esse proponevano e che non gli era possibile accettare, quanto un risultato che non poteva non apprezzare e ammirare. Gli piacevano tutte; ma quanto più erano imponenti, magnifiche e, insomma, profane, tanto più gli piacevano: in queste chiese in cui la religione era evaporata in una mondanità maestosa e ordinata gli pareva di ravvisare quasi il punto di passaggio da una credenza religiosa ingenua ad una società ormai adulta che, tuttavia, senza quella credenza lontana non avrebbe potuto esistere.

A quell'ora la chiesa era deserta. Marcello andò fin sotto l'altare, e poi, avvicinandosi ad una delle colonne della navata di destra, guardò d'infilata il pavimento cercando di abolire la propria statura e di mettere l'occhio al livello del suolo: come era vasto il pavimento, veduto così in prospettiva, come poteva vederlo una formica: quasi una pianura e dava una specie di vertigine. Poi alzò gli occhi e lo sguardo, seguendo il debole luccichio che la scarsa luce accendeva sulla superficie convessa degli enormi fusti di marmo, rimbalzò di colonna in colonna fino al portale d'ingresso. In quel momento qualcuno entrava, sollevando il materasso, in uno spicchio di luce cruda e bianca: come era piccola laggiù in fondo alla chiesa, la figura del fedele che si affacciava sulla soglia. Marcello andò dietro l'altare e guardò i mosaici dell'abside. La figura del Cristo, tra i quattro santi, fermò la sua attenzione: chi l'aveva rappresentato a quel modo, pensò, non nutriva certo alcun dubbio su quello che fosse anormale e quello che fosse normale. Egli abbassò il capo dirigendosi lentamente verso il confessionale, nella navata di destra. Adesso pensava che era inutile rimpiangere di non essere nato in altri tempi e in altre condizioni: egli era quello che era appunto perché i suoi tempi e le sue condizioni non erano più le stesse che avevano consentito l'erezione di quella chiesa; e nella consapevolezza di questa realtà, stava tutto il suo impegno.

Si avvicinò al confessionale, enorme, in proporzione con la basilica, tutto di scuro legno scolpito, e fece a tempo di intravvedere il prete, che vi sedeva, chiudere la tendina nascondendosi; ma non ne vide il viso. Con un gesto abituale, prima di inginocchiarsi, tirò su i pantaloni sul ginocchio affinché non si sgualcissero; quindi disse a bassa voce: "Desidererei confessarmi."

Dall'altra parte, la voce del prete, in tono sommesso ma franco e sbrigativo, rispose che poteva farlo senza più. Era una voce cadenzata, grossa, da basso profondo, di uomo maturo con un forte accento meridionale. Suo malgrado, Marcello evocò una figura fratesca dalla faccia nera di barba, dai folti sopraccigli, dal naso massiccio, dalle orecchie e dalle narici piene di peli. Un uomo, pensò, fatto della stessa materia pesante e massiccia del confessionale, senza sospetti e senza sottigliezze. Il prete, come aveva preveduto, gli domandò da quanto tempo non si fosse confessato e lui rispose che non si era mai confessato salvo nell'infanzia e che adesso lo faceva perché doveva sposarsi. La voce del prete, dopo un momento di silenzio, disse in tono alquanto indifferente, al di là della grata: "Hai fatto malissimo figlio mio... e quanti anni hai?"

"Trenta," disse Marcello.

"Hai vissuto trenta anni nel peccato," disse il prete con il tono di un contabile che annunzia il passivo di un bilancio. Riprese dopo un momento: "Hai vissuto trenta anni come una bestiola e non come una creatura umana."

Marcello si morse le labbra. Adesso si accorgeva che l'autorità del confessore, espressa in quella maniera così sbrigativa e familiare di giudicare il suo caso ancor prima di conoscerlo nei particolari, gli riusciva inaccettabile e irritante. Non che il prete, probabilmente un brav'uomo che assolveva con scrupolo il suo ufficio, gli dispiacesse, né il luogo né il rito; ma al contrario del ministero dove tutto gli era dispiaciuto ma dove l'autorità gli era sembrata ovvia e incontestabile, qui provava un desiderio istintivo di ribellarsi. Disse, tuttavia, con sforzo: "Ho commesso tutti i peccati... anche i più gravi."

"Tutti?"

Egli pensò: adesso dirò che ho ucciso e voglio vedere che effetto mi fa dirlo. Esitò e poi con una spinta lieve riuscì a pronunziare con voce chiara e ferma: "Sì, tutti, ho anche ucciso."

Il prete esclamò subito con vivacità, ma senza indignazione né sorpresa: "Tu hai ucciso e non hai sentito il bisogno di confessarti."

Marcello pensò che era precisamente quello che il prete doveva dire: niente orrore, niente meraviglia, soltanto uno sdegno di ufficio per non aver confessato a tempo un peccato così grave. E ne fu grato al prete, come sarebbe stato grato ad un commissario di polizia che, di fronte a quella stessa confessione, senza perdersi in commenti, si fosse affrettato a dichiararlo in arresto. Tutti, pensò, dovevano recitare la loro parte e soltanto in questo modo il mondo poteva durare. Intanto, però, si accorgeva una volta di più di non provare, rivelando la propria tragedia, alcun particolare sentimento; e si meravigliò di questa indifferenza così in contrasto con il profondo turbamento provato poco prima quando la madre di Giulia aveva annunziato di aver ricevuto la lettera anonima. Disse con voce calma: "Ho ucciso quando avevo tredici anni... e per difendermi e senza quasi volerlo..."

"Racconta come è stato."

Egli modificò un poco la propria posizione sui ginocchi indolenziti e quindi incominciò: "Una mattina, all'uscita del ginnasio, un uomo mi avvicinò con un pretesto... io allora desideravo molto possedere una rivoltella... non un balocco ma una rivoltella vera... lui mi promise che mi avrebbe dato la rivoltella e con questa promessa riuscì a farmi salire sulla sua macchina... era l'autista di una straniera e aveva la macchina a sua disposizione tutto il giorno perché la padrona era in viaggio all'estero... io allora ero del tutto ignaro e quando mi fece certe proposte, non capii neppure di che cosa si trattava."

"Quali proposte?"

"Proposte d'amore," disse Marcello sobriamente; "io non sapevo che cosa fosse l'amore, né quello normale né quello anormale... salii, dunque, e lui mi portò nella villa della sua padrona."

"E lì cosa avvenne?"

"Nulla o quasi nulla... lui prima tentò qualche cosa, poi si pentì e mi fece promettere che da allora non gli avrei più dato retta, anche se lui mi avesse di nuovo invitato a salire in macchina."

"Cosa vuoi dire con 'quasi nulla'?... Ti baciò?"

"No," disse Marcello un po' sorpreso, "mi prese soltanto per la vita, un momento, in un corridoio."

"Vai avanti."

"Egli aveva preveduto, però, che non sarebbe stato capace di dimenticarmi... e infatti il giorno dopo mi aspettava di nuovo all'uscita del ginnasio... anche questa volta mi disse che mi avrebbe dato la rivoltella e io, che desideravo molto quest'oggetto, dapprima mi feci un poco pregare e poi accettai di salire."

"E dove andaste?"

"Come l'altra volta, alla villa, in camera sua..."

"E questa volta, come si comportò?"

"Era tutto cambiato," disse Marcello, "sembrava fuori di sé... mi disse che non mi avrebbe dato la rivoltella e che, con le buone o con le cattive, io dovevo fare quello che voleva lui... mentre diceva queste parole teneva la rivoltella in mano... poi mi prese per un braccio e mi gettò sul letto facendomi battere la testa contro il muro... la rivoltella intanto era caduta sul letto e lui si era inginocchiato contro di me abbracciandomi le gambe... io presi la rivoltella, mi alzai dal letto e feci qualche passo indietro e lui allora gridò aprendo le braccia: 'Ammazzami, ammazzami come un cane...' allora io, quasi ubbidendogli, sparai e lui cadde sul letto... poi io scappai e non seppi più nulla... questo avvenne molti anni fa... in questi giorni sono andato a vedere i giornali dell'epoca e ho scoperto che quell'uomo era morto la sera stessa, all'ospedale."

Marcello aveva fatto il racconto senza fretta, scegliendo con cura le parole e pronunziandole con precisione. Mentre parlava si accorgeva di non provar nulla, come sempre; nulla all'infuori di quel senso di tristezza gelido e distante che gli era solito qualunque cosa facesse o dicesse. Il prete domandò subito, senza commentare in alcun modo il racconto: "Sei sicuro di aver detto tutta la verità?"

"Sì, certo," rispose Marcello sorpreso.

"Tu sai," proseguì il prete con improvvisa concitazione, "che tacendo o deformando la verità o una parte di essa, la confessione non è valida e inoltre commetti un grave sacrilegio... cosa avvenne realmente tra te e quell'uomo, la seconda volta?"

"Ma... quello che ho detto."

"Non ci fu tra voi un rapporto carnale?... Non ti usò violenza?"

Così, non poté fare a meno di pensare Marcello, l'uccisione era meno importante del peccato di sodomia. Egli confermò: "Non ci fu che quello che ho detto."

"Si direbbe," continuò il prete inflessibile, "che tu abbia ucciso l'uomo per vendicarti di qualche cosa che ti aveva fatto..."

"Non mi aveva fatto assolutamente nulla."

Ci fu un breve silenzio pieno, come gli parve, di una maldissimulata incredulità. "E poi," domandò ad un tratto il prete in maniera affatto inaspettata, "hai mai più avuto rapporti con uomini?"

"No... la mia vita sessuale è stata ed è tuttora perfettamente normale."

"Che cosa intendi per vita sessuale normale?"

"Sono un uomo, per questo aspetto, simile a tutti gli altri... ho conosciuto la donna per la prima volta in una casa di tolleranza, a diciassette anni... e poi non ho mai avuto rapporti che con donne."

"E questa la chiami una vita sessuale normale?"

"Sì, perché?"

"Ma anche questo è anormale," disse il prete vittoriosamente, "anche questo è peccato... non te l'hanno mai detto, povero figliolo?... Normale è sposarsi e aver rapporti con la propria moglie al fine di mettere al mondo la prole."

"È quello che sto per fare," disse Marcello.

"Bravo, ma non basta... tu non puoi accostarti all'altare con le mani sporche di sangue."

"Finalmente," non poté fare a meno di pensare Marcello che per un momento aveva quasi creduto che il prete si fosse dimenticato dell'oggetto principale della confessione. Disse più umilmente che poté: "Ditemi voi quello che debbo fare."

"Devi pentirti," disse il prete, "soltanto con un pentimento sincero e profondo puoi espiare il male che hai fatto..."

"Io mi sono pentito," disse Marcello riflessivamente, "se pentirsi vuol dire desiderare vivamente di non aver mai fatto certe cose, di certo mi sono pentito." Avrebbe voluto soggiungere: "Ma questo pentimento non è bastato... non poteva bastare," ma si trattenne. Il prete disse in fretta: "Il mio dovere è di avvertirti che se quello che tu dici adesso non è vero, la mia assoluzione non ha alcun valore... sai che cosa ti aspetta se tu m'inganni?"

"Che cosa?"

"La dannazione."

Il prete pronunziò questa parola con una particolare soddisfazione. Marcello ricercò nella sua fantasia che cosa vi richiamasse la parola e non trovò nulla: neppure la vecchia immagine delle fiamme dell'inferno. Ma al tempo stesso avvertì che la parola significava più di quanto il prete avesse inteso metterci. E rabbrividì penosamente, quasi avesse capito che quella dannazione, pentimento o no, c'era e che non era in potere del prete di liberarlo. "Io mi sono veramente pentito," ripeté con amarezza.

"E non hai altro da dirmi?"

Marcello prima di rispondere, tacque un istante. Adesso si rendeva conto che era giunto il momento di parlare della sua missione la quale, come sapeva, comportava azioni condannabili, anzi già in precedenza condannate dalla norma cristiana. Aveva preveduto questo momento e con ragione aveva attribuito la massima importanza alla propria capacità di rivelare la missione. Allora, con un senso tranquillo e triste di scoperta prevista, si accorse, poiché quasi muoveva la bocca per parlare, di provare un'insormontabile ripugnanza. Non era ribrezzo morale, né vergogna né, insomma, alcun sentimento di colpa; bensì qualche cosa di assai diverso che con la colpa nulla aveva a che fare. Come di un'inibizione assoluta, dettata da una complicità e da una fedeltà profonda. Egli non doveva parlare della missione, ecco tutto: questo glielo intimava con autorità quella stessa coscienza che era rimasta muta e inerte allorché aveva annunziato al prete: io ho ucciso. Non del tutto convinto, cercò una volta di più di parlare, ma sentì di nuovo, con lo stesso automatismo di una serratura che scatti se si gira la chiave, quella ripugnanza fermargli la lingua, impedirgli la parola. Così, di nuovo e con tanta maggiore evidenza, gli era confermata la forza dell'autorità rappresentata, laggiù al ministero, dallo spregevole ministro e dal suo non meno spregevole segretario. Autorità misteriosa, come tutte le autorità, la quale, a quanto pareva, affondava le radici nel più profondo dell'animo suo, mentre la Chiesa, apparentemente tanto più autorevole, non raggiungeva che la superficie. Disse allora, mentendo per la prima volta: "Debbo rivelare alla mia fidanzata, prima che ci sposiamo, quanto vi ho raccontato oggi?"

"Non le hai mai detto nulla?"

"No, sarebbe la prima volta."

"Non vedo la necessità," disse il prete, "la turberesti inutilmente... e metteresti in pericolo la pace della tua famiglia."

"Avete ragione," disse Marcello.

Seguì un nuovo silenzio. Poi il prete disse, in tono conclusivo, come muovendo l'ultima e definitiva domanda: "E dimmi figliolo... hai mai fatto parte o fai parte ora di qualche gruppo o setta sovversiva?"

Marcello, che non si era aspettato questa domanda, ammutolì un momento, sconcertato. Evidentemente, come pensò, il prete muoveva la domanda per ordine superiore, al fine di accertarsi delle tendenze politiche dei suoi fedeli. Tuttavia era significativo che la muovesse: a lui che si accostava ai riti formalmente, come a cerimonie esteriori di una società di cui desiderava far parte, il prete chiedeva appunto di non mettersi contro questa società. Piuttosto questo che non mettersi contro se stesso. Avrebbe voluto rispondere: "No, faccio parte di un gruppo che dà la caccia ai sovversivi." Ma represse questa maliziosa tentazione e disse semplicemente: "Per la verità, sono funzionario dello stato."

Questa risposta dovette piacere al prete, perché dopo una breve pausa, riprese pacatamente: "Ora devi promettermi che pregherai... però non devi pregare qualche giorno, o qualche mese... o qualche anno... ma tutta la vita... pregherai per l'anima tua e per quella di quell'uomo... e farai pregare tua moglie e i tuoi figli... se ne avrai... soltanto la preghiera può attirare l'attenzione di Dio su di te e ottenere per te la Sua misericordia... hai capito?... E adesso raccogliti e prega con me."

Marcello abbassò meccanicamente il viso e udì, dall'altra parte della grata la voce sommessa e frettolosa del prete che recitava una preghiera in latino. Quindi in tono più alto, il prete, sempre in latino, pronunziò la formula dell'assoluzione; e Marcello si levò dal confessionale.

Ma come passava di fronte al confessionale, la tendina si aprì e il prete fece cenno di fermarsi. Egli si meravigliò vedendolo in tutto simile a come l'aveva immaginato: un po' grasso, calvo, con una grande fronte rotonda, le sopracciglia folte, gli occhi tondi, marroni, serii ma non intelligenti, la bocca tumida. Un parroco di campagna, pensò, un frate cercatore. Il prete, intanto, gli porgeva in silenzio un libretto smilzo con una immagine a colori sulla copertina: la vita di Santo Ignazio da Loyola, ad uso della gioventù cattolica. "Grazie," disse Marcello esaminando il libretto. Il prete fece un altro cenno come per dire che non c'era di che e richiuse la tendina. Marcello si avviò verso il portale d'ingresso.

Ma sul punto di uscire, abbracciò con lo sguardo la chiesa intera con le sue file di colonne, il suo soffitto a cassettoni, il suo pavimento deserto, il suo altare e gli sembrò di dare addio per sempre all'immagine antica e sopravvissuta di un mondo come lo desiderava e sapeva che non era più possibile che fosse. Una specie di miraggio alla rovescia, ritto in un passato irrevocabile, dal quale i suoi passi lo allontanavano sempre più. Quindi sollevò il materasso e uscì di fuori, nella luce forte del cielo sereno, incontro alla piazza ingombra della ferraglia clamorosa dei tram e allo sfondo volgare dei palazzi anonimi e delle botteghe commerciali.

IV

Come Marcello discese dall'autobus, nel quartiere dove abitava sua madre, si accorse quasi subito di essere seguito a distanza da un uomo. Pur camminando senza fretta lungo i muri di cinta dei giardini, per la strada deserta, lo guardò di sfuggita. Era un uomo di mezza statura, un po' corpulento, con una faccia quadrata dall'espressione onesta e bonaria ma non priva di una certa sorniona furbizia, come avviene spesso nei contadini. Indossava un leggero vestito di un colore sbiadito tra il marrone e il viola e portava un cappello chiaro, di un grigio falso, ben calcato sulla testa, ma con la falda sollevata sulla fronte, al modo, appunto, dei contadini. L'avesse veduto nella piazza di un borgo, un giorno di mercato, Marcello l'avrebbe scambiato per un fattore. L'uomo aveva viaggiato nello stesso autobus di Marcello, era disceso alla stessa fermata e adesso lo seguiva sull'altro marciapiede, senza troppo curarsi di nasconderlo, regolando il passo su quello di Marcello, non lasciandolo un momento con gli occhi. Ma questo sguardo fisso pareva incerto; come se l'uomo non fosse del tutto sicuro dell'identità di Marcello e volesse studiarne la fisionomia prima di avvicinarlo.

Risalirono così, insieme, la strada in pendio, nel silenzio e nel caldo delle prime ore pomeridiane. Oltre le lance dei cancelli chiusi non si vedeva nessuno nei giardini; nessuno parimenti si scorgeva per quanto lunga era la strada, sotto la verde galleria formata delle chiome aggrondate degli alberi del pepe. Questo deserto e questo silenzio insospettirono finalmente Marcello come condizioni favorevoli per una sorpresa o per un'aggressione e come tali prescelte non a caso dal suo inseguitore. Bruscamente, con subitanea decisione, discese dal marciapiede e attraversò la strada muovendo incontro all'uomo. "Forse cercavate me?" gli domandò come si trovarono a qualche passo l'uno dall'altro.

L'uomo si era fermato anche lui, e alla domanda di Marcello, con espressione quasi timorosa: "Scusatemi", disse con voce sommessa, "vi ho seguito soltanto perché forse andiamo tutti e due nello stesso luogo... altrimenti non mi sarei mai permesso... scusatemi, non siete voi il dottor Clerici?"

"Sì, sono io," disse Marcello, "e voi chi siete?"

"Agente in servizio speciale Orlando," disse l'uomo abbozzando un saluto quasi militare, "mi manda il colonnello Baudino... mi aveva dato due vostri indirizzi... quello della pensione dove abitate e questo... siccome alla pensione non vi ho trovato, sono venuto a cercarvi qui e per una combinazione voi eravate nello stesso autobus... si tratta di una cosa urgente."

"Venite pure," disse Marcello avviandosi senza più verso il cancello della villa materna. Egli cavò di tasca la chiave, aprì il cancello e invitò l'uomo ad entrare. L'agente ubbidì togliendosi con rispetto il cappello e scoprendo una testa perfettamente rotonda, con i capelli radi e neri e, nel centro del cranio, una calvizie bianca e circolare che faceva pensare ad una tonsura. Marcello lo precedette per il viale dirigendosi verso il fondo del giardino, dove, sotto una pergola, sapeva esserci un tavolo e due seggiole di ferro. Pur camminando avanti all'agente non poté fare a meno di osservare una volta di più l'aspetto negletto e inselvatichito del giardino. La ghiaia bianca e pulita sulla quale, bambino, si era divertito a correre su e giù, era da anni scomparsa, interrata o dispersa; il tracciato del viale, invaso dall'erbaccia, era rivelato più che altro dai resti delle due piccole siepi di mortella, ineguali e interrotti ma ancora riconoscibili. Ai due lati delle siepi, le aiuole erano anch'esse ricoperte di rigogliose erbe campestri; ai roseti e alle altre piante da fiori erano subentrati ispidi arbusti e rovi in inestricabili viluppi. Qua e là, poi, all'ombra degli alberi, si vedevano mucchi di immondizie, cassette da imballaggio sfondate, bottiglie rotte e altri simili oggetti eterocliti che di solito vengono confinati nelle soffitte. Egli torse gli occhi, disgustato, da questa vista, domandandosi, una volta di più, con una meraviglia accorata: "Ma perché non lo rimettono in ordine? Ci vorrebbe così poco... perché?" più avanti, il viale correva tra la parete della villa e il muro di cinta, quello stesso muro ricoperto di edera, attraverso il quale, bambino, era solito comunicare con il vicino Roberto. Egli precedette l'agente sotto la pergola e sedette sulla poltroncina di ferro, invitandolo a sedersi anche lui. Ma l'agente rimase rispettosamente in piedi. "Signor dottore," disse in fretta, "si tratta di poca cosa... sono incaricato di dirvi da parte del colonnello che sulla strada di Parigi voi dovete fermarvi a S." e l'agente nominò una città non lontana dalla frontiera, "e cercare del signor Gabrio, al numero tre di via dei Glicini."

"Un mutamento di programma," pensò Marcello. Era caratteristico del Servizio Segreto, come sapeva, di cambiare apposta, all'ultimo momento, le sue disposizioni, al fine di disperdere le responsabilità e imbrogliare le tracce. "Ma cosa c'è in via dei Glicini?" non poté fare a meno di domandare, "un appartamento privato?"

"Veramente no, dottore," disse l'agente con un largo sorriso tra imbarazzato e allusivo, "c'è una casa di tolleranza... la tenutaria si chiama Enrichetta Parodi... ma voi chiederete del signor Gabrio... la casa, come tutte quelle case, è aperta fino a mezzanotte,... però, dottore, sarebbe meglio che ci andaste la mattina presto... quando non c'è nessuno... ci sarò anch'io." L'agente tacque un momento, poi, incapace di interpretare il viso del tutto inespressivo di Marcello, soggiunse impacciato: "È per essere più sicuri, dottore."

Marcello, senza dir parola, levò gli occhi verso l'agente e lo considerò un momento. Ora doveva congedarlo, ma, non sapeva neppure lui perché, forse per l'espressione onesta e familiare del largo viso quadrato, desiderava aggiungere qualche frase non ufficiale, dimostrante simpatia da parte sua. Domandò finalmente a caso: "Da quanto tempo siete in servizio, Orlando?"

"Dal 1925, dottore."

"Sempre in Italia?"

"Vuol dire quasi mai, dottore," rispose l'agente con un sospiro, evidentemente desideroso di confidenza, "eh, dottore, se vi dicessi quella che è stata la mia vita e che cosa ho passato... sempre in movimento: Turchia, Francia, Germania, Kenia, Tunisia... mai fermo." Tacque un momento, guardando fisso Marcello; quindi, con enfasi retorica e tuttavia sincera, soggiunse: "Tutto per la famiglia e per la patria, signor dottore."

Marcello levò gli occhi e guardò di nuovo l'agente che stava ritto, il cappello in mano, quasi sull'attenti; e poi, con un gesto di commiato, disse: "Allora va bene Orlando... riferite pure al colonnello che mi fermerò a S., come desidera."

"Sì, signor dottore." L'agente salutò e si allontanò lungo la parete della villa.

Rimasto solo, Marcello fissò il vuoto davanti a sé. Faceva caldo sotto la pergola e il sole, filtrando tra le foglie e i rami della vite americana, gli ardeva il viso con tante medaglie di luce abbagliante. Il tavolino di ferro smaltato, un tempo candido, adesso era di un bianco sporco, chiazzato in più punti di scrostature nere e rugginose. Fuori della pergola, poteva vedere il tratto del muro di cinta dove era il pertugio dell'edera, attraverso il quale era stato solito comunicare con Roberto. L'edera era sempre là e forse sarebbe stato ancora possibile affacciarsi nel giardino attiguo; ma la famiglia di Roberto non abitava più nella villa vicina, ora ci stava un dentista che vi riceveva la clientela. Una lucertola discese improvvisamente dal fusto della vite americana e si avanzò senza paura sul tavolino. Era una grossa lucertola della specie più comune, dal dorso verde e dalla pancia bianca che palpitava contro lo smalto ingiallito del tavolo. La lucertola si avvicinò rapidamente a Marcello, a piccoli passi guizzanti, e quindi stette ferma, la testa aguzza levata verso di lui, i piccoli occhi neri fissati in avanti. Egli la guardò con affetto e rimase fermo per timore di spaventarla. Intanto ricordava di quando, ragazzo, aveva ammazzato le lucertole e poi, per liberarsi dal rimorso, aveva cercato invano una complicità e una solidarietà nel timido Roberto. Allora non gli era riuscito di trovare nessuno che lo alleggerisse del fardello della colpa. Era rimasto solo di fronte alla morte delle lucertole; e in questa solitudine, aveva ravvisato l'indizio del delitto. Ma adesso, pensò, non era, non sarebbe più stato solo. Anche se avesse commesso un delitto, purché l'avesse commesso per certi fini, si sarebbero schierati accanto a lui lo stato, le organizzazioni politiche, sociali e militari che ne dipendevano, grandi masse di persone che la pensavano come lui, e fuori d'Italia, altri stati, altri milioni di persone. Quanto stava per fare, rifletté, era, comunque, molto peggio che ammazzare alcune lucertole; e tuttavia tanti erano con lui, a cominciare dall'agente Orlando, brav'uomo, ammogliato, padre di cinque figli. "Per la famiglia e per la patria;" questa frase ingenua nonostante l'enfasi, simile ad una bella bandiera dai colori chiari che in un giorno di sole sventoli ad una brezza allegra mentre la fanfara risuona e i soldati passano; questa frase gli echeggiava all'orecchio esaltante e mesta, mescolata di speranza e di tristezza. "Per la famiglia e per la patria," pensò, "a Orlando basta... perché non dovrebbe bastare anche a me?"

Udì un rumore di motore nel giardino, verso l'ingresso, e subito si alzò, con un movimento brusco che fece fuggire la lucertola. Senza fretta, uscì dalla pergola e si avviò verso l'ingresso. Una vecchia automobile nera stava ferma nel viale, a poca distanza dal cancello ancora spalancato. L'autista, vestito di una livrea bianca e passamani turchini, stava chiudendo il cancello ma, come vide Marcello, si fermò sollevando il berretto.

"Alberi," disse Marcello con la sua voce più quieta, "oggi andiamo alla clinica, è inutile che rimettete la macchina nel garage."

"Sì, signor Marcello," rispose l'autista. Marcello gli lanciò un'occhiata di sbieco. Alberi era un giovane dalla carnagione olivastra e dagli occhi neri come il carbone, con la sclerotica di una bianchezza lucida di porcellana. Aveva tratti molto regolari, denti candidi e serrati, capelli neri accuratamente impomatati. Non alto, dava, però, un senso di grande proporzione forse per via delle mani e dei piedi molto piccoli. Aveva l'età di Marcello ma sembrava più vecchio, a causa, forse, della mollezza orientale che si insinuava in ogni suo tratto e pareva destinata, col tempo, a diventare pinguedine. Marcello lo guardò ancora una volta, mentre chiudeva il cancello, con profonda avversione; quindi si avviò verso la villa.

Aprì la porta-finestra ed entrò nel salotto, quasi al buio. Subito lo colpì il tanfo che ammorbava l'aria, ancora leggero in confronto a quello delle altre stanze in cui i dieci pechinesi di sua madre si aggiravano liberamente, ma tanto più notevole qui dove non penetravano quasi mai. Aprendo la finestra, un po' di luce entrò nella sala ed egli vide per un momento i mobili coperti di foderine grigie, i tappeti arrotolati e appoggiati ritti negli angoli, il pianoforte imbacuccato in lenzuoli appuntati con spilli. Traversò il salotto e la sala da pranzo, passò nel vestibolo, si avviò su per la scala. A mezza rampa, sul marmo di un gradino (il tappeto, troppo logoro, da tempo era scomparso e non era stato mai rinnovato), c'era un escremento di cane ed egli ci girò intorno per non calpestarlo. Giunto sul ballatoio, andò alla porta della camera materna e l'aprì. Non fece neppure a tempo a disserrarla completamente che, come un fiotto a lungo contenuto il quale trabocchi improvviso, tutti e dieci i pechinesi gli si gettarono tra le gambe sparpagliandosi con qualche abbaiamento per il ballatoio e la scala. Incerto e annoiato, li guardò correre via, graziosi con le loro code a pennacchio e i loro musi scontenti e quasi gatteschi. Poi, dalla camera immersa nella penombra, gli giunse la voce di sua madre: "Sei tu, Marcello?"

"Sì, mamma, sono io... ma questi cani?"

"Lasciali andare... poveri santi... sono stati chiusi tutta la mattina... lasciali pure andare."

Marcello aggrottò le sopracciglia in segno di malumore ed entrò. L'aria nella camera gli parve subito irrespirabile: le finestre chiuse avevano conservato dalla notte, mischiati, i diversi odori del sonno, dei cani e dei profumi; il calore del sole che ardeva dietro le imposte, pareva già farli fermentare e inacidire. Rigido, guardingo, quasi avesse temuto, muovendosi, di sporcarsi o di impregnarsi di quegli odori andò al letto e sedette sulla sponda, le mani sulle ginocchia.

Adesso, pian piano, abituandosi gli occhi alla penombra, poteva vedere la camera intera. Sotto la finestra, nel chiarore diffuso dalle lunghe tende ingiallite e impure che gli parevano fatte dello stesso floscio tessuto di molti panni intimi sparsi per la stanza, stavano allineati numerosi piatti di alluminio con il cibo dei cani. Il pavimento era sparso di scarpette e di calze; presso l'uscio del bagno in un angolo quasi buio, si intravvedeva una vestaglia rosa rimasta su una seggiola, come era stata gettata la sera avanti, mezza in terra e con una manica penzolante. Dalla camera, il suo occhio freddo e pieno di ripugnanza passò al letto sul quale giaceva sua madre. Al solito, ella non aveva pensato a ricoprirsi al suo ingresso ed era seminuda. Distesa, le braccia alzate e le mani riunite dietro la testa, contro la spalliera materassata di seta azzurra lisa e annerita, ella lo guardava fissamente, in silenzio. Sotto la massa di capelli sparsi in due gonfie ali brune, il viso appariva fine e smunto, quasi triangolare, divorato dagli occhi che l'ombra ingrandiva e incupiva in maniera mortuaria. Ella indossava una trasparente sottoveste verdolina che le giungeva appena al sommo delle cosce; e, una volta di più, lo fece pensare piuttosto che alla donna matura che era, ad una bambina invecchiata e insecchita. Il petto scarnito mostrava sullo sterno come una rastrelliera di ossicini aguzzi; attraverso il velo, le mammelle riassorbite si rivelavano con due macchie scure e tonde, senza alcun rilievo. Ma soprattutto le cosce destavano insieme ripugnanza e pietà in Marcello: magre e sfornite erano proprio quelle di una bambina di dodici anni che non abbia ancora forme donnesche. L'età della madre si vedeva in certe smagliature macerate della pelle e nel colore: una bianchezza gelida, nervosa, maculata di misteriose chiazze quali bluastre e quali livide. "Botte," egli pensò, "o morsi di Alberi." Ma sotto il ginocchio, le gambe apparivano perfette, con un piccolissimo piede dalle dita raccolte. Marcello avrebbe preferito non mostrare a sua madre il proprio malumore; ma anche questa volta non seppe trattenersi: "Ti ho pur detto tante volte di non ricevermi così, mezza nuda," disse con dispetto, senza guardarla. Ella rispose, insofferente ma senza rancore: "Uh, che figlio austero mi ritrovo," tirandosi sul corpo un lembo della coperta. La voce era rauca e anche questo dispiaceva a Marcello. Ricordava, durante l'infanzia, di averla udita dolce e limpida come un canto: quella raucedine era un effetto dell'alcol e degli strapazzi.

Egli disse dopo un momento: "Allora, oggi andiamo alla clinica."

"Andiamoci pure," disse la madre tirandosi su e cercando qualche cosa dietro la spalliera del letto, "sebbene io mi senta tanto male e a lui, poveretto, la nostra visita non faccia assolutamente né caldo né freddo."

"È pur sempre tuo marito e mio padre," disse Marcello prendendosi la testa fra le mani e guardando in basso.

"Sì, certamente lo è," ella disse. Adesso aveva trovato la peretta della luce e la premette. Sul comodino si illuminò fiocamente una lampada che, come parve a Marcello, era involtata in una camicia femminile. "Sebbene," ella continuò levandosi dal letto e mettendo i piedi in terra, "ti dico la verità, qualche volta mi augurerei che morisse... tanto lui non se ne accorgerebbe neppure... e io non spenderei più i soldi per la clinica... ne ho così pochi... pensa," soggiunse in tono improvvisamente lamentoso, "pensa che dovrò forse smettere l'automobile."

"Be', che male c'è?"

"C'è molto di male," ella disse con un risentimento e un'impudenza puerili, "così, con la macchina, ho un pretesto per tenere Alberi e per vederlo quando mi pare... dopo, questo pretesto non l'avrò più."

"Mamma, non parlarmi dei tuoi amanti," disse Marcello con calma, ficcando le unghie di una mano nelle palme dell'altra.

"I miei amanti... è il solo che abbia... se tu mi parli di quella gallina della tua fidanzata, ho ben io il diritto di parlare di lui, povero caro, che è tanto più simpatico e più intelligente di lei."

Stranamente, questi insulti alla fidanzata da parte della madre che non poteva soffrire Giulia, non offendevano Marcello. "Sì, è vero," pensò, "può anche darsi che sembri una gallina... ma mi piace che sia così." Disse in tono raddolcito: "Allora, vuoi vestirti?... Se vogliamo andare alla clinica, è tempo di muoversi."

"Ma sì, subito." Leggera, quasi un'ombra, ella attraversò in punta di piedi la camera, raccolse al passaggio, dalla seggiola, la vestaglia rosa e, pur gettandosela sulle spalle, aprì l'uscio del bagno e scomparve.

Subito, appena la madre fu uscita, Marcello andò alla finestra e la spalancò. L'aria di fuori, era calda e immobile, pur tuttavia gli sembrò di provare un sollievo acuto, come se invece che sul giardino afoso si fosse affacciato su un ghiacciaio. Insieme, gli parve quasi di avvertire alle spalle il movimento dell'aria dentro, pesante di profumi disfatti e di puzzo di animale, che pian piano si spostava, usciva lentamente dalla finestra, si dissolveva nello spazio, simile ad un enorme vomito aereo traboccante fuori dalle fauci della casa ammorbata. Rimase un lungo momento, gli occhi rivolti in basso, al fitto fogliame del glicine che circondava con i suoi rami la finestra, poi si voltò verso la stanza. Di nuovo il disordine e la trasandatezza lo colpirono, ispirandogli, però, questa volta, più tristezza che ripugnanza. Gli parve, ad un tratto, di ricordarsi sua madre, come era stata in gioventù, e provò un vivo, accorato sentimento di costernata ribellione contro la decadenza e la corruzione che l'avevano cambiata dalla fanciulla che era stata alla donna che era. Qualche cosa di incomprensibile, di irreparabile era certamente all'origine di questa trasformazione; non l'età, né le passioni, né la rovina finanziaria, né la scarsa intelligenza, né alcun altro motivo preciso; qualche cosa che egli sentiva senza spiegarlo e che gli pareva far tutt'uno con quella vita, anzi averne costituito un tempo il pregio maggiore per poi diventare più tardi, per misteriosa trasmutazione, il vizio mortale. Si distaccò dalla finestra e si avvicinò al cassettone, sul quale, tra le molte cianfrusaglie, c'era una fotografia di sua madre giovane. Guardando a quel viso fine, a quegli occhi, innocenti, a quella bocca vezzosa, si domandò con orrore perché ella non fosse più come era stata allora. Riaffiorava in questa domanda, il suo ribrezzo per ogni forma di corruzione e di decadenza, ma reso più insopportabile da un sentimento acre di rimorso e di dolore filiale: forse era colpa sua che la madre si fosse ridotta a quel modo, forse se l'avesse amata di più o in modo diverso, ella non sarebbe caduta in così squallido e irrimediabile abbandono. Si accorse che gli occhi, a questo pensiero, gli si erano riempiti di lacrime, così che il ritratto gli appariva adesso tutto annebbiato, e scosse con forza il capo. Nello stesso momento l'uscio del bagno si aprì e la madre, in vestaglia, apparve sulla soglia. Subito si parò gli occhi con un braccio esclamando: "Chiudi... chiudi quella finestra... come puoi sopportare questa luce."

Marcello andò sollecitamente ad abbassare l'imposta; poi si avvicinò a sua madre e prendendola per un braccio, la fece sedere accanto a sé, sul bordo del letto, e le domandò dolcemente: "E tu mamma come fai a sopportare questo disordine?"

Ella lo guardò, incerta, imbarazzata: "Non so come avviene... dovrei, ogni volta che mi servo di un oggetto, rimetterlo al suo posto... ma, in qualche modo, non riesco mai a ricordarmene."

"Mamma," disse ad un tratto Marcello, "ogni età ha la sua maniera di essere decorosa... perché mamma ti sei lasciata andare in questo modo?"

Le stringeva una mano; con l'altra mano ella reggeva in aria una stampella dalla quale pendeva un vestito. Per un momento, gli parve di scorgere in quegli occhi enormi e puerilmente afflitti quasi un sentimento di consapevole dolore: le labbra della madre, infatti, ebbero un leggero tremito. Poi, improvvisa, un'espressione indispettita scacciò ogni commozione. Ella esclamò: "Tutto quello che sono e che faccio non ti piace lo so... non puoi soffrire i miei cani, i miei vestiti, le mie abitudini... ma io sono ancora giovane, caro mio, e voglio godermi la vita a modo mio... e ora lasciami," concluse ritirando bruscamente la mano, "se no non mi vestirò mai."

Marcello non disse nulla. La madre andò in un angolo, si liberò della vestaglia che lasciò cadere in terra, poi aprì l'armadio e si infilò il vestito davanti allo specchio dello sportello. Vestita, si rivelava ancor più l'eccessiva magrezza dei fianchi aguzzi, delle spalle incavate e del petto sfornito. Ella si guardò un momento nello specchio, accomodandosi i capelli con una mano, quindi, saltellando, si infilò due tra le tante scarpe sparse sul pavimento. "Ora andiamo," disse prendendo una borsa dal cassettone e avviandosi verso la porta.

"Non ti metti il cappello?"

"Perché? Non ce n'è bisogno."

Presero a scendere la scala. La madre disse: "Non mi hai parlato del tuo matrimonio."

"Mi sposerò dopodomani."

"E dove vai in viaggio di nozze?"

"A Parigi."

"Il viaggio di nozze tradizionale," disse la madre. Giunta nel vestibolo andò alla porta della cucina e avvertì la cuoca: "Matilde... mi raccomando... prima di notte faccia rientrare i cani in casa."

Uscirono nel giardino. La macchina, nera e opaca, era là, dietro gli alberi, ferma nel viale di accesso. La madre disse: "Allora è deciso, non vuoi venire a stare qui con me... sebbene tua moglie non mi sia simpatica, avrei fatto anche questo sacrificio... e poi ho tanto posto."

"No, mamma," rispose Marcello.

"Preferisci andare da tua suocera," ella disse leggermente, "in quell'orribile appartamento: quattro camere e cucina." Ella si chinò e fece per cogliere un filo d'erba; ma, in così fare, vacillò e sarebbe caduta se Marcello, pronto, non l'avesse sorretta, prendendola per un braccio. Egli sentì sotto le dita la carne scarsa e molle del braccio che pareva muoversi intorno l'osso, come un cencio legato intorno a un bastone, e provò di nuovo compassione di lei. Entrarono nella macchina, con Alberi che teneva aperto lo sportello, il berretto in mano. Poi Alberi salì al suo posto e guidò la macchina fuori del cancello.

Marcello approfittò del momento che Alberi era disceso di nuovo per andare a richiudere il cancello, per dire a sua madre: "Verrei a stare da te molto volentieri... se tu licenziassi Alberi e mettessi un po' di ordine nella tua vita... e cessassi quelle iniezioni."

Ella lo guardò di sbieco con occhi incomprensivi. Ma il naso affilato aveva un tremito che finalmente si comunicò alla bocca piccola e vizza, in un pallido e stravolto sorriso. "Sai che cosa dice il dottore?... Che un giorno potrei anche morire."

"E allora perché non smetti?"

"Ma tu dimmi perché dovrei smettere."

Alberi risalì nella macchina assestandosi sul naso gli occhiali neri. La madre si chinò in avanti, gli posò una mano sulla spalla. Era una mano magra, trasparente, con la pelle tesa sui tendini e chiazzata di macchie rosse e bluastre, e le unghie di uno scarlatto quasi nero. Marcello avrebbe voluto non guardare, ma non poté. Vide la mano muoversi sulla spalla dell'uomo fino a vellicargli, con la leggera carezza, l'orecchio. La madre disse: "Allora andiamo alla clinica."

"Sta bene, signora," disse Alberi senza voltarsi.

La madre chiuse il vetro di divisione e si gettò sui cuscini, mentre la macchina, dolcemente, si avviava. Ricadendo sul sedile, guardò il figlio, in tralice e, con sorpresa di Marcello, che non si aspettava tanta intuizione, disse: "Sei arrabbiato perché ho fatto una carezzina ad Albéri, nevvero?"

Così dicendo lo guardava, con quel suo sorriso puerile, disperato e leggermente convulso. Marcello non riuscì a modificare l'espressione infastidita del volto. Rispose: "Non sono arrabbiato... avrei preferito non aver veduto."

Ella disse, senza guardarlo: "Tu non puoi capire cosa vuol dire per una donna non essere più giovane... è peggio della morte."

Marcello tacque. La macchina trascorreva adesso silenziosamente sotto gli alberi del pepe, i cui rami piumosi frusciavano contro i vetri dei finestrini. La madre soggiunse dopo un momento: "Certe volte vorrei essere già vecchia... sarei una vecchietta magra, pulita," ella sorrise contenta e già distratta da questa immaginazione, "simile ad un fiore secco conservato tra le pagine di un libro." Posò la mano sul braccio di Marcello e domandò: "Non preferiresti aver per madre una vec chietta simile, ben stagionata, ben conservata, come nella naftalina?"

Marcello la guardò e rispose impacciato: "Un giorno sarai così."

Ella si fece grave e disse sogguardandolo e sorridendo squallidamente: "Ci credi sul serio?... Io invece, sono convinta che una di queste mattine mi troverai morta in quella stanza che detesti tanto."

"Perché mamma?" domandò Marcello; ma si rendeva conto che la madre parlava seriamente e poteva anche aver ragione: "Sei giovane e devi vivere."

"Non toglie che morirò presto, lo so, me l'hanno letto nell'oroscopo." Ella tese improvvisamente la mano sotto i suoi occhi, soggiungendo, senza transizioni: "Ti piace quest'anello?"

Era un grosso anello, dal castone elaborato, con una pietra dura di colore lattescente. "Sì," disse Marcello guardandolo appena, "è bello."

"Lo sai," disse la madre volubilmente, "talvolta penso che tu abbia preso tutto da tuo padre... anche lui, quando ragionava ancora, non amava nulla... le cose belle non gli dicevano nulla... non pensava che alla politica... come te."

Questa volta, non sapeva neppur lui perché, Marcello non poté reprimere un vivo senso di irritazione. "Mi pare," disse, "che tra mio padre e me non ci sia nulla in comune... io sono una persona perfettamente ragionevole, normale insomma... lui invece, anche quando non era ancora in clinica, a quanto mi ricordo e tu me l'hai sempre confermato, era sempre... come dire?... un po' esaltato."

"Sì, ma qualche cosa in comune ce l'avete... non vi divertite nella vita e non vorreste che gli altri si divertissero..." Ella guardò un momento fuori del finestrino e soggiunse improvvisamente: "Io non verrò al tuo matrimonio... del resto non devi offenderti, non vado più in alcun luogo... ma siccome, dopo tutto, sei mio figlio, penso che debbo farti un regalo... che cosa vorresti?"

"Nulla, mamma," rispose Marcello con indifferenza.

"Peccato," disse la madre con ingenuità, "se avessi saputo che non volevi nulla, non avrei speso il denaro... ma ormai l'ho comprato... prendi." Frugò nella borsetta e ne trasse una scatoletta bianca legata con un elastico: "È un portasigarette...

avevo osservato che metti in tasca il pacchetto..." Aprì la scatola, ne trasse un astuccio d'argento, piatto e fittamente rigato, e lo fece scattare, porgendolo al figlio. Era pieno di sigarette orientali e la madre ne approfittò per prenderne una e farsela accendere da Marcello. Il quale disse, un po' imbarazzato, guardando al portasigarette aperto sulle ginocchia della madre, senza toccarlo. "È molto bello e non so come ringraziarti, mamma... forse per me è troppo bello."

"Uff," disse la madre, "come sei noioso." Chiuse il portasigarette e lo ficcò con gesto graziosamente intollerante, nella tasca della giubba di Marcello. La macchina girò un po' bruscamente intorno l'angolo di una strada, e la madre cadde addosso a Marcello. Ella ne approfittò per mettergli le due mani sulle spalle, rovesciando un poco il capo indietro e guardandolo: "Dammi un bacio per il regalo, vuoi?"

Marcello si chinò e sfiorò con le labbra la guancia della madre. Ella si gettò indietro sul sedile e disse con un sospiro, portando una mano al petto: "Che caldo... Quando eri piccolo, non avrei dovuto chiedertelo il bacio... eri un bambino tanto affettuoso."

"Mamma," disse Marcello improvvisamente, "ti ricordi dell'inverno in cui il babbo si ammalò?"

"Altroché," disse la madre ingenuamente, "fu un inverno terribile... lui voleva separarsi da me e portarti via... era già matto... per fortuna, dico per fortuna per te, ammattì del tutto e allora si vide che avevo ragione io a desiderare di tenerti con me... perché?"

"Ebbene mamma," disse Marcello evitando di guardare sua madre, "quell'inverno il mio sogno era di non vivere più con voialtri, tu e il babbo, e di essere messo in collegio... il che non mi impediva di volerti bene... per questo, quando tu dici che sono cambiato da allora, non dici una cosa giusta... ero allora come sono adesso... e allora, come adesso, non potevo soffrire la baraonda e il disordine... ecco tutto." Aveva parlato seccamente e quasi con durezza; ma, quasi subito, vedendo un'espressione mortificata oscurare il viso della madre, si pentì. Tuttavia non volle dir nulla che potesse suonare come una ritrattazione: aveva detto la verità e, purtroppo, non poteva dire che la verità. Ma, nello stesso tempo, risvegliata dalla spiacevole consapevolezza di aver mancato di pietà filiale, avvertì di nuovo e più forte che mai, l'oppressione della solita malinconia. La madre disse, in tono rassegnato: "Forse hai ragione tu." In quel momento la macchina si fermò.

Discesero e si avviarono verso il cancello della clinica. La strada si trovava in un quartiere tranquillo, ai margini di un'antica villa reale. Era una strada breve: da una parte si allineavano cinque o sei palazzine vecchiotte in parte nascoste tra gli alberi; dall'altra correva la cancellata della clinica. In fondo, sbarrava la vista il vecchio muro grigio e la folta vegetazione del parco reale. Marcello visitava suo padre almeno una volta al mese da molti anni; tuttavia non si era ancora abituato a queste visite e provava ogni volta un senso mescolato di ribrezzo e di sconforto. Era un po' lo stesso sentimento che gli ispiravano le visite a sua madre, nella villa in cui aveva passato l'infanzia e l'adolescenza; ma tanto più forte: il disordine e la corruzione materna sembravano ancora riparabili; ma per la pazzia del padre non c'erano rimedi ed essa pareva alludere ad un disordine e ad una corruzione più generali e del tutto insanabili. Così, anche questa volta, entrando in quella stanza a fianco di sua madre, egli sentì un abominevole malessere opprimergli il cuore e fargli piegare le ginocchia. Capì di essere diventato pallido e, per un momento, pur guardando di sfuggita alle lance nere della cancellata della clinica, provò un desiderio isterico di rinunziare alla visita e allontanarsi con un pretesto. La madre, che non si era accorta del suo turbamento, disse fermandosi davanti un piccolo cancello nero e premendo il bottone di porcellana di un campanello: "Sai qual è la sua ultima fissazione?"

"Quale?"

"Quella di essere uno dei ministri di Mussolini... gli è cominciata da un mese... forse perché gli lasciano leggere i giornali."

Marcello aggrottò le sopracciglia ma non disse nulla. Il cancello si aprì e apparve un giovane infermiere in camice bianco: corpulento, alto, biondo, con la testa rasata e il viso bianco e un po' gonfio. "Buon giorno, Franz," disse la madre graziosamente. "Come va?"

"Oggi stiamo meglio di ieri," disse l'infermiere con un suo duro accento tedesco, "ieri siamo stati molto male."

"Molto male?"

"Abbiamo dovuto indossare la camicia di forza," spiegò l'infermiere continuando ad adoperare il plurale un po' alla maniera leziosa delle governanti quando parlano dei bambini. "La camicia di forza... che orrore." Intanto erano entrati e camminavano per lo stretto viale, tra il muro di cinta e la parete della clinica. "La camicia di forza, dovresti vederla... non è veramente una camicia ma come due maniche che gli tengono le braccia ferme... prima di vederla, io pensavo che fosse una vera e propria camicia da notte di quelle con la greca in fondo... è così triste vederlo legato a quel modo con le braccia strette ai fianchi." La madre continuò a parlare leggermente, quasi allegramente. Girarono intorno la clinica e sbucarono in uno spiazzo, davanti la facciata principale. La clinica, palazzina bianca di tre piani, aveva un aspetto di normale dimora, non fossero state le inferriate che oscuravano le finestre. L'infermiere disse, salendo in fretta la scala sotto il verone: "Il professore vi aspetta, signora Clerici." Egli precedette i due visitatori in un ingresso nudo e in ombra, e andò a picchiare ad una porta chiusa, al di sopra della quale, su una targa smaltata, si leggeva: *direzione*.

La porta si aprì subito e il direttore della clinica, il professor Ermini, ne scaturì, precipitandosi, con tutta l'irruenza della persona torreggiante e massiccia, incontro ai visitatori. "Signora, i miei omaggi... dottor Clerici, buongiorno." La sua voce stentorea risuonava come un gong di bronzo nel silenzio gelato della clinica, tra quelle pareti nude. La madre gli tese la mano che il professore, piegando con sforzo visibile il corpaccione avviluppato nel camice, volle galantemente baciare; Marcello, invece, si limitò a un sobrio saluto. Il professore nel viso somigliava assai ad un barbagianni: occhi grandi, rotondi, grosso naso ricurvo, a becco, baffi rossi spioventi sopra la larga bocca clamorosa; ma l'espressione non era quella del malinconico uccello notturno, bensì gioviale, seppure di una giovialità studiata e venata di fredda accortezza. Egli precedette la madre e Marcello su per la scala. Come giunsero a metà della rampa, un oggetto metallico scagliato con forza dal pianerottolo rotolò rimbalzando sugli scalini. Nello stesso tempo echeggiò un grido acutissimo seguito da una sghignazzata. Il professore si chinò a raccogliere l'oggetto: un piatto di alluminio: "La Donegalli," disse voltandosi verso i due visitatori, "niente paura... si tratta di una vecchia signora di solito tranquillissima che, però, ogni tanto le piglia di tirare quanto le capita sotto mano... eh eh, sarebbe campionessa di bocce, se la lasciassimo fare." Egli porse il piatto all'infermiere e si avviò chiacchierando, per un lungo corridoio, tra due file di porte chiuse. "E come mai signora, ancora a Roma? Io vi credevo già in montagna o al mare."

"Partirò tra un mese..." disse la madre. "Ma non so dove andrò... per una volta vorrei evitare Venezia."

"Un consiglio signora," disse il professore girando intorno l'angolo del corridoio, "andate a Ischia... ci sono stato proprio l'altro giorno in gita... una meraviglia... siamo andati nel ristorante di un certo Carminiello: abbiamo mangiato una zuppa di pesce che era semplicemente un poema." Il professore si voltò a metà e fece un gesto volgare ma espressivo con due dita all'angolo della bocca: "Un poema, vi dico: tocchi di pesci grossi così... e poi un po' di tutto: il polpettello, lo scorfanello, il palombetto, l'ostricuccia tanto buona, il gamberetto, il totanuccio... e tutto con un sughillo alla marinara... aglio, olio, pomodoro, peperoncino... signora non dico altro." Dopo aver adottato, per descrivere la zuppa di pesce un falso e giocoso accento napoletano, il professore ricadde nel nativo romanesco, soggiungendo: "Sapete cosa ho detto a mia moglie? Vuoi vedere che dentro l'anno ci facciamo la casetta a Ischia?"

La madre disse: "Preferisco Capri."

"Ma quello è un luogo per letterati e invertiti," disse il professore con distratta brutalità. In quel momento si udì giungere da una delle celle uno strido acutissimo. Il professore si avvicinò alla porta, aprì lo spioncino, guardò un momento, richiuse lo spioncino e, quindi, girandosi, concluse: "Ischia, cara signora... Ischia è il luogo: zuppa di pesce, mare, sole, vita all'aperto... non c'è che Ischia."

L'infermiere Franz, che li aveva preceduti di qualche passo, adesso aspettava, immobile presso una delle porte, la figura massiccia disegnata nel chiarore della finestra che stava all'estremità del corridoio. "Ha preso la pozione?" domandò a bassa voce il professore. L'infermiere accennò di sì. Il professore aprì ed entrò, seguito dalla madre e da Marcello.

Era una piccola stanza nuda, con un letto fissato alla parete e un tavolino di legno bianco di fronte alla finestra sbarrata dalle solite inferriate. Seduto al tavolino, le spalle alla porta, intento a scrivere, Marcello, con un brivido di ripugnanza, vide suo padre. Una sfuriata di capelli bianchi si levava dalla testa, sopra la nuca esile imbucata nel largo collo della rigida casacca di rigatino. Stava seduto un po' di sghembo, i piedi infilati in due enormi pantofole di feltro, i gomiti e le ginocchia in fuori, la testa reclinata da un lato. In tutto simile, pensò Marcello, ad un burattino dai fili rotti. L'ingresso dei tre visitatori non lo fece voltare; anzi egli parve raddoppiare di attenzione e di zelo nella scrittura. Il professore andò a mettersi tra la finestra e il tavolo e disse con falsa giovialità: "Maggiore, come va oggi... eh come va?"

Il pazzo non rispose e si limitò ad alzare una mano come per dire: "Un momento, non vedete che sono occupato." Il professore lanciò uno sguardo d'intesa alla madre e disse: "Sempre quel memoriale, eh, maggiore... ma non verrà troppo lungo?... Il duce non ha il tempo di leggere cose troppo lunghe... lui stesso è sempre breve, conciso... brevità, concisione, maggiore."

Il pazzo fece di nuovo quel cenno con la mano ossuta agitata in alto; quindi, con una sua strana furia, lanciò, per aria, al di sopra della testa chinata, un foglio di carta che andò a cadere nel mezzo della sala. Marcello si chinò a raccoglierlo: non conteneva che poche parole incomprensibili scritte in una calligrafia piena di svolazzi e di sottolineature. Forse non erano neanche parole. Mentre esaminava il foglio, il pazzo cominciò a lanciarne degli altri, sempre con lo stesso gesto furiosamente indaffarato. I fogli volavano al disopra della testa canuta e si sparpagliavano per la stanza. Via via che lanciava i fogli, i gesti del pazzo si facevano sempre più violenti e tutta la stanza adesso era piena di quei foglietti di carta quadrigliata. La madre disse: "Povero caro... ha sempre avuto la passione di scrivere."

Il professore si chinò un poco verso il pazzo: "Maggiore, ci sono vostra moglie e vostro figlio... non volete vederli?"

Questa volta il pazzo parlò finalmente, con una voce bassa, borbottante, frettolosa, ostile, proprio come chi venga disturbato in un'occupazione importante: "Che ripassino domani... a meno che non abbiano delle proposte concrete da fare... non lo vedete che ho l'anticamera piena di gente che non faccio a tempo a ricevere?"

"Crede di essere un ministro," sussurrò la madre a Marcello.

"Ministro degli esteri," confermò il professore.

"L'affare di Ungheria," disse ad un tratto il pazzo sempre scrivendo, con una voce veloce, sommessa, affannosa, "l'affare di Ungheria... quel capo di governo che sta a Praga... a Londra che fanno? E i francesi perché non capiscono? Ma perché non capiscono? Perché? Perché? Perché?" Ogni "perché" fu pronunziato dal pazzo con voce gradatamente più alta; finché, all'ultimo "perché" proferito quasi urlando, il pazzo balzò dalla seggiola e si voltò, facendo fronte ai visitatori. Marcello levò gli occhi e lo guardò. Sotto i capelli bianchi e ritti, il viso magro, sciupato, bruno, profondamente segnato di rughe verticali, appariva improntato ad un'espressione di gravità compunta, solenne, quasi angosciata dallo sforzo di adeguarsi ad un'immaginaria occasione retorica e cerimoniosa. Il pazzo teneva al livello degli occhi uno di quei suoi foglietti; e senza più, con una strana e trafelata precipitazione, incominciò a leggerlo: "Duce, capo degli eroi, re della terra e del mare e del cielo, principe, papa, imperatore, comandante e soldato," qui il pazzo fece un gesto di impazienza temperata però da alquanta cerimoniosità, come per significare "eccetera eccetera"; "duce, in questo luogo che," il pazzo fece un nuovo gesto come per dire: "salto, sono cose superflue," quindi riprese: "in questo luogo io ho scritto un memoriale che ti prego di leggere dalla prima," il pazzo si fermò e guardò i visitatori, "all'ultima riga. Ecco il memoriale." Dopo quest'esordio, il pazzo gettò all'aria il foglio, si voltò verso la scrivania, ne prese un altro e cominciò a leggere il memoriale. Ma questa volta, Marcello non afferrò una sola parola: il pazzo leggeva con voce chiara e molto alta, è vero, ma una fretta singolare gli faceva incastrare una parola dentro l'altra come se tutto il discorso non fosse stato che un solo vocabolo di lunghezza mai vista. Dovevano, egli pensò, le parole fondersi sulla sua lingua prim'ancora che le pronunziasse, quasi che il fuoco divorante della pazzia ne sciogliesse, come cera, le forme, amalgamandole in una sola materia oratoria molle, sfuggente e indistinta. Via via che leggeva le parole sembravano entrare più profondamente le une nelle altre, accorciandosi e rattrappendosi e il pazzo stesso incominciò a parere soverchiato da questa specie di valanga verbale. Sempre più frequentemente, prese a gettar via i foglietti appena dopo averne letto le prime righe; finché tutto ad un tratto, cessò di leggere del tutto, saltò con agilità sorprendente sul letto, e lì, ritraendosi nell'angolo del capezzale, ritto contro il muro, prese, come pareva, a concionare.

Che arringasse, Marcello lo comprese più dai gesti che dalle parole al solito sconnesse e insensate: il pazzo, proprio come un oratore affacciato ad un immaginario balcone, ora alzava ambedue le braccia al soffitto, ora si piegava a sporgere una mano come per insinuare qualche sottigliezza, ora minacciava con il pugno chiuso; ora levava all'altezza del viso le due palme aperte. Ad un certo punto, dalla folla immaginaria cui il pazzo si rivolgeva, dovettero senza dubbio partire degli applausi; perché il pazzo, con gesto caratteristico della palma spianata in basso, parve impetrare il silenzio. Ma gli applausi palesemente non cessarono, anzi crebbero di intensità; allora il pazzo, dopo aver di nuovo richiesto il silenzio con quel suo gesto supplichevole, saltò giù dal letto, corse al professore e, afferrandolo per una manica domandò con voce di pianto: "Ma li faccia star zitti... che m'importa degli applausi... una dichiarazione di guerra... come si può fare una dichiarazione di guerra, se con gli applausi ti impediscono di parlare?"

"La facciamo domani la dichiarazione di guerra, maggiore," disse il professore guardando al pazzo dall'alto della torreggiante persona.

"Domani, domani, domani," urlò il pazzo entrando in una subita furia tutta mescolata di stizza e di disperazione, "sempre domani... la dichiarazione di guerra si ha da fare subito."

"E perché maggiore? Che ce ne importa? Con questo caldo? Quei poveri soldati, volete che facciano la guerra con questo caldo?" Il professore scrollò le spalle con gesto furbesco. Il pazzo lo guardò perplesso, l'obbiezione evidentemente lo sconcertava. Quindi gridò: "I soldati mangeranno dei gelati... d'estate si mangiano i gelati, no?"

"Sì," disse il professore, "d'estate si mangiano i gelati."

"Dunque," disse il pazzo con aria trionfante, "gelati, molti gelati, gelati per tutti." Borbottando andò al tavolino, e, in piedi, impugnò la matita, scrisse in fretta alcune parole su un ultimo foglietto e poi venne a porgerlo al medico. "Ecco la dichiarazione di guerra... io non ce la faccio più... la porti lei a chi di dovere... queste campane, oh oh, queste campane." Diede il foglietto al medico e poi andò a rincantucciarsi in terra, nell'angolo presso il letto, come una bestia atterrita, stringendosi il capo tra le mani e ripetendo con angoscia: "Queste campane... non potrebbero smettere un momento queste campane?"

Il medico guardò di sfuggita il foglietto e poi lo porse a

Marcello. In cima al foglio c'era scritto: "Strage e malinconia," e, più sotto: "La guerra è dichiarata," tutto con la solita calligrafia grande e piena di svolazzi. Il medico disse: "Strage e malinconia è il suo motto... lo troverete scritto su tutti quei foglietti... s'è fissato con quelle due parole."

"Le campane," mugolava il pazzo.

"Ma le sente davvero?" domandò la madre perplessa.

"Probabilmente sì... sono allucinazioni dell'udito... come prima gli applausi... i malati possono udire varie specie di rumori... anche voci che dicono parole... oppure versi di animali... oppure rumori di motori, di una motocicletta per esempio."

"Le campane," urlò il pazzo con voce terribile. La madre indietreggiò verso la porta mormorando: "Ma deve essere spaventoso... povero caro, chissà come soffre... io, se mi trovo sotto un campanile quando suonano le campane, mi pare di impazzire."

"Ma soffre?" domandò Marcello.

"Non soffrireste voi se per ore e ore udiste delle grosse campane di bronzo suonare a distesa vicinissime al vostro orecchio?" Il professore si voltò verso il malato e soggiunse: "Adesso le faremo tacere le campane... mandiamo il campanaro a dormire... Vi daremo qualche cosa da bere e non le sentirete più." Fece un cenno all'infermiere che uscì subito; poi, rivolgendosi a Marcello: "Sono forme di angoscia piuttosto gravi... il malato passa da un'euforia frenetica ad una depressione profonda... poco fa quando leggeva era esaltato, adesso è depresso... volete dirgli qualche cosa?"

Marcello guardò il padre che continuava a mugolare pietosamente, la testa tra le mani, e disse con voce fredda: "No, non ho nulla da dirgli e poi a che servirebbe?... Tanto non mi capirebbe."

"Talvolta capiscono," disse il professore, "capiscono più di quanto non sembri, riconoscono le persone, ingannano anche noialtri medici... eh, eh, non è così semplice."

La madre si avvicinò al pazzo e disse con affabilità: "Antonio, mi riconosci?... Questo è Marcello, tuo figlio... dopodomani si sposa... hai capito? Si sposa."

Il pazzo guardò in su, verso la madre quasi con speranza, come un cane ferito guarda al padrone che si china su di lui e gli domanda con parole umane che cosa abbia. Il medico si voltò verso Marcello, esclamando: "Nozze, nozze... caro dottore io non ne sapevo nulla... le mie più vive congratulazioni... i miei rallegramenti veramente sinceri."

"Grazie," disse Marcello asciutto.

La madre disse con ingenuità, avviandosi verso la porta: "Povero caro, non capisce... se capisse, non sarebbe contento, come non sono contenta io."

"Ti prego mamma," disse Marcello brevemente.

"Non importa, tua moglie ha da piacere a te e non agli altri," rispose la madre conciliante. Ella si voltò verso il pazzo e gli disse: "Arrivederci, Antonio."

"Le campane," mugolò il pazzo.

Uscirono nel corridoio, incrociandosi con Franz che entrava portando in un bicchiere la pozione calmante. Il professore chiuse la porta e disse: "È curioso, dottore, come i dementi si tengano al corrente e siano aggiornati... come siano sensibili a tutto quello che commuove la collettività... c'è il fascismo, c'è il duce, e allora voi troverete moltissimi malati che si fissano come vostro padre sul fascismo e sul duce... durante la guerra non si contavano i malati che si credevano generali e che volevano sostituire Cadorna o Diaz... e più recentemente, quando ci fu il volo di Nobile al polo nord, avevo almeno tre malati che sapevano di certo dove si trovasse la famosa tenda rossa e avevano inventato uno speciale apparecchio per soccorrere i naufraghi... i pazzi sono sempre attuali... in fondo, nonostante la pazzia non cessano di partecipare alla vita pubblica e la pazzia, appunto, è il mezzo di cui si servono per parteciparvi... naturalmente, da buoni cittadini pazzi quali sono." Il medico rise freddamente, assai compiaciuto del proprio spirito. E poi voltandosi verso la madre, ma con chiara intenzione adulativa nei riguardi di Marcello: "Ma per quanto riguarda il duce, siamo tutti pazzi come vostro marito, nevvero signora, tutti pazzi da legare da trattare con la doccia e la camicia di forza... tutta l'Italia non è che un solo manicomio, eh, eh, eh."

"Mio figlio, per quest'aspetto è pazzo di certo," disse la madre secondando ingenuamente l'adulazione del medico, "anzi proprio venendo qui, glielo dicevo a Marcello, che c'erano dei punti di contatto tra lui e il suo povero padre."

Marcello rallentò il passo per non udirli. Li vide avviarsi verso il fondo del corridoio e poi svoltare e scomparire, sempre chiacchierando. Si fermò, aveva tuttora in mano il foglietto sul quale il padre aveva scritto la sua dichiarazione di guerra. Esitò, trasse di tasca il portafogli, e vi chiuse il foglietto. Poi affrettò il passo e raggiunse il medico e la madre a pianterreno.

"Allora... arrivederci professore," diceva la madre, "ma quel povero caro... non c'è proprio modo di guarirlo?"

"Per ora la scienza non può farci nulla," rispose il medico senza alcuna solennità, come ripetendo una formula meccanica e logora.

"Arrivederci, professore," disse Marcello.

"Arrivederci, dottore, e ancora sinceri, vivissimi rallegramenti."

Essi camminarono per il vialetto ghiaiato, uscirono nella strada, si avviarono verso la macchina. Alberi era là, presso lo sportello aperto, il berretto in mano. Salirono senza dir parola e la macchina partì. Marcello stette un momento zitto e poi domandò alla madre: "Mamma, vorrei farti una domanda... credo che posso parlarti francamente, no?"

"Quale domanda?" disse la madre distrattamente, acconciandosi il viso nello specchietto del portacipria.

"Colui che io chiamo padre e che abbiamo or ora visitato, è veramente mio padre?"

La madre si mise a ridere: "Davvero che qualche volta sei proprio strano... e perché non dovrebbe esser tuo padre?"

"Mamma, tu avevi già allora," Marcello esitò e poi finì, "degli amanti... potrebbe darsi...?"

"Oh, ma non potrebbe darsi proprio nulla," disse la madre con tranquillo cinismo, "la prima volta che mi decisi a tradire tuo padre, tu avevi già due anni... il più curioso si è," ella soggiunse, "che proprio con questa idea che tu fossi figlio di un altro, cominciò la pazzia di tuo padre... si era fissato che tu non fossi figlio suo... e sai che fece un giorno?... Prese una fotografia, di me e di te bambino..."

"E bucò gli occhi a tutti e due," finì Marcello.

"Ah, lo sapevi," disse la madre un po' stupita, "ebbene, quello fu proprio l'inizio della sua pazzia... era ossessionato dall'idea che tu fossi figlio di un tale che allora vedevo qualche volta... inutile dire che era una sua immaginazione... tu sei figlio suo, basterebbe guardarti..."

"Veramente somiglio più a te che a lui," non poté fare a meno di dire Marcello.

"A tutti e due," ribadì la madre. Rimise il portacipria nella borsa e soggiunse: "Te l'ho già detto: se non altro, avete tutti e due la fissazione della politica... lui però da matto e tu, grazie a Dio, da persona sana..."

Marcello non disse nulla e girò il viso verso il finestrino. L'idea di somigliare a suo padre gli ispirava un fastidio intenso. I rapporti familiari riferiti al sangue e alla carne, gli avevano sempre ripugnato, con una determinazione impura e ingiusta. Ma la somiglianza cui alludeva sua madre oltre che ripugnargli, lo spaventava oscuramente. Che nesso correva tra la pazzia paterna e l'esser suo più segreto? Ricordò la frase letta nel foglietto: "Strage e malinconia," e rabbrividì pensosamente. La malinconia, egli l'aveva addosso, come una seconda pelle, più sensibile di quella vera; quanto alla strage...

Adesso la macchina attraversava le strade del centro della città, nella luce falsa e azzurra del crepuscolo. Marcello disse alla madre: "Scendo qui," e si chinò a picchiare nel vetro per avvertire Alberi. La madre disse: "Allora ti rivedo al tuo ritorno," implicitamente sottintendendo che non sarebbe venuta alle nozze; ed egli le fu grato della reticenza: a questo, almeno, servivano la leggerezza e il cinismo. Discese, richiuse con forza lo sportello, e si allontanò tra la folla.

PARTE SECONDA

I

Appena il treno ebbe incominciato a muoversi, Marcello lasciò il finestrino al quale si era affacciato per discorrere o meglio per ascoltare i discorsi della suocera e rientrò nello scompartimento. Giulia, invece, restò al finestrino: dallo scompartimento Marcello poteva vederla nel corridoio, mentre si sporgeva sventolando un fazzoletto; con un impeto ansioso che rendeva patetico quel gesto altrimenti così comune. Senza dubbio, come pensò, ella sarebbe rimasta ad agitare il fazzoletto finché le fosse sembrato di intravvedere sulla banchina la figura di sua madre; e cessare di intravvederla, per lei, sarebbe stato il segno più chiaro del distacco definitivo dalla sua vita di ragazza; distacco insieme temuto e desiderato che con la partenza, in treno, mentre la madre restava a terra, acquistava un carattere dolorosamente concreto. Marcello guardò ancora un momento la moglie che si sporgeva al finestrino, vestita di un abito chiaro che il gesto del braccio faceva tutto raggrinzare sulle forme rilevate, e poi si lasciò cadere indietro sui cuscini, chiudendo gli occhi. Quando, dopo qualche minuto, li riaprì, la moglie non era più nel corridoio e il treno correva già in aperta campagna: una pianura arida, senza alberi, già avvolta nella penombra del crepuscolo, sotto un cielo verde. Ogni tanto il terreno si sollevava in colline pelate e tra le colline apparivano valloni che si stupiva di vedere deserti di abitazioni e di figure umane. Qualche rudere di mattoni, in cima alle colline, confermava questa sensazione di solitudine. Era un paesaggio riposante, come pensò Marcello, che invitava alla riflessione e alla fantasticheria. Intanto in fondo alla pianura, all'orizzonte si era levata la luna, rotonda, di un rosso sanguigno, con una fulgida stella bianca alla sua destra.

La moglie era scomparsa e Marcello desiderò che per qualche minuto non tornasse: voleva riflettere e, per l'ultima volta, sentirsi solo. Adesso riandava con la memoria alle cose che aveva fatto negli ultimi giorni e si accorgeva, rievocandole, di provare un convinto e fondo compiacimento. Questa, pensò, era la sola maniera di cambiare la propria vita e se stesso: agire, muoversi nel tempo e nello spazio. Al solito gli piacevano soprattutto le cose che ribadivano i suoi legami ad un mondo normale, comunque, previsto. La mattina del matrimonio: Giulia, in vestito da sposa, che correva lietamente da una stanza all'altra, in un fruscio di seta; lui che entrava nell'ascensore con un mazzolino di mughetti nella mano guantata; la suocera che appena egli entrava si gettava tra le sue braccia singhiozzando; Giulia che l'attirava dietro lo sportello di un armadio, per baciarlo a suo agio; l'arrivo dei testimoni, due amici di Giulia, un medico e un avvocato, e due amici suoi, del ministero; la partenza per la chiesa, dalla casa, con la gente che guardava dalle finestre e dai marciapiedi, in tre macchine: nella prima lui e Giulia; nella seconda i testimoni, nella terza la suocera e due sue amiche. Durante il tragitto, era avvenuto un incidente singolare: ad un semaforo, l'automobile si era fermata e, improvvisamente, qualcuno si era affacciato al finestrino: un viso rosso, barbuto, con la fronte calva e il naso prominente. Un mendicante; ma, invece di domandare l'elemosina, aveva chiesto, con voce roca: "Mi date un confetto, sposi?" e nello stesso tempo aveva allungato la mano dentro la macchina. L'apparizione subitanea del viso allo sportello, quella mano indiscreta protesa verso Giulia, avevano irritato Marcello che, con severità forse eccessiva, aveva risposto: "Via, via, niente confetti." Al che l'uomo, probabilmente ubriaco, aveva gridato con quanta voce aveva: "Che tu sia maledetto," ed era scomparso. Giulia, sgomenta, si era stretta a lui, mormorando: "Ci porterà malaugurio!" E lui con una scrollata di spalle, aveva risposto: "Sciocchezze... un ubriaco." Quindi la macchina si era mossa e l'incidente gli era uscito quasi subito di mente.

Nella chiesa tutto era stato normale, ossia tranquillamente solenne, rituale, cerimonioso. Una piccola folla di parenti e di amici si era distribuita sui primi banchi davanti l'altare maggiore, gli uomini vestiti di scuro, le donne in chiari abiti primaverili. La chiesa, molto ricca ed ornata, era dedicata ad un santo della Controriforma. Dietro l'altare maggiore, sotto un baldacchino di bronzo dorato c'era, appunto, una statua di questo santo, di marmo grigio, più grande del naturale, atteggiata con gli occhi rivolti al cielo e le palme aperte. Dietro la statua, l'abside appariva tutta affrescata alla maniera barocca, svolazzante e vivace. Giulia e lui si erano inginocchiati davanti alla balaustra di marmo, sopra un cuscino di velluto rosso. I testimoni si erano disposti dietro di loro, due a due, in piedi. La funzione era stata lunga, la famiglia di Giulia aveva tenuto a darle la massima solennità. Fin dall'inizio della funzione, lassù nel balcone che sovrastava il portale di ingresso, un organo aveva preso a suonare e poi non aveva più smesso, ora ronfando in sordina, ora propagandosi trionfalmente in note clamorose sotto le volte echeggianti. Il prete era stato molto lento: così che Marcello, dopo aver osservato con compiacimento tutti i particolari della cerimonia che era appunto quale l'aveva immaginata e voluta, dopo essersi convinto che stava facendo quanto avevano fatto milioni di sposi per centinaia d'anni prima di lui, si era distratto ad osservare la chiesa. Non era una bella chiesa, ma era molto vasta, concepita e costruita con intenti di solennità teatrale come tutte le chiese dei gesuiti. L'enorme statua del santo, inginocchiato sotto il baldacchino in attitudine estatica, sovrastava un altare dipinto a finto marmo, affollato di candelabri d'argento, di vasi pieni di fiori, di statuette decorative, di lumi di bronzo. Dietro il baldacchino, si incurvava l'abside affrescata da un pittore dell'epoca: nuvole vaporose quali avrebbero potuto figurare sul sipario di un teatro di opera si gonfiavano in un cielo azzurro che striavano le spade di luce di un sole nascosto; sopra le nuvole sedevano varii personaggi sacri, dipinti alla brava, con più senso decorativo che spirito religioso. Spiccava tra gli altri e come sovrastandoli tutti, la figura del Padre Eterno; e, tutto ad un tratto, Marcello, in quella testa barbuta ornata del triangolo, non aveva potuto fare a meno di ravvisare il mendicante che, poco prima, si era affacciato allo sportello della macchina chiedendo dei confetti e poi l'aveva maledetto. In quel momento, l'organo suonava forte, con una severità quasi minacciosa che non pareva lasciare adito ad alcuna dolcezza e allora, quella somiglianza, che in altre circostanze l'avrebbe fatto sorridere (il Padre Eterno travestito da mendicante si affaccia al finestrino di un taxi chiedendo dei confetti), gli aveva richiamato alla mente, non sapeva neppur lui perché, i versetti biblici riguardanti Caino, che qualche anno dopo il fatto di Lino, aprendo un giorno la Bibbia, gli erano capitati per caso sotto gli occhi: "Che hai tu fatto? La voce del sangue del tuo fratello grida a me dalla terra. Sarai perciò d'ora in poi maledetto sulla terra che ha aperto la bocca per ricevere il sangue del tuo fratello, versato dalla tua mano. Anche se lavorerai non ti darà frutti; sarai ramingo e fuggiasco per il mondo. Disse Caino al Signore: È troppo grande la mia iniquità perché meriti perdono. Ecco, tu mi scacci oggi sulla terra: sfuggirò la tua faccia e sarò ramingo e fuggiasco per il mondo. Perciò chiunque mi troverà mi ucciderà. Ma il Signore gli disse: No, non sarà così. Anzi, chiunque ucciderà Caino, sarà punito sette volte di più. E pose il signore su Caino un segno, acciò nessuno che l'incontrasse, lo uccidesse." Questi versetti, quel giorno, gli erano sembrati addirittura scritti per lui, maledetto per il suo involontario delitto ma al tempo stesso reso sacro e intangibile proprio da quella maledizione. Ma quella mattina, in chiesa, osservando la figura dell'affresco gli erano tornati in mente, e, una volta di più, gli erano sembrati adatti a definire il suo caso. Freddamente, ma non senza una cupa convinzione di affondare lo strumento del pensiero in un terreno fertile di analogie e di significati, mentre la funzione continuava, egli aveva speculato su questo punto: se maledizione c'era davvero, perché era stata scagliata? Gli era tornata in mente, a questa domanda, la continua tenace malinconia che l'opprimeva, come di chi si perda e sappia che non può fare a meno di perdersi e si era detto che con l'istinto, almeno, se non con la coscienza, egli sapeva di essere maledetto. Ma non perché aveva ucciso Lino, bensì perché aveva cercato e tuttora cercava di liberarsi dal fardello di pentimento, di corruzione e di anormalità di quel lontano misfatto fuori della religione e delle sue sedi. Ma che poteva farci, aveva ancora pensato, così egli era e non poteva cambiarsi. Non c'era, insomma, in lui alcuna cattiva volontà ma soltanto l'accettazione onesta della condizione in cui era nato, del mondo in cui si trovava a vivere. Una condizione lontana dalla religione, un mondo che sembrava aver sostituito la religione con altre cose. Avrebbe certo preferito affidare la propria vita alle antiche ed affettuose persone della religione cristiana, al Signore così giusto, alla Vergine così materna, al Cristo così misericordioso; ma nel momento stesso che provava questo desiderio, si rendeva conto che quella vita non gli apparteneva e però non poteva affidarla a chi volesse; che era fuori della religione e non poteva tornarci, sia pure per purificarsi e diventare normale. La normalità, come aveva pensato, era, ormai, altrove o, forse, era ancora da venire e andava ricostruita faticosamente, dubbiosamente, sanguinosamente.

Quasi a conferma di questi pensieri, in quel momento aveva guardato lì al suo fianco, a colei che tra pochi minuti sarebbe stata sua moglie. Giulia stava inginocchiata, le mani giunte, il viso e gli occhi rivolti all'altare, quasi, come sembrava, rapita in una sua estasi lieta e piena di speranza. E tuttavia, al suo sguardo, come se l'avesse avvertito sulla propria persona simile al contatto di una mano, si era subito voltata e gli aveva sorriso con gli occhi e con la bocca: un sorriso tenero, umile, grato, di una innocenza quasi animalesca. Egli aveva ricambiato il sorriso, seppure meno apertamente e poi, come scaturito da quel sorriso, aveva avuto, forse per la prima volta da quando la conosceva, un empito se non proprio d'amore per lo meno di profondo affetto tutto misto di compassione e di tenerezza. Quindi, per un momento, stranamente, gli era sembrato di svestirla con lo sguardo, di far scomparire dalla sua persona gli abiti nuziali, i panni più intimi, e di vederla, popputa, ventruta, florida, sana e giovane inginocchiata tutta ignuda su quel cuscino di velluto rosso, al suo fianco, in atto di giungere le mani. E anche lui era nudo come lei; e, fuori di ogni consacrazione rituale, essi stavano per unirsi davvero, come si uniscono gli animali nei boschi; e questa unione, che egli credesse o non credesse nel rito cui stava partecipando, ci sarebbe stata davvero, e da essa, come desiderava, sarebbero nati dei figli. Gli era sembrato a questa riflessione, per la prima volta, di mettere i piedi su un terreno sicuro e aveva pensato: "Questa tra poco sarà mia moglie... e io la possederò... e lei, una volta posseduta, concepirà dei figli... e questo, per adesso, in mancanza di meglio, sarà il punto di partenza della normalità." Ma in quel momento aveva visto Giulia muovere le labbra in atto di preghiera e a quel moto fervido della bocca gli era sembrato che la nudità di lei si fosse rivestita ad un tratto, come d'incanto, degli abiti nuziali, e aveva capito che Giulia, lei, credeva, invece, fermamente alla consacrazione rituale della loro unione; e non era stato scontento di questa scoperta; anzi ne aveva tratto quasi un senso di sollievo. Per Giulia, la normalità non era, come per lui, da trovare né da ricostruire; c'era; e lei vi stava immersa e, qualsiasi cosa fosse avvenuta, non ne sarebbe mai uscita.

Così la cerimonia si era conclusa con sufficiente commozione e affetto da parte sua; una commozione e un affetto di cui a tutta prima si era creduto incapace e che aveva sentito ispirata da motivi profondi e suoi e non dalla suggestione del luogo e del rito. Tutto, insomma, si era svolto secondo le regole tradizionali, in modo da soddisfare non soltanto coloro che credevano a queste regole ma anche lui che non ci credeva ma voleva agire come se ci credesse. Uscendo al braccio della moglie, nel momento che si soffermava sotto il portale, davanti la scalinata della chiesa, aveva udito la madre di Giulia, dietro di lui, dire ad una amica: "È tanto, tanto buono... hai visto come era commosso... l'ama tanto... Giulia non poteva davvero trovare un marito migliore." Ed era stato contento di aver saputo ispirare una simile illusione.

Adesso, a conclusione di queste riflessioni, provava quasi un'impazienza acre e zelante di riprendere la sua parte di marito al punto in cui, dopo la cerimonia nuziale, l'aveva lasciata. Stornò gli occhi dal finestrino che, nel frattempo, essendo sopravvenuta la notte, si era riempito di una oscurità nera e debolmente scintillante e guardò al corridoio cercando Giulia. Si accorse di provare quasi un'irritazione per la sua assenza e questo gli fece piacere perché gli parve un indizio della naturalezza con la quale, ormai, recitava la sua parte. Si domandò a questo punto se avesse dovuto prendere Giulia nella scomoda cuccetta del vagone letto, oppure aspettare di giungere a S. dove si sarebbe conclusa la prima tappa del loro viaggio, e si accorse a questo pensiero di provare un subitaneo, forte desiderio e decise che l'avrebbe presa in treno. Così doveva avvenire in simili casi, pensò, e d'altronde così si sentiva inclinato ad agire, sia per appetito carnale sia per compiaciuta fedeltà alla sua parte di sposo. Ma Giulia era vergine, come egli sapeva di certo, e non sarebbe stato facile possederla. Si accorse che quasi gli avrebbe fatto piacere se, dopo aver tentato invano di infrangere questa verginità, gli fosse toccato aspettare l'albergo a S. e la comodità di un letto matrimoniale. Succecedevano di queste cose agli sposi novelli, persino ridicole a forza di normalità, e lui voleva rassomigliare al più normale tra i normali, anche a costo di passare per impotente.

Stava già per affacciarsi al corridoio, quando la porta si aprì e Giulia entrò. Indossava la sola gonna con la camicetta, si era tolta la giubba che portava sul braccio. Il petto fiorente spingeva con esuberanza il lino bianco della camicetta trasfondendovi un tenue color rosato di nudità; nel viso era la luce di una lieta soddisfazione; soltanto gli occhi, più grandi, sfatti e languidi del solito, parevano rivelare una trepidazione vogliosa, un turbamento quasi impaurito. Marcello notò tutte queste cose con compiacimento: Giulia era veramente la sposa che si apprestava a darsi per la prima volta. Ella si girò un po' goffamente (si muoveva sempre goffamente, pensò, ma era amabile goffaggine, di animale sano e innocente) per chiudere la porta e tirare la tendina, quindi, ritta davanti a lui, cercò di appendere la giubba ad un uncino del portabagagli. Ma il treno correva a grande velocità; ad uno scambio imboccato impetuosamente tutta la vettura parve sbandare e Giulia gli cadde addosso. Non senza malizia, ella rimediò alla caduta, sedendogli sulle ginocchia e circondandogli il collo con le braccia. Marcello sentì sulle proprie magre gambe tutto il peso del corpo di lei e macchinalmente le cinse la vita. Ella gli disse piano: "Mi ami?" e nello stesso tempo chinò il viso cercando con la bocca la bocca di lui. Si baciarono a lungo mentre il treno continuava a correre con quella sua velocità complice, si sarebbe detto, del bacio, per cui ad ogni scossa i loro denti si urtavano e il naso di Giulia pareva voler entrare nel viso di lui. Finalmente si separarono a Giulia, coscienziosa, senza scendere dalle sue ginocchia, prese dalla borsa il fazzoletto e gli pulì le labbra dicendo: "Hai almeno un chilo di rossetto sulle labbra." Marcello, indolenzito, approfittò di una nuova scossa del treno, per far scivolare quel corpo pesante sul sedile. Ella disse: "Cattivo, non mi vuoi?"

"Debbono ancora venire a preparare le cuccette," disse Marcello un po' imbarazzato.

"Pensa," ella continuò senza transizione, guardandosi intorno, "è la prima volta che viaggio in vagone letto."

Marcello non poté fare a meno di sorridere per l'ingenuità del tono e domandò: "Ti piace?"

“Sì, mi piace molto,” ella si guardò intorno di nuovo. “Quando vengono a preparare i letti?”

“Presto.”

Tacquero; poi Marcello guardò la moglie e si accorse che anche lei lo guardava ma con espressione cambiata, quasi con timidezza e apprensione, restando, tuttavia, nel viso l'espressione accesa e felice di pochi minuti prima. Ella si vide guardata e gli sorrise, come per scusarsi e, senza aprir bocca, andò con la mano a stringergli la mano. Poi dai suoi occhi teneri e liquidi, due lagrime scivolarono sulle guance, seguite da altre due. Giulia piangeva pur continuando a guardarlo, e tentando pietosamente, di sorridergli tra le lagrime. Finalmente, con impeto subitaneo, chinò il capo e prese a baciargli in furia la mano. Marcello rimase disorientato da questo pianto: Giulia era di carattere allegro e poco sentimentale, era la prima volta che la vedeva piangere. Giulia, però, non gli lasciò il tempo di formulare alcuna supposizione, perché, risollevandosi, disse in fretta: “Scusami se piango... ma ho pensato che sei tanto migliore di me e che io sono indegna di te.”

“Ora ti metti a parlare come tua madre,” disse Marcello sorridendo.

La vide soffiarsi il naso e poi rispondere con calma: “No, la mamma queste cose le dice senza sapere perché... io invece ci ho la ragione.”

“Quale?”

Ella lo guardò un lungo momento e poi spiegò: “Debbo dirti una cosa dopo la quale forse non mi amerai più... debbo dirtela.”

“Che cosa?”

Ella rispose lentamente, guardandolo con attenzione, come se avesse voluto sorprendere al suo primo apparire l'espressione di disprezzo che temeva: “Io non sono come tu mi credi.”

“E cioè?”

“Non sono... insomma, non sono vergine.”

Marcello la guardò e capì improvvisamente che quel carattere normale che aveva sinora attribuito alla moglie, in realtà non esisteva. Non sapeva cosa si nascondesse sotto quell'inizio di confessione, ma sapeva ormai di certo che Giulia non era, secondo le sue parole, quale l'aveva creduta. Gli venne un senso di anticipata sazietà all'idea di quello che stava per udire e quasi un desiderio di rifiutare la confidenza. Ma doveva prima di tutto rassicurarla; e questo gli era facile, perché, quella famosa verginità, che ci fosse o non ci fosse, in realtà non gli importava nulla. Rispose in tono affettuoso: "Non preoccuparti... ti ho sposata perché ti volevo bene... e non perché eri vergine."

Giulia disse scuotendo il capo: "Lo sapevo che avevi una mentalità moderna... e che non ci avresti dato peso... ma dovevo dirtelo lo stesso." "Mentalità moderna," non poté fare a meno di pensare Marcello quasi divertito. La frase rassomigliava a Giulia e compensava la mancata verginità. Era una frase innocente seppure di un'innocenza diversa da quella che egli aveva supposto. Disse, prendendole una mano: "Suvvia, non pensiamoci più." E le sorrise.

Giulia gli rese il sorriso. Ma di nuovo, mentre gli sorrideva, le lagrime le riempirono gli occhi, e le sgorgarono sulle guance. Marcello protestò: "Su, su... che ti prende ora... se ti ho detto che non m'importa?"

Giulia ebbe un gesto singolare. Gli circondò il collo con le braccia ma stornò il viso contro il suo petto, piegandolo in basso in modo che Marcello non potesse vederlo. "Debbo dirti tutto."

"Tutto che cosa?"

"Tutto quello che mi è successo."

"Ma non importa."

"Ti prego... sarà una debolezza... ma se non te lo dico, mi pare che ti nasconderei qualche cosa."

"Ma perché?" disse Marcello accarezzandole i capelli. "Avrai avuto un amante... qualcuno a cui ti sembrava di voler bene... o al quale volevi bene veramente... perché dovrei saperlo?"

"No, non gli volevo bene," ella rispose subito quasi con dispetto, "e non ho mai creduto di volergli bene... siamo stati amanti si può dire fino al giorno che mi sono fidanzata con te... ma non era giovane come te... era un vecchio di sessant'anni: disgustoso, duro, cattivo, esigente... un amico di famiglia, tu lo conosci."

"Chi è?"

"L'avvocato Fenizio," ella disse brevemente.

Marcello sussultò: "Ma era uno dei testimoni..."

"Già, l'ha voluto per forza... io non avrei voluto, ma non

potevo rifiutare... è già molto che mi abbia permesso di sposarmi..."

Marcello ricordò che non aveva mai avuto simpatia per quell'avvocato Fenizio che gli era accaduto di incontrare molto spesso in casa di Giulia: un uomo piccolo, biondiccio, calvo, con gli occhiali d'oro, il naso a punta che si raggrinziva quando rideva, la bocca senza labbra. Un uomo, come ricordò pure, molto calmo e freddo, ma, pur dentro la sua calma e freddezza, aggressivo e petulante in una sua maniera spiacevole. E robusto: per il caldo un giorno si era tolto la giubba e aveva rimboccato le maniche della camicia mostrando le braccia bianche e grosse, gonfie di muscoli. "Ma che ci trovavi in lui?" non poté fare a meno di esclamare.

"È lui che ha trovato qualche cosa in me... e molto presto... sono stata sua amante non un mese o un anno, ma sei anni."

Marcello fece un rapido calcolo mentale: Giulia aveva adesso ventun anni o poco più, dunque... Stupito, ripeté: "Sei anni."

"Sì, sei anni... ne avevo quindici quando... mi capisci?" Giulia, come osservò, sebbene parlasse di cose che secondo ogni apparenza tuttora l'addoloravano, conservava il solito tono strascicato e bonario dei suoi più indifferenti pettegolezzi. "Lui si approfittò di me si può dire il giorno stesso che il povero papà morì... se non sarà stato il giorno stesso, sarà stata la settimana... del resto posso anche dirtela la data precisa: appena otto giorni dopo il funerale di mio padre... di cui, nota bene, lui era amico intimo e uomo di fiducia..." Ella tacque un momento, come per sottolineare col silenzio l'empietà dell'uomo; quindi proseguì: "La mamma non faceva che piangere e naturalmente andava molto in chiesa... lui venne una sera che ero sola in casa, la mamma era uscita e la donna era in cucina... io stavo in camera seduta al tavolino, intenta a scrivere il compito di scuola... frequentavo la quinta ginnasiale e mi preparavo per la licenza... lui entrò in punta di piedi, mi venne alle spalle, si chinò sul compito e mi domandò che cosa facessi... io glielo dissi, senza voltarmi... non avevo alcun sospetto, prima di tutto perché ero innocente, e questo puoi crederlo, come una bambina di due anni, e poi perché lui per me era quasi un parente... lo chiamavo zio, figurati... dunque gli dissi che stavo preparando il tema di latino e lui, sai che fece? Mi prese per i capelli, con una mano sola, ma forte...

lo faceva spesso, per gioco, perché avevo capelli magnifici, lunghi e ondulati, e lui diceva che gli tentavano le dita... sentendolo tirare, credetti anche questa volta ad uno scherzo e gli dissi: 'Lasciami, mi fai male...' ma lui, invece di lasciarmi, mi costrinse ad alzarmi in piedi e, sempre tenendomi a braccio teso, mi guidò verso il letto che stava come adesso, nell'angolo presso la porta... io, pensa, da tanto ero innocente, ancora non capivo... e gli dissi, ricordo: 'lasciami... debbo fare il compito...' in quel momento lui mi lasciò i capelli... ma no, non posso dirtelo..."

Marcello stava per chiederle di continuare, pensando che si vergognasse; ma Giulia che si era fermata soltanto per graduare gli effetti, riprese: "Sebbene non avessi ancora quindici anni, io ero già molto sviluppata, come una donna... be', non volevo dirtelo perché soltanto a parlarne mi fa ancora male... mi lasciò i capelli e mi afferrò al petto, ma così forte che non mi riuscì neppure di gridare e quasi svenni... forse svenni davvero... poi, dopo quella stretta, non so cosa sia successo: ero distesa sul letto e lui mi stava addosso e io avevo capito tutto, e mi era andata via tutta la forza ed ero come un oggetto tra le sue mani, passiva, inerte, senza volontà... così lui fece di me quello che volle... più tardi piangevo e lui, allora, per consolarmi mi disse che mi amava, che era pazzo di me, sai le solite cose... ma disse pure, per il caso che non mi fossi lasciata convincere, che non ne parlassi alla mamma se non volevo che lui ci rovinasse... pare che papà da ultimo avesse fatto degli affari sbagliati e che la nostra vita materiale dipendesse ormai da lui... dopo quel giorno tornò altre volte... ma senza regola... sempre quando non me l'aspettavo... entrava in camera mia in punta di piedi, si chinava su di me, mi domandava con voce severa: 'Hai fatto i compiti? No?... Allora vieni a farli con me...' e poi, al solito, mi prendeva per i capelli e mi conduceva a braccio teso fino al letto... ti dico, aveva proprio la passione di prendermi per i capelli," ella rise, al ricordo di questa abitudine dell'antico amante, quasi cordialmente, come si ride di un tratto caratteristico e amabile; "così andammo avanti quasi un anno... lui continuava a giurarmi che mi amava e che se non avesse avuto moglie e figli mi avrebbe sposata... e non dico che non fosse sincero... ma se mi voleva veramente bene come diceva, c'era una sola maniera di dimostrarmelo: lasciarmi stare... basta, dopo un anno, disperata, feci un tentativo per liberarmi: gli disse che non l'amavo e che non l'avrei mai amato, che non potevo andare avanti a quel modo, che non combinavo più niente e mi struggevo e non avevo passato la licenza e, se lui non mi lasciava, avrei dovuto abbandonare gli studi... e lui allora, figurati, andò a dire alla mamma che avendo capito il mio carattere, si era convinto che non ero tagliata per gli studi e che, siccome avevo ormai sedici anni, mi conveniva piuttosto lavorare... per cominciare mi offriva un posto di segretaria nel suo ufficio... hai capito?... naturalmente io resistetti più che potei, ma la mamma, poveretta, mi disse che ero un'ingrata, che lui ci aveva fatto e continuava a farci tanto bene, che non dovevo lasciarmi sfuggire un'occasione come quella, e alla fine, fui costretta ad accettare... una volta nello studio, tutto il giorno con lui, come puoi immaginare, non c'era neanche da pensarci di smettere... e così ricominciai e alla fine lui mi fece prendere l'abitudine e rinunziai a ribellarmi... sai come succede: mi pareva che per me non ci fosse più speranza, ero diventata fatalista... ma quando, un anno fa, tu mi dicesti che mi volevi bene, andai dritta da lui e gli dissi che questa volta era proprio finita... lui che è anche vile protestò, minacciando di andare da te e raccontarti ogni cosa... allora io sai che feci? Presi un tagliacarte aguzzo che aveva sulla scrivania e gli misi la punta alla gola dicendo: 'Se lo fai, ti ammazzo...' e poi gli dissi ancora: 'Lui saprà della nostra relazione... come è giusto... ma sarò io a dirglielo, non tu... tu da oggi per me non esisti più... e se soltanto provi a metterti tra me e lui io ti ammazzo... vado in galera ma ti ammazzo'... lo dissi con un certo tono che lui capì che parlavo sul serio... e da allora non fiatò più... salvo poi a vendicarsi scrivendo quella lettera anonima dove si parla di tuo padre..."

"Ah, era stato lui," non poté fare a meno di esclamare Marcello.

"Si capisce... riconobbi subito la carta e la macchina da scrivere." Ella tacque un momento, quindi, con subita ansietà, prendendo la mano a Marcello, soggiunse: "Ora ti ho raccontato tutto e mi sembra di star meglio... ma forse non avrei dovuto dirtelo, forse tu adesso non potrai più soffrirmi e mi odierai."

Marcello non rispose e per lungo tempo rimase silenzioso. Il racconto di Giulia non aveva destato nel suo animo né odio contro l'uomo che aveva abusato di lei né pietà di lei che aveva subito l'abuso. La stessa maniera apatica e ragionevole pur nell'espressione della ripugnanza e dello sdegno, con la quale ella aveva fatto il racconto, escludeva sentimenti così decisi come l'odio e la pietà. Così che lui stesso, come per contagio, si sentiva inclinato ad una considerazione non dissimile, mescolata di indulgenza e di rassegnazione. Semmai provava un senso di stupore tutto fisico, disgiunto da qualsiasi giudizio, come di una caduta in un vuoto imprevisto. E di rimbalzo, un rincrudimento della malinconia, di fronte a questa conferma inaspettata di una regola di decadenza cui, per un momento, aveva sperato che Giulia potesse fare eccezione. Ma, stranamente, non risultava intaccata la sua convinzione del carattere profondamente normale della persona di Giulia. La normalità, come capì ad un tratto, non consisteva tanto nel tenersi lontani da certe esperienze, quanto nel modo di valutarle. Il caso aveva voluto che così lui come Giulia avessero qualche cosa da nascondere nelle loro vite e, di conseguenza da confessare. Ma mentre lui si sentiva del tutto incapace di parlare di Lino, Giulia, invece, non aveva esitato a rivelargli i suoi rapporti con l'avvocato, scegliendo, per far questo, il momento più adatto, secondo le sue idee, ossia quello del loro matrimonio, che, nel suo concetto, doveva abolire il passato e dischiuderle un modo di vita del tutto nuovo. Questo pensiero gli fece piacere perché malgrado tutto, confermava la normalità di Giulia, consistente appunto nella capacità di riscattarsi coi mezzi soliti e così antichi della religione e degli affetti. Distratto da queste riflessioni, volgeva gli occhi al finestrino e non si accorgeva che il suo silenzio spaventava la moglie. Poi sentì che ella cercava di abbracciarlo e udì la voce di lei che gli domandava: "Non parli? Dunque è vero... ti faccio schifo... di' la verità: non puoi più soffrirmi e ti faccio schifo."

Marcello avrebbe voluto rassicurarla; e fece un movimento per voltarsi e renderle l'abbraccio. Ma un sussulto del treno sviò il gesto, così che, senza volerlo, egli la colpì con il gomito in viso. Giulia interpretò questa involontaria percossa come un gesto di ripulsa e si levò subito in piedi. Il treno in quel momento aveva imboccato una galleria, con un lungo fischio lamentoso e un ispessimento delle tenebre ai vetri dei finestrini. Nel fragore raddoppiato dall'eco delle volte, gli parve di udire come un lamento di pianto partire da Giulia, mentre, le braccia tese in avanti, barcollando e incespicando, si dirigeva verso la porta dello scompartimento. Sorpreso, senza alzarsi, la chiamò: "Giulia." La vide, per tutta risposta, sempre in quella maniera barcollante e dolorosa, aprire la porta e scomparire nel corridoio.

Per un momento rimase fermo, quindi, improvvisamente allarmato, si alzò e uscì anche lui. Lo scompartimento si trovava a metà del vagone, subito vide la moglie che si dirigeva in fretta, per il corridoio deserto, verso l'estremità dove era lo sportello di uscita. Gli tornò in mente, vedendola fuggire sul grosso tappeto soffice, tra le pareti di mogano, la frase che ella aveva detto al vecchio amante: "Se parli, ti ammazzo," e pensò che aveva forse sinora ignorato un aspetto del suo carattere scambiando la sua bonomia per ignavia. Nello stesso momento la vide chinarsi, armeggiare con le maniglie dello sportello. Di un balzo la raggiunse e la prese per le braccia costringendola a rialzarsi.

"Ma che fai Giulia?" domandò con voce bassa, pur tra il fragore del treno. "Che hai creduto? È stato il treno... volevo voltarmi e invece ti ho fatto male."

Ella si era irrigidita tra le sue braccia, come disponendosi a dibattersi. Ma alla sua voce così tranquilla e sinceramente sorpresa, parve subito calmarsi. Disse dopo un momento, chinando il capo: "Scusami, forse mi sono sbagliata, ma ho avuto l'impressione che tu mi odiassi e allora mi è venuto il desiderio di farla finita... non era un gesto, se tu non fossi arrivato l'avrei fatto davvero."

"Ma perché... che ti è venuto in mente?"

La vide scrollare le spalle: "Così, per non fare altre fatiche... per me sposarmi è stato molto più importante di quanto non credi... quando mi è sembrato di capire che non potevi più soffrirmi, ho pensato: non ce la faccio più..." Ella scrollò di nuovo le spalle e soggiunse, levando finalmente il viso verso di lui e sorridendogli: "Pensa, saresti rimasto vedovo appena sposato."

Marcello la guardò un momento senza parlare. Evidentemente, come pensò, Giulia era sincera: ella aveva veramente dato al matrimonio molta più importanza di quanto egli non potesse immaginare. Allora, con un senso di stupore, capì che la frase dimessa indicava una partecipazione complessa al rito nuziale il quale per Giulia, a differenza di lui, era stato davvero quel che doveva essere, né più né meno. Così non era sorprendente che, dopo una dedizione tanto passionale, alla prima delusione, ella avesse pensato di uccidersi. Egli si disse che era quasi un ricatto questo di Giulia: o tu mi perdoni o io mi uccido; e una volta di più provò sollievo trovandola così simile a come l'aveva desiderata. Giulia si era voltata di nuovo e sembrava guardare, adesso, al finestrino. Egli le cinse la vita e le mormorò all'orecchio: "Lo sai che ti amo."

Subito ella si voltò e lo baciò con una passione così impetuosa che Marcello quasi si spaventò. A quel modo, pensò, certe devote baciavano nelle chiese i piedi delle statue, le croci, le reliquie. Intanto il fragore della galleria si spegneva nel solito battito veloce delle ruote che correvano all'aria libera; ed essi si separarono.

Poi restarono l'uno accanto all'altro, davanti il finestrino, la mano nella mano, contemplando l'oscurità della notte. "Guarda," disse finalmente Giulia con voce normale, "guarda laggiù... che sarà? Un incendio?"

Effettivamente, un fuoco, simile ad un fiore rosso, brillava adesso nel mezzo del vetro buio. Marcello disse: "Chissà," e abbassò il finestrino. Scomparve dalla notte la lucentezza specchiante del vetro, il vento freddo della corsa gli soffiò in viso, ma il fiore rosso rimase, non si capiva bene se lontano o vicino, se alto o basso, sospeso misteriosamente nelle tenebre. Allora, dopo aver guardato a lungo quei quattro o cinque petali di fuoco che sembravano muoversi e palpitare, egli rivolse gli occhi verso la scarpata della strada ferrata sulla quale, insieme con la sua ombra e quella di Giulia, scorrevano le deboli luci del treno e provò improvvisamente una sensazione di acuto smarrimento. Perché era in quel treno? E chi era la donna che stava al suo fianco? E dove andava? E chi era lui stesso? E donde veniva? Non soffriva di questo smarrimento, al contrario gli piaceva come un sentimento che gli era familiare e costituiva forse, il fondo stesso dell'essere suo più intimo. "Ecco," pensò freddamente, "io sono come quel fuoco, laggiù nella notte... divamperò e mi spegnerò senza ragione, senza seguito... un po' di distruzione sospesa nel buio."

Trasalì alla voce di Giulia che l'avvertiva: "Guarda, debbono aver già preparato i letti" e capì che per lei, mentre lui si perdeva nella contemplazione di quel fuoco lontano, la questione era pur sempre il loro amore; o meglio, più precisamente, l'unione prossima dei loro due corpi: ciò, insomma, che stava facendo in quel momento e nient'altro. Ella si era già avviata, non senza una specie di contenuta impazienza, verso lo scompartimento; e Marcello la seguì a qualche distanza. Indugiò sulla soglia per lasciarne uscire il controllore, quindi entrò a sua volta. Giulia, in piedi davanti allo specchio, noncurante della porta ancora aperta, si toglieva la camicetta sbottonandola dal basso in alto. Gli disse senza voltarsi: "Tu prendi la cuccetta di sopra... io mi metterò in quella di sotto."

Marcello chiuse la porta, si arrampicò sulla cuccetta e cominciò subito a spogliarsi, mettendo via via i panni sulle reti. Nudo, sedette sulle coperte, le ginocchia tra le braccia, aspettando. Udì Giulia muoversi, un bicchiere tintinnare nel sostegno di metallo, una scarpa cadere sul tappeto del pavimento, altri rumori. Poi, con uno scatto secco, le lampade più forti si spensero, subentrando il chiarore violetto della veglia; e la voce di Giulia disse: "Vuoi venire?" Marcello sporse le gambe in fuori, si girò, posò un piede sulla cuccetta di sotto, piegandosi da parte per entrarvi. In questo gesto vide Giulia ignuda, supina, un braccio sugli occhi, le gambe tese e divaricate. Nella luce bassa e falsa, il corpo appariva di una fredda bianchezza madreperlacea, macchiato di nero all'inguine e alle ascelle, di rosa scuro sul petto; e si sarebbe detto esanime, oltre che per questa pallidezza mortuaria, anche per la perfetta, abbandonata immobilità. Ma come Marcello le fu sopra, ella si riscosse tutta ad un tratto, con un sussulto violento di tagliola che scatti e si chiuda, e l'attirò a sé gettandogli le braccia al collo, aprendo le gambe e riunendogli i piedi sulla schiena. Più tardi lo respinse con durezza e si rannicchiò contro la parete, tutta raccolta sopra se stessa, la fronte contro le ginocchia. E Marcello, giacendole a lato, comprese che ciò che ella gli aveva sottratto con tanta furia e poi aveva chiuso e serbato con tanta gelosia nel proprio ventre, non gli apparteneva più, e sarebbe cresciuto in lei... E questo, come pensò, egli l'aveva fatto per potersi dire, almeno una volta: "Sono stato un uomo simile a tutti gli altri uomini... ho amato, mi sono congiunto ad una donna e ho generato un altro uomo."

II

Appena gli parve che Giulia si fosse addormentata, Marcello si levò dal letto, mise i piedi in terra e incominciò a vestirsi. La camera era immersa in una penombra fresca e trasparente, che lasciava indovinare la bella luce di giugno nel cielo e sul mare: proprio una camera di albergo in Riviera, alta e bianca, decorata di stucchi azzurri in forma di fiori, di steli e di foglie, coi mobili di legno chiaro dello stesso stile floreale degli stucchi, e, in un angolo, una grande palma verde. Come si fu vestito, andò in punta di piedi alle persiane e le scostò guardando di fuori. Subito gli apparve il mare, disteso e sorridente, reso più vasto dalla limpidezza perfetta dell'orizzonte, di un azzurro quasi violento, che ad una leggera brezza, pareva accendersi, per ogni onda, di un minimo scintillante fiore di luce solare. Marcello abbassò gli occhi dal mare alla passeggiata: era deserta, nessuno sedeva sulle panchine disposte faccia al mare, all'ombra delle palme; nessuno camminava sull'asfalto grigio e pulito. Osservò un lungo momento questa vista, quindi riaccostò le persiane e si voltò a guardare Giulia distesa sul letto. Ella era nuda e dormiva. La posizione del corpo reclinato da una parte, sollevava in alto la rotondità pallida e ampia del fianco, dal quale il torso, come il fusto di una pianta appassita da un vaso, pareva pendere floscio e senza vita. Schiena e fianchi, come Marcello sapeva, erano la sola parte solida e tesa di quel corpo; dall'altro lato, invisibile ma presente alla memoria, c'era la mollezza del ventre traboccante in pieghe tenere sul letto, delle mammelle tirate giù dal peso, l'una sull'altra. La testa, nascosta dalla spalla, non si vedeva;

e Marcello, ricordando di aver posseduto la moglie pochi minuti prima, ebbe ad un tratto la sensazione di guardare non ad una persona ma ad una macchina di carne, bella e amabile, ma brutale, fatta per l'amore e soltanto per esso. Come destata dai suoi sguardi senza pietà, ella si mosse ad un tratto sospirando profondamente e disse, poi, con voce chiara: "Marcello." Egli si avvicinò sollecito rispondendo con affetto: "Sono qui." La vide voltarsi, trasferendo pesantemente da una parte all'altra quel suo peso di carne femminile, levare le braccia alla cieca, cingergli i fianchi. Poi, con il viso offuscato dai capelli, in una frizione lenta e tenace del naso e della bocca, cercargli l'inguine. Glielo baciò con una specie di umile e appassionato feticismo, rimase un momento immobile, abbracciata a lui, ricadde sul letto, vinta dal sonno, il viso avvolto nei capelli. Ora ella dormiva di nuovo, nella stessa posizione di prima, soltanto che aveva cambiato lato essendo passata dal fianco destro a quello sinistro. Marcello prese la giubba dall'attaccapanni, andò in punta di piedi alla porta e uscì nel corridoio.

Discese la larga scala sonora, varcò la soglia dell'albergo e uscì sulla passeggiata. Il sole, riverberato dal mare in aguzzi scintillii, lo abbagliò un momento; chiuse gli occhi e allora, come richiamato dall'oscurità, lo colpì alle narici l'odore acuto dell'orina di cavallo. Le carrozze erano là, dietro l'albergo in una striscia d'ombra, tre o quattro in fila, con i cocchieri addormentati a cassetta e i sedili ricoperti di fodere bianche. Marcello andò alla prima carrozza e salì dicendo ad alta voce l'indirizzo "Via dei Glicini." Vide il cocchiere lanciargli una breve occhiata significativa e poi, senza dir parola, frustare il cavallo.

La carrozza rotolò un buon tratto per il lungomare, poi entrò in una breve strada di ville e di giardini. In fondo alla strada si alzava la collina ligure, bardata di vigne, luminosa, punteggiata di ulivi grigi, con qualche alta casa rossa dalle finestre verdi ritta sul pendio. La strada andava dritta verso il fianco della collina; ad un tratto i marciapiedi e l'asfalto cessarono, cedendo il luogo ad una specie di tracciato erboso. La carrozza si fermò e Marcello levò gli occhi: in fondo ad un giardino si vedeva una casa di tre piani, grigia, con un tetto nero di scaglie di ardesia e le finestre a mansarda. Il cocchiere disse seccamente: "È qui," prese il denaro e voltò in fretta il cavallo. Marcello pensò che fosse offeso di aver dovuto portarlo in quel luogo; ma forse, come rifletté, spingendo il cancello, attribuiva all'uomo la ripugnanza che provava lui stesso.

Percorse il vialetto, tra due siepi di pitosfori polverosi, dirigendosi verso la porta dai vetri colorati. Aveva sempre odiato queste case e non vi era stato che due o tre volte, negli anni dell'adolescenza, riportandone ogni volta un senso di ribrezzo e di pentimento come di cosa indegna e che non avrebbe dovuto fare. Con cuore nauseato, salì i due o tre gradini, spinse la porta a vetri scatenando una suoneria pettegola ed entrò in un vestibolo pompeiano, davanti una scala dalla balaustrata di legno. Riconobbe il lezzo dolciastro di cipria, di sudore e di seme maschile; la casa era immersa nel silenzio e nel torpore del pomeriggio estivo. Mentre si guardava intorno, sbucata non capì da dove, una specie di cameriera vestita di nero, col grembiale bianco legato alla cintura, piccola, svelta, il viso aguzzo di furetto ravvivato da due occhi brillanti, gli si parò davanti con un "buongiorno" squillante, pronunziato con voce allegra. "Debbo parlare alla padrona," egli disse togliendosi il cappello con forse eccessiva urbanità. "Sì, bel toso, gli parlerai," rispose la donna in dialetto, "ma intanto va' in sala... la padrona verrà... entra là dentro." Marcello offeso da quel tu e dall'equivoco si lasciò tuttavia spingere verso una porta socchiusa. Gli apparve, in una rada penombra, la sala comune, lunga e rettangolare, deserta, coi divanetti foderati di stoffa rossa allineati torno torno le pareti. Il pavimento era polveroso come quello di una sala di aspetto di stazione; anche la stoffa dei divani, lisa e sudicia, confermava lo squallore del luogo pubblico dentro l'intimità e segretezza della casa. Marcello, incerto, sedette su uno di quei divani. Nello stesso momento, simile ad un ventre i cui visceri, dopo una lunga immobilità, si scarichino ad un tratto del loro peso, ci fu in tutta la casa come un disgregamento, un acciottolio, una discesa rovinosa di piedi per la scala di legno. E poi ciò che aveva temuto avvenne. La porta si aprì e la voce petulante della cameriera annunziò: "Ecco le signorine... tutte per te."

Entrarono neghittose, svogliate, alcune seminude, altre più vestite, due brune e tre bionde, tre di media statura, una decisamente piccola e una enorme. Quest'ultima venne a sedersi accanto a Marcello, lasciandosi cadere di sfascio sul divano con un sospiro di affaticata soddisfazione. Egli stornò dapprima il viso, quindi, affascinato, si voltò un poco e la guardò. Era proprio enorme, di forma piramidale, coi fianchi più larghi della vita, la vita più larga delle spalle e le spalle più larghe del capo, esiguo questo, con un viso camuso e una treccia nera girata intorno la fronte. Un reggipetto di seta gialla le fasciava le mammelle gonfie e basse; sotto l'ombelico, la gonna rossa si apriva largamente, come un sipario, sullo spettacolo dell'inguine nero e delle massicce cosce bianche. Vedendosi osservata, ella sorrise allusivamente ad una sua compagna seduta contro la parete di fronte, trasse un sospiro, e poi passò una mano tra le gambe come per allargarle e avere meno caldo. Marcello irritato da questo inerte impudore, avrebbe voluto tirar via la mano che essa andava sfregandosi sotto il ventre; ma non ebbe la forza di muoversi. Ciò che lo colpiva di più in questo bestiame femminile era il carattere irreparabile dello scadimento; lo stesso che lo faceva fremere di orrore davanti alla nudità materna e alla pazzia paterna; e che era all'origine del suo amore quasi isterico per l'ordine, la calma, il nitore, la compostezza. Finalmente, la donna disse con voce benevola e scherzosa, volgendosi verso di lui: "Allora non ti piace il tuo *harem*?... Ti decidi?"; e subito, in un impulso di disgusto frenetico, egli si alzò e uscì di corsa dalla sala, salutato, come gli parve, da una risata e da qualche frase, oscena, in dialetto. Furioso, si diresse verso la scala, pensando di salire al piano superiore e andarvi in cerca della padrona, ma in quel momento, alle sue spalle, si scatenò di nuovo la suoneria della porta e, come si voltò, vide sulla soglia la figura stupita e, ai suoi occhi, in quel frangente, quasi paterna, dell'agente Orlando...

"Dottore, buongiorno... ma dove andate, dottore?" esclamò subito l'agente, "Non è mica di sopra che dovete andare."

"Veramente," disse Marcello fermandosi e calmandosi ad un tratto, "credo che mi abbiano scambiato per un cliente..."

"Donne stupide," disse l'agente scrollando il capo, "venite con me, dottore... vi ci porto io... siete atteso, dottore."

Egli precedette Marcello attraverso la porta a vetri, nel giardino. Percorsero, camminando uno dietro l'altro, il vialetto dei pitosfori, girarono dietro la villa. Il sole bruciava questa parte del giardino, in un ardore asciutto e acre di polvere e di vegetazione inselvatichita. Marcello notò che tutte le persiane della villa erano chiuse, come se fosse disabitata; anche il giardino, pieno di erbacce, pareva abbandonato. L'agente ora si dirigeva verso una bassa costruzione bianca che occupava tutto il fondo del giardino. Marcello ricordò di aver osservato casette come questa, in fondo a giardini e dietro ville simili, nei luoghi balneari: d'estate, affittandosi la villa, i proprietari vi si ritiravano, restringendosi, per amore del guadagno, in un paio di stanze. L'agente, senza bussare, aprì la porta e si affacciò annunciando: "Ecco il dottor Clerici."

Marcello si fece avanti, e si trovò in una piccola stanza arredata sommariamente da ufficio. L'aria era densa di fumo; al tavolo sedeva un uomo, le mani riunite, il viso rivolto verso di lui. L'uomo era albino; il volto aveva una trasparenza lucida e rosata di alabastro, punteggiata di lentiggini gialle; gli occhi erano di un azzurro acceso, quasi rosso, con ciglia bianche, simili a quelli di certe fiere che vivono tra le nevi del polo. Avvezzo al contrasto sconcertante tra il melenso stile burocratico e le mansioni spesso feroci di tanti suoi colleghi del Servizio Segreto, Marcello non poté fare a meno di dirsi che almeno costui era perfettamente al suo posto. C'era più che crudeltà in quel viso spettrale: quasi una specie di furore spietato contenuto però nella rigidezza convenzionale di un atteggiamento militare. Dopo un momento di immobilità imbarazzante l'uomo si alzò bruscamente rivelando la sua piccola statura: "Gabrio." Quindi sedette subito e proseguì in tono ironico: "Eccovi, dunque, finalmente, dottor Clerici."

Aveva una voce metallica, sgradevole. Marcello senza aspettare che gli fosse offerto, sedette a sua volta e disse: "Sono arrivato stamani."

"E stamani vi aspettavo infatti."

Marcello esitò: doveva dirgli che era in viaggio di nozze? Decise di no e finì pacatamente: "Non mi è stato possibile presentarmi prima."

"Lo vedo," disse l'uomo. Spinse verso Marcello la scatola delle sigarette con un "fumate?" senza amenità; quindi prese a leggere a testa bassa su un foglio di carta posato sul tavolo. "Mi lasciano qui, in questa casa forse ospitale ma per nulla segreta, senza informazioni, senza direzioni, senza denaro quasi... ecco qua." Lesse un lungo momento ancora e poi, alzando il viso, soggiunse: "A Roma vi era stato detto di venire a trovarmi, nevvero?"

"Sì, l'agente che mi ha introdotto qui, venne ad avvertirmi che dovevo interrompere il viaggio e presentarmi da voi."

"Proprio così." Gabrio si tolse la sigaretta dalla bocca e la depose con precauzione sull'orlo del portacenere. "All'ultimo momento, a quanto pare, hanno cambiato idea... il programma è mutato."

Marcello non batté ciglio; ma, venuta non sapeva da dove, sentì un'onda di sollievo e di speranza investirlo, gonfiargli l'animo: forse gli sarebbe stato consentito di sdoppiare il viaggio, ridurlo ai suoi motivi apparenti: le nozze, Parigi. Disse, tuttavia, con voce chiara: "E cioè?"

"E cioè, il piano è modificato e di conseguenza, anche la vostra missione," continuò Gabrio. "Il nominato Quadri andava sorvegliato, voi dovevate entrare in rapporti con lui, ispirargli fiducia, farvi dare magari da lui qualche incarico... invece, nell'ultima comunicazione di Roma, il Quadri è designato come persona incomoda da sopprimere." Gabrio riprese la sigaretta, ne aspirò una boccata, la riposò sul portacenere. "In sostanza," spiegò in tono più discorsivo, "la vostra missione è ridotta a quasi nulla... vi limiterete a mettervi in contatto col Quadri, valendovi del fatto che già lo conoscete e a indicarlo all'agente Orlando che si reca anche lui a Parigi... potrete, magari, invitarlo in qualche luogo pubblico dove si troverà anche Orlando: un caffè, un ristorante... basterà che Orlando lo veda con voi e si assicuri della sua identità... questo è quanto vi si richiede... poi potrete dedicarvi al vostro viaggio di nozze come meglio vi aggrada."

Dunque Gabrio sapeva anche lui del viaggio di nozze, pensò Marcello stupito. Ma questo primo pensiero, come si accorse subito, non era che una maschera affettata con la quale il suo animo cercava di nascondere a se stesso il proprio turbamento. In realtà Gabrio gli aveva rivelato qualche cosa di più importante della conoscenza del viaggio di nozze: la decisione di sopprimere Quadri. Con sforzo violento, si costrinse ad esaminare obbiettivamente questa straordinaria e funesta novità. E subito fece una constatazione fondamentale: per sopprimere Quadri, la sua presenza e il suo concorso a Parigi non erano affatto necessari; l'agente Orlando poteva benissimo trovare e identificare da solo la sua vittima. In realtà, come pensò, si voleva legarlo ad una complicità effettiva, seppure non necessaria, compromettere a fondo e una volta per sempre. Quanto poi al cambiamento di piano, non c'era dubbio che esso fosse soltanto apparente. Certamente, al momento della sua visita al ministero, il piano or ora esposto da Gabrio, era già stato deciso e definito in tutti i particolari; e l'apparente cambiamento era dovuto alla cura caratteristica di dividere e confondere le responsabilità. Né lui né probabilmente Gabrio avevano ricevuto ordini scritti; in tal modo, in caso di sviluppi sfavorevoli, il ministero avrebbe potuto proclamare la propria innocenza; e la colpa dell'assassinio sarebbe ricaduta su lui, su Gabrio, su Orlando, e sugli altri esecutori materiali.

Egli esitò e poi, per guadagnar tempo, obbiettò: "Mi sembra che Orlando non abbia bisogno di me per trovare Quadri... credo che sia persino nel libro dei telefoni."

"Questi sono gli ordini," disse Gabrio con prontezza quasi precipitosa, come se avesse preveduto la obbiezione.

Marcello abbassò il capo. Si rendeva conto di essere stato attirato in una specie di tranello; e che avendo offerto un dito, adesso, con un sotterfugio, gli si prendeva il braccio, ma, stranamente, passata la prima sorpresa, si accorgeva di non provare alcuna vera ripugnanza per il cambiamento di piano; bensì soltanto un senso di rassegnazione testarda e malinconica, come di fronte ad un dovere che per diventare più ingrato, restava tuttavia inalterato e inevitabile. L'agente Orlando, probabilmente, non era consapevole del meccanismo interno di questo dovere, lui sì, ma a questo si limitava tutta la differenza. Né lui né Orlando potevano sottrarsi a quelli che Gabrio chiamava gli ordini e che erano in realtà condizioni personali ormai consolidate, fuori delle quali, per ambedue, non c'erano che disordine e arbitrio. Disse, finalmente, rialzando il capo: "E va bene... e dove troverò Orlando, a Parigi?"

Gabrio rispose gettando uno sguardo al solito foglio di carta, sul tavolo: "Dite voi il vostro recapito... Orlando vi cercherà."

Così, non poté fare a meno di pensare Marcello, non si fidavano del tutto di lui e, comunque, non stimavano opportuno rivelargli il recapito dell'agente a Parigi. Egli disse il nome dell'albergo in cui sarebbe disceso e Gabrio l'appuntò in calce al foglio. Egli soggiunse in tono più affabile, quasi a indicare che la parte ufficiale della visita era finita: "Siete mai stato a Parigi?"

"No, è la prima volta."

"Io ci sono stato due anni prima di finire in questo ɔuco," disse Gabrio con una sua amarezza burocratica, "una volta che si è stati a Parigi anche Roma sembra una borgata... figuratevi un luogo come questo." Accese una sigaretta con il mozzicone e soggiunse con arida vanteria: "A Parigi stavo sul velluto... appartamento, automobile, amicizie, relazioni femminili... sapete, sotto quest'ultimo aspetto Parigi è l'ideale." Marcello, sebbene con ripugnanza, credette di dover secondare in qualche modo l'affabilità di Gabrio e disse: "Eppure con questa casa, qui accanto, non ci si deve annoiare."

Gabrio scosse la testa: "Peuh, cosa volete divertirvi con quella carnaccia da coscritti a un tanto al chilo... no," soggiunse, "la sola risorsa qui è il casinò... voi giocate?"

"No, mai."

"Eppure è interessante," disse Gabrio tirandosi indietro sulla seggiola, come per significare che il colloquio era finito. "La fortuna può sorridere a chiunque, a me come a voi... non per nulla è femmina... tutto sta ad acciuffarla a tempo." Egli si alzò, andò alla porta e la spalancò. Era veramente piccolo, come osservò Marcello, con le gambe corte e il busto rigido chiuso in una giacca verde di colore e di taglio militare. Gabrio stette un momento fermo, guardando Marcello, in un raggio di sole che sembrava accentuare la trasparenza della sua pelle lucida e rosea, quindi disse: "Suppongo che non ci vedremo più... voi, dopo Parigi, tornate direttamente a Roma."

"Sì, quasi certamente."

"Avete bisogno di nulla?" domandò ad un tratto Gabrio a malincuore. "Vi hanno fornito di fondi?... Non ho molto qui con me... ma se avete bisogno di qualche cosa..."

"No, grazie, non ho bisogno di nulla."

"Allora buona fortuna e in bocca al lupo."

Si strinsero la mano e Gabrio, in fretta, chiuse l'uscio della casetta. Marcello si avviò verso il cancello.

Ma come fu nel viale dei pitosfori, si accorse che nella furia della fuga dalla sala comune, vi aveva dimenticato il cappello. Esitò, gli ripugnava rientrare in quello stanzone che puzzava di scarpe, di cipria e di sudore e temeva d'altra parte i frizzi e le lusinghe delle donne. Poi si decise, tornò indietro e spinse la porta scatenando la solita suoneria.

Questa volta nessuno apparve, né la cameriera dal viso di furetto né alcuna delle ragazze. Ma udì giungere dalla sala comune, attraverso la porta aperta, la voce ben nota, grossa e bonaria, dell'agente Orlando; e, incoraggiato, si affacciò sulla soglia.

La sala era vuota; l'agente sedeva nell'angolo della porta accanto ad una donna che Marcello non ricordò di aver notato tra quelle che si erano presentate al suo primo ingresso. L'agente le girava, con un goffo gesto confidenziale, un braccio intorno la vita, e non si curò di ricomporsi all'apparire di Marcello. Impacciato, vagamente irritato, egli stornò gli occhi da Orlando e li rivolse alla donna.

Ella sedeva rigidamente, quasi avesse voluto in qualche modo respingere o almeno allontanare il compagno. Era bruna, con la fronte alta e bianca, gli occhi chiari, il viso lungo e magro, la bocca grande, ravvivata da uno scuro rossetto e di espressione forse sdegnosa. Era vestita in maniera quasi normale: un abito di seta scollato, sbracciato, bianco. Solo lenocinio, la spaccatura della gonna che si apriva poco sotto la vita, scoprendo il ventre e le gambe accavallate, lunghe, asciutte ed eleganti, di una bellezza casta di danzatrice. Stringeva la sigaretta accesa tra due dita, ma non fumava: la mano era posata sul bracciuolo del divano, il fumo saliva nell'aria. L'altra mano, la teneva abbandonata sul ginocchio dell'agente come, pensò Marcello, sulla testa fedele di un grosso cane. Ma ciò che lo colpì di più fu la fronte, non tanto bianca quanto illuminata in maniera misteriosa dall'espressione intensa degli occhi: una purezza di luce che gli fece pensare ad uno di quei diademi di brillanti di cui, un tempo, le donne si incoronavano ai balli di gala. Lo sguardo di Marcello si prolungava, attonito; e pur guardando, egli si accorgeva di provare non sapeva che doloroso senso di rammarico e di dispetto. Intanto, intimidito da quello sguardo insistente, Orlando si era alzato.

"Il mio cappello," disse Marcello. La donna era rimasta seduta e lo guardava, adesso, a sua volta, senza curiosità. L'agente, sollecito, andò attraverso la sala a prendere il cappello su un divano distante. Allora, improvvisamente, Marcello capì perché la vista della donna gli aveva ispirato quel doloroso sentimento di rammarico: in realtà, come si accorse, egli non voleva che ella facesse il piacere dell'agente e vederla subirne l'abbraccio l'aveva fatto soffrire come di fronte ad una profanazione intollerabile. Certamente ella non sapeva nulla della luce che le raggiava sulla fronte e che non le apparteneva come non appartiene, in genere, la bellezza a chi è bello. Tuttavia gli pareva quasi suo dovere impedirle di inchinare quella fronte luminosa a soddisfare i capricci erotici di Orlando. Per un momento, pensò di valersi della propria autorità, per portarla via dalla sala: avrebbero chiacchierato un poco e poi, appena fosse stato ben sicuro che l'agente si era scelta un'altra donna, se ne sarebbe andato. Pensò pure, pazzamente, di toglierla dalla casa di tolleranza e avviarla ad un altro genere di vita. Ma pur pensando queste cose, si rendeva conto che erano fantasie: ella non poteva non essere simile alle sue compagne, come loro irreparabilmente e quasi innocentemente guasta e perduta. Poi si sentì toccare il braccio: Orlando gli porgeva il cappello. Macchinalmente lo prese.

Ma l'agente aveva avuto il tempo di riflettere su quel singolare sguardo di Marcello. Egli fece un passo avanti e indicando la donna, un po' come si indicherebbe un cibo o una bevanda a un ospite di riguardo, propose: "Dottore se lei vuole, se questa le piace... io posso anche aspettare."

Dapprima Marcello non capì. Poi vide il sorriso di Orlando insieme rispettoso e malizioso e sentì di arrossire fino alle orecchie. Così Orlando non rinunziava, si adattava soltanto, per cortesia di compagno e disciplina di inferiore, a farlo passare avanti: proprio come al banco di un bar o alla tavola di un buffet. Marcello disse in fretta: "Ma lei è matto Orlando... faccia quello che crede, io debbo andar via."

"In tal caso, dottore," disse l'agente con un sorriso. Marcello lo vide fare un cenno di richiamo alla donna e poi, con dolore, vide la donna, a quel cenno, subito alzarsi, ubbidiente, e, alta e dritta, col suo diadema di luce sulla fronte, senza esitare né protestare, con semplicità professionale, venire incontro all'agente. Questi disse a Marcello: "Dottore, noi ci vediamo presto," e si fece da parte per lasciar passare la donna. Anche Marcello, quasi suo malgrado, si tirò indietro; e lei si avviò tra i due, senza fretta, la sigaretta tra le dita. Ma come fu davanti a Marcello si fermò un istante e disse: "Se mi vuoi, mi chiamo Luisa." La voce, come egli aveva temuto, era grossa e rauca, priva di gentilezza; a queste parole Luisa credette di dovere aggiungere un gesto di lusinga, tirando fuori la lingua e leccandosi il labbro superiore. Parve a Marcello che parole e gesto lo sollevassero in parte dal rimorso di non averle impedito di andarsene con Orlando. Intanto la donna, sempre precedendo l'agente, era giunta alla scala. Ella gettò in terra la sigaretta accesa, la schiacciò col piede, sollevò con le due mani la gonna e prese a salire in fretta, seguita, uno scalino più in basso, da Orlando. Finalmente scomparvero dietro l'angolo del pianerottolo. Qualcuno adesso, probabilmente una delle ragazze e il suo cliente, discendevano la scala chiacchierando. Marcello uscì in fretta dalla casa.

III

Dopo avere incaricato il portiere dell'albergo di chiamargli il numero di Quadri, Marcello andò a sedersi in un angolo dell'atrio. Era un albergo grande e l'atrio era molto vasto, con colonne che ne sostenevano le volte, gruppi di poltrone, vetrine in cui erano esposti manufatti di lusso, scrivanie e tavoli; molta gente andava e veniva dall'ingresso alla gabbia dell'ascensore, dal banco del portiere a quello della direzione, dall'uscio del ristorante ai salotti che si aprivano oltre le colonne. Marcello avrebbe voluto distrarsi, nell'attesa, con lo spettacolo di quest'atrio così allegro e popolato, ma come tirato giù verso il fondo della memoria dall'angoscia presente, il pensiero gli si volse, quasi suo malgrado, alla prima e sola visita che aveva fatto a Quadri molti anni prima. Marcello era allora studente e Quadri era il suo professore: egli si era recato alla casa di Quadri, un vecchio palazzo rosso nei pressi della stazione, per consultarlo sulla tesi di laurea. Appena entrato, Marcello era stato colpito dall'enorme quantità di libri accumulati in ogni angolo dell'appartamento. Già nell'anticamera, aveva notato certe vecchie tende che parevano nascondere usci; ma, scostandole, aveva scoperto file e file di libri allineati dentro rientranze delle pareti. La cameriera l'aveva preceduto per un lunghissimo e tortuoso corridoio che sembrava girare intorno il cortile del palazzo e anche il corridoio, da ambo le parti, era ingombrato da scaffali pieni di libri e di carte. Finalmente, introdotto nello studio di Quadri, Marcello si era trovato tra quattro pareti anch'esse fittamente gremite di libri, dal pavimento fino al soffitto. Altri libri erano sulla scrivania, disposti l'uno sull'altro in due cataste ordinate, tra le quali, come ad una feritoia, si affacciava il viso barbuto del professore. Marcello aveva subito notato che Quadri aveva un viso curiosamente piatto e asimmetrico, simile ad una maschera di cartapesta dagli occhi orlati di rosso e dal naso triangolare, alla quale, sulla parte inferiore, fossero stati incollati in maniera sommaria una barba e un paio di baffi posticci. Anche sulla fronte, i capelli troppo neri e come madidi suggerivano l'idea di una parrucca male applicata. Tra i baffi a spazzola e la barba a scopetto, ambedue di una nerezza sospetta, si intravvedeva una bocca molto rossa, dalle labbra informi; e Marcello non aveva potuto fare a meno di pensare che tutto quel pelo maldistribuito nascondesse qualche deformità come, per esempio, una completa mancanza di mento oppure una spaventosa cicatrice. Era, insomma, un viso in cui non c'era nulla di sicuro e di vero, tutto falso, proprio una maschera. Il professore si era alzato per accogliere Marcello e in questo gesto aveva rivelato la sua piccola statura e la gobba o, meglio, la deformazione della spalla sinistra, che aggiungeva un'aria dolorosa alla eccessiva dolcezza e affettuosità dei modi. Stringendogli la mano attraverso i libri, Quadri, con gesto di miope, aveva guardato il visitatore al disopra delle forti lenti; così che per un momento Marcello aveva avuto l'impressione di essere scrutato non da due ma da quattro occhi. Aveva anche notato lo stile antiquato del vestito di Quadri: giacca da finanziere, nera, con risvolti di seta, pantaloni a righe neri anch'essi, camicia bianca col collo e i polsini inamidati, catena d'oro sul panciotto. Marcello non aveva alcuna simpatia per Quadri: lo sapeva antifascista e, nella sua mente l'antifascismo di Quadri, il suo aspetto imbelle, malsano e laido, la sua erudizione, i suoi libri, tutto insomma, gli pareva che contribuisse a formare l'immagine convenzionale e continuamente additata al disprezzo dalla propaganda del partito, dell'intellettuale negativo e impotente. D'altra parte, la straordinaria dolcezza di Quadri ripugnava a Marcello come un tratto di falsità: gli pareva impossibile che un uomo potesse essere così dolce senza menzogna e senza secondi fini.

Quadri aveva accolto Marcello con le solite espressioni di affettuosità quasi smancerosa. Spesso intercalando parole come: "caro figliuolo," "figliuolo mio," "figliuolo caro," agitando sopra i libri le piccole mani bianche, gli aveva mosso una quantità di domande prima sulla sua famiglia e poi su di lui personalmente. Alla notizia che il padre di Marcello era ricoverato in una clinica per malattie mentali, aveva esclamato: "Oh povero figliuolo, non lo sapevo, che sventura, che terribile sventura... e la scienza non può far nulla per ricondurlo alla ragione?" Ma non aveva ascoltato la risposta di Marcello ed era passato subito ad un altro argomento. Aveva una voce di gola, modulata e armoniosa, dolcissima, piena di apprensiva sollecitudine. Curiosamente, però, attraverso questa sollecitudine così svenevole e dichiarata, come una filigrana nella trasparenza di una carta, Marcello aveva creduto di indovinare una completa indifferenza: Quadri, nonché interessarsi veramente a lui, forse non lo vedeva neppure. Marcello era stato anche colpito dalla mancanza di sfumature e di sbalzi del tono di Quadri: parlava sempre con lo stesso accento uniformemente affettuoso e sentimentale, si trattasse di cose che richiedevano quest'accento come di altre che non lo richiedevano affatto. Quadri, a conclusione delle numerose domande, si era finalmente informato se Marcello fosse fascista; e avutane una risposta affermativa, senza cambiar tono né dare a vedere alcuna reazione, aveva spiegato in maniera quasi casuale quanto fosse difficile per lui i cui sentimenti antifascisti erano ben noti, continuare in un regime come quello fascista l'insegnamento di materie quali la filosofia e la storia. A questo punto Marcello, imbarazzato, aveva cercato di portare il discorso sul motivo della sua visita. Ma Quadri l'aveva subito interrotto: "Forse lei si domanderà perché mai io le dica tutte queste cose... caro figliuolo, gliele dico non oziosamente né per sfogo personale... non mi permetterei di farle perdere il tempo che deve dedicare agli studi... gliele dico per giustificare in qualche modo il fatto che non potrò occuparmi né di lei né della sua tesi: lascio l'insegnamento."

"Lei lascia l'insegnamento," aveva ripetuto Marcello sorpreso.

"Sì," aveva confermato Quadri stropicciandosi con gesto abituale una mano sulla bocca e sui baffi. "Sebbene con dolore, con vero dolore perché sinora avevo dedicato tutta la mia vita a voialtri, mi vedo costretto a lasciare la scuola." Dopo un momento, senza enfasi, con un sospiro, il professore aveva soggiunto: "Eh, sì, ho deciso di passare dal pensiero all'azione...

forse la frase non le sembrerà nuova, ma rispecchia fedelmente la mia situazione."

Lì per lì, Marcello aveva quasi sorriso. Gli era sembrato, infatti, comico questo professor Quadri, questo piccolo uomo in finanziera, gobbo, miope, barbuto, che tra le cataste dei suoi libri, seduto in poltrona, gli dichiarava che aveva deciso di passare dal pensiero all'azione. Il senso della frase, tuttavia, non era dubbio: Quadri, dopo esser stato per anni oppositore passivo, chiuso nei suoi pensieri e nella sua professione, aveva deciso di passare alla politica attiva, forse di darsi alla cospirazione. Marcello, con subitaneo soprassalto di antipatia, non aveva potuto fare a meno di avvertire, con freddezza minacciosa: "Lei fa male a dirlo a me... io sono fascista e potrei anche denunziarla."

Ma Quadri gli aveva risposto, con estrema dolcezza, passando dal lei al tu: "So che sei un buono, caro figliuolo, un onesto e bravo figliuolo e so che non faresti mai una cosa di questo genere."

"Che il diavolo se lo porti," aveva pensato Marcello indispettito. E, con sincerità, aveva risposto: "Potrei anche farlo... l'onestà, per noi fascisti, consiste appunto, nel denunziare e mettere nell'impossibilità di nuocere persone come lei."

Il professore aveva scosso la testa: "Caro figliuolo, tu sai, mentre parli, che ciò che dici non è vero... lo sai, o meglio lo sa il tuo cuore... e infatti tu, da quel giovane onesto che sei, hai voluto avvertirmi... un altro, sai che avrebbe fatto, un vero delatore? Avrebbe finto di approvarmi e poi, una volta che mi fossi compromesso con qualche dichiarazione veramente imprudente, mi avrebbe denunziato... ma tu mi hai avvertito."

"L'ho avvertita," aveva risposto con durezza Marcello, "perché credo che lei non sia capace di ciò che chiama azione... perché non si contenta di fare il professore?... Di quale azione parla?"

"L'azione... non importa dir quale," aveva risposto Quadri sogguardandolo fissamente. Marcello, a queste parole, non aveva potuto fare a meno di levare gli occhi verso le pareti agli scaffali pieni di libri. Quadri aveva colto a volo quello sguardo e, sempre dolcissimamente, aveva soggiunto: "Ti pare strano, nevvero, che io parli d'azione?... Tra tutti questi libri?... Tu in questo momento pensi: 'ma di che azione va cianciando questo piccolo uomo gobbo, storto, miope, barbuto?' di' la verità, è questo quello che pensi... i giornaletti del tuo partito ti hanno tante volte descritto l'uomo che non sa e non può agire, l'intellettuale, e ti vien fatto di sorridere con compassione, riconoscendomi in quell'immagine... non è così?"

Sorpreso da tanto acume, Marcello aveva esclamato: "Come ha fatto a capirlo?"

"Oh, mio caro figliuolo," aveva risposto Quadri alzandosi in piedi, "mio caro figliuolo, l'ho capito subito... ma non è detto che per agire bisogna avere un'aquila d'oro sul berretto e dei galloni sulle maniche... arrivederci, ad ogni modo, arrivederci, arrivederci e buona fortuna... arrivederci." Così dicendo, dolcemente, implacabilmente, aveva spinto Marcello verso la porta.

Adesso Marcello, ripensando a quell'incontro, si rendeva conto che nel suo avventato disprezzo per Quadri gobbo, barbuto e pedante, erano entrate molta impazienza e inesperienza giovanili. Quadri stesso, d'altronde, gli aveva dimostrato coi fatti il suo errore: fuggito, pochi mesi dopo il loro colloquio, a Parigi, vi era diventato ben presto uno dei capi dell'antifascismo, forse il più abile, il più preparato, il più aggressivo. La sua specialità, a quanto sembrava, era l'apostolato. Giovandosi dell'esperienza didattica e della conoscenza della mentalità giovanile, riusciva spesso a convertire giovani indifferenti o anche di sentimenti contrari e poi a spingerli a imprese ardite, pericolose e quasi sempre disastrose se non per lui che ne era l'ispiratore, per loro che ne erano i candidi esecutori. Egli non pareva provare, tuttavia, gettando questi suoi adepti nella lotta cospirativa, alcuna di quelle preoccupazioni umanitarie che, dato il suo carattere, si sarebbe stati tentati di attribuirgli; anzi li sacrificava con disinvoltura in azioni disperate che si potevano giustificare soltanto in piani a lunghissima scadenza e comportanti, appunto, per necessità, una crudele indifferenza per la vita umana. Quadri, insomma, aveva alcune delle rare qualità dei veri uomini politici o per lo meno di una certa categoria di costoro: era astuto e al tempo stesso entusiasta, intellettuale e al tempo stesso attivo, candido e al tempo stesso cinico, riflessivo e al tempo stesso imprudente. Marcello, per obbligo di ufficio, si era spesso occupato di Quadri, dalle relazioni della polizia definito elemento pericolosissimo, ed era sempre rimasto colpito dalla capacità dell'uomo di accozzare insieme tante qualità contrastanti in un solo carattere profondo e ambiguo. Così, pian piano, attraverso quanto gli era riuscito di apprendere a distanza e per mezzo di informazioni non sempre precise, aveva cambiato il primo disprezzo in una indispettita considerazione. Ferma, tuttavia, restando l'originaria antipatia; perché era convinto che a Quadri, tra tante qualità, mancasse quella del coraggio, come gli pareva dimostrato dal fatto che, pur spingendo i suoi seguaci in pericoli mortali, mai si esponeva personalmente.

Trasalì tra questi pensieri alla voce di un servitore dell'albergo che, passando rapido per l'atrio, gridava ad alta voce il suo nome. Per un momento quasi pensò che fosse il nome di un altro, aiutato in questa illusione dalla pronunzia francese del servitore. Ma questo "Monsieur Clariçi" era purtuttavia lui, come si rese conto con una specie di nausea quando, fingendo a se stesso di credere davvero che fosse un altro, cercò di immaginare come potesse essere: lui, con il suo viso, la sua persona, i suoi panni. Intanto il servitore si allontanava in direzione della sala di scrittura, sempre chiamandolo. Marcello si alzò e andò direttamente alla cabina del telefono.

Prese il ricevitore posato sopra la mensola e lo portò all'orecchio. Una voce femminile, limpida e un po' cantante, domandò in francese chi fosse all'apparecchio. Marcello rispose nella stessa lingua: "Sono un italiano... Clerici, Marcello Clerici... e vorrei parlare al professor Quadri."

"È molto occupato... non so se potrà venire... avete detto che vi chiamate Clerici?"

"Sì, Clerici."

"Aspettate un momento."

Ci fu il rumore del ricevitore deposto sopra una tavola, poi quello dei passi che si allontanavano e finalmente il silenzio. Marcello aspettò, a lungo, prevedendo che altro rumore di passi avrebbe annunziato il ritorno della donna oppure l'arrivo del professore. Invece, tutto ad un tratto, risuonò la voce di Quadri, scaturendo senza preavvisi da quel profondissimo silenzio: "Pronto, Quadri... chi parla?"

Marcello spiegò in fretta: "Mi chiamo Marcello Clerici... ero un suo studente, di quando lei insegnava a Roma... desidererei vederla."

"Clerici," ripeté Quadri dubbiosamente. E poi, dopo un momento, con decisione: "Clerici: non conosco."

"Ma sì, professore," insistette Marcello, "venni a trovarla pochi giorni prima che lei lasciasse l'insegnamento... volevo sottoporle un progetto di tesi."

"Un momento, Clerici," disse Quadri, "io non ricordo affatto il suo nome... ma questo non toglie che lei possa aver ragione... e lei vuol vedermi?"

"Sì."

"Perché?"

"Per nessun motivo," rispose Marcello, "siccome ero suo allievo e poi ho sentito in questi ultimi tempi molto parlare di lei... volevo vederla, ecco tutto."

"Ebbene," disse Quadri in tono arrendevole, "venga a trovarmi a casa mia."

"Quando?"

"Anche oggi... nel pomeriggio... dopo colazione, venga a prendere il caffè... verso le tre."

"Debbo dirle," proferì Marcello "che sono in viaggio di nozze... potrei portare mia moglie?"

"Ma si capisce... naturalmente... a più tardi."

Il telefono fu abbassato e anche Marcello, dopo un istante di riflessione, rimise a posto il ricevitore. Ma non fece a tempo a uscire dalla cabina perché quello stesso servitore che poco prima aveva chiamato il suo nome per l'atrio, si affacciò dicendogli: "Vi desiderano al telefono."

"Ho già parlato," disse Marcello facendo per uscire.

"No, vi desidera un'altra persona."

Meccanicamente, rientrò nella cabina, staccò di nuovo il ricevitore. Subito una grossa voce bonaria e festosa gli gridò nell'orecchio: "Siete voi, dottor Clerici?"

Marcello riconobbe la voce dell'agente Orlando e rispose con voce calma. "Sì, sono io."

"Avete fatto buon viaggio, dottore?"

"Sì ottimo."

"La signora sta bene?"

"Benissimo."

"E di Parigi che ne dite?"

"Non sono ancora uscito dall'albergo," rispose Marcello un po' spazientito da questa familiarità,

"Vedrete... Parigi è Parigi... allora, dottore, vogliamo incontrarci?"

"Certamente Orlando... ditemi voi dove."

"Voi non conoscete Parigi, dottore... vi do l'appuntamento in un luogo facile a trovarsi... il caffè che fa angolo con piazza della Maddalena... non vi sbagliate, a sinistra venendo da Rue Royale... ha tutti i tavolini fuori... ma io vi aspetto dentro... non ci sarà nessuno dentro."

"Va bene... a che ora?"

"Ci sono già al caffè... ma aspetto quanto volete..."

"Tra mezz'ora."

"A meraviglia dottore... tra mezz'ora."

Marcello uscì dalla cabina e si avviò verso l'ascensore. Mentre entrava nella cabina, udì per la terza volta il solito servitore chiamare ad alta voce il suo nome e questa volta si meravigliò veramente. Gli venne quasi la speranza di un intervento sovraumano, come se servendosi del corno di ebanite nera del telefono, la voce di un oracolo fosse per dirgli una parola decisiva sulla sua vita. Con cuore sospeso, tornò sui suoi passi, penetrò per la terza volta nella cabina.

"Sei tu Marcello?" domandò la voce carezzevole, languida della moglie.

"Ah, sei tu," egli non poté fare a meno di esclamare, non sapeva se con delusione o con sollievo.

"Sì, si capisce... chi credevi che fosse?"

"Niente... siccome aspettavo una telefonata..."

"Che fai?" ella domandò con un'inflessione di tenerezza struggente.

"Nulla... stavo appunto venendo su, per avvertirti che uscivo e sarei rientrato tra un'ora."

"No, non venir su.. sto per andare nel bagno... va bene, allora ti aspetto tra un'ora, nell'atrio dell'albergo."

"Anche un'ora e mezza."

"Un'ora e mezza, va bene... ma non tardare, ti prego."

"L'ho detto per non farti aspettare... ma vedrai che sarà un'ora."

Ella disse in fretta, come temendo che Marcello se ne andasse: "Mi vuoi bene?"

"Ma si capisce, perché me lo domandi?"

"Così... se ora tu fossi presso di me, mi daresti un bacio?"

"Certo... vuoi che salgo?"

"No, no, non salire... e dimmi..."

"Che cosa?"

"Dimmi, ti piacevo stanotte?"

“Che domande Giulia,” egli esclamò un po’ vergognoso. Ella soggiunse subito: “Perdonami... non so neppure io quel che mi dico... allora mi vuoi bene?”

“Ti ho già detto di sì.”

“Perdonami... allora, siamo intesi, ti aspetto tra un’ora e mezzo... arrivederci, amore.”

Questa volta, come pensò riattaccando, il ricevitore, non poteva aspettarsi più alcuna telefonata. Andò alla porta, e spingendo il tamburo di mogano e di cristallo, uscì nella strada.

L’albergo dava sul lungosenna. Come si affacciò sulla soglia restò un momento immobile, sorpreso dal lieto spettacolo della città e della giornata serena. A perdita d’occhio, lungo il parapetto del fiume, si alzavano dai marciapiedi grandi alberi fronzuti, carichi di brillante fogliame primaverile. Erano alberi che non conosceva: forse ippocastani. Il sole della bella giornata splendeva su ogni foglia tramutato in verdezza chiara, luminosa, sorridente. Allineati sui parapetti, gli scaffali dei rivenditori offrivano file di libri usati e cataste di stampe; gente camminava senza fretta lungo gli scaffali, sotto gli alberi, tra lo svariare scherzoso del sole e delle ombre, in un’aria suadente di tranquillo passeggio domenicale. Marcello attraversò la strada e andò ad affacciarsi al parapetto, tra uno scaffale e l’altro. Al di là del fiume, si vedevano i palazzi grigi, coi tetti a mansarda, dell’altra sponda; più lontano le due torri di Notre-Dame; più lontano ancora guglie di altre chiese, profili di caseggiati, di tetti, di comignoli. Notò che il cielo era più pallido e più ampio che in Italia, come risuonante dell’invisibile e brulicante presenza dell’immensa città distesa sotto la sua volta. Abbassò gli occhi al fiume: incassato tra i muraglioni di pietra a sghembo, fiancheggiato di banchine pulite, pareva, in quel punto, un canale; l’acqua, grassa e ricca, di un verde torbido, inanellava i piloni bianchi del ponte più vicino di gorghi scintillanti. Una chiatta nera e gialla scivolava rapida e senza schiuma su quell’acqua densa, il fumaiolo eruttava fumo e sbuffi impetuosi, si vedevano a prua due uomini che parlavano, uno in camiciotto azzurro e l’altro in canottiera bianca. Un passero grasso e familiare si posò sul parapetto accanto al suo braccio, cinguettò vivacemente come per dirgli qualche cosa e poi rivolò in direzione del ponte. Un giovane smilzo, forse uno studente, malvestito, col basco in capo e un libro sotto il braccio, fermò la sua attenzione: andava in direzione di Notre-

Dame, senza fretta, ogni tanto soffermandosi a guardare i libri e le stampe. Osservandolo, lo colpì la propria disponibilità, nonostante tutti gli impegni che l'opprimevano: avrebbe potuto essere quel giovane e allora il fiume, il cielo, la Senna, gli alberi, Parigi intera avrebbero avuto per lui un altro senso. Vide nello stesso momento venire piano sull'asfalto un taxi e lo fermò con un gesto che quasi lo stupì: non ci aveva pensato un momento prima. Salì dando l'indirizzo del caffè dove Orlando l'aspettava.

Riverso sui cuscini, guardò alle strade di Parigi, mentre il taxi correva. Notò l'allegria della città, tutta grigia e tutta vecchia e ciononostante sorridente e leggiadra, piena di una dolcezza intelligente che pareva entrare a folate per i finestrini insieme con il vento della corsa. Le guardie ritte ai crocicchi gli piacquero, non sapeva neppur lui perché: gli sembravano eleganti, con il loro chepì tondo e duro, la corta mantellina, le gambe sottili. Una di esse si affacciò al finestrino per dire qualche cosa all'autista: un biondino energico e pallido, il fischietto stretto tra i denti, il braccio armato di bastone bianco teso indietro a fermare il traffico. Gli piacevano i grandi ippocastani che levavano i rami verso i vetri scintillanti delle vecchie facciate grigie; gli piacevano le insegne dei negozi, antiquate, con le scritte in lettere bianche e piene di svolazzi su fondi marroni o vinosi; gli piaceva persino la foggia inestetica dei taxi e degli autobus con quei cofani che parevano musi abbassati di cani che andassero odorando il suolo. Il taxi, dopo una breve sosta, passò davanti al tempio neoclassico della Camera dei Deputati, imboccò il ponte, si precipitò di gran corsa verso l'obelisco di Piazza della Concordia. Così, pensò, guardando all'immensa piazza militare, chiusa in fondo dai portici allineati come reggimenti di soldati per una parata, così questa era la capitale di quella Francia che bisognava distruggere. Adesso gli pareva di amare da gran tempo la città che si stendeva davanti ai suoi occhi, da molto prima di quel giorno in cui vi si trovava per la prima volta. E tuttavia questa ammirazione per la bellezza maestosa, gentile e lieta della città, confermava in lui il senso tetro del dovere che si accingeva a compiere. Forse se Parigi fosse stata meno bella, pensò ancora, egli avrebbe potuto eludere quel dovere, fuggire, liberarsi del destino. Ma la bellezza della città lo riconfermava nella sua parte ostile e negativa; allo stesso modo dei molti aspetti ripugnanti della causa per la quale militava. Pensando queste cose, si accorgeva di spiegare a se stesso l'assurdità della propria condizione. E capiva che la spiegava in questo modo perché non c'era altro modo di spiegarla e dunque di accettarla liberamente e consapevolmente.

Il taxi si fermò e Marcello discese davanti il caffè designato da Orlando. I tavoli che si allineavano sui marciapiedi, come l'aveva avvertito l'agente erano affollati; ma poiché entrò nel caffè, scoprì che era deserto. Orlando sedeva ad un tavolino nella rientranza di una finestra. Appena lo vide, si alzò facendogli un cenno di richiamo.

Marcello si avvicinò senza fretta e sedette di fronte all'agente. Attraverso il vetro della finestra, si vedevano le spalle delle persone sedute di fuori, all'ombra degli alberi, e più lontano, parte del colonnato e del frontone triangolare della chiesa della Maddalena. Marcello ordinò un caffè. Orlando aspettò che il cameriere si fosse allontanato e poi disse: "Voi, dottore, forse credete che vi daranno un espresso come in Italia, ma è un'illusione... a Parigi non esiste il caffè buono come da noi... vedrete, dottore, che brodaglia vi porteranno."

Orlando parlava con il solito tono rispettoso, bonario, tranquillo. "Una faccia onesta," pensò Marcello sbirciando l'agente mentre si versava con un sospiro un po' di quel deprecato caffè, "una faccia di fattore, di mezzadro, di piccolo proprietario rustico." Aspettò che Orlando avesse bevuto il caffè e poi domandò: "Di dove siete, Orlando?"

"Io? Della provincia di Palermo, dottore."

Marcello, senza motivo, aveva sempre pensato che Orlando fosse nativo dell'Italia centrale, dell'Umbria o delle Marche. Ora, guardandolo meglio, capì che era stato tratto in errore dall'aspetto rustico e quadrato della persona dell'agente. Ma il viso non aveva traccia della mitezza umbra o della placidità marchigiana. Era sì una faccia onesta e bonaria, ma gli occhi neri e come stanchi avevano una gravità femminile e quasi orientale che non era di quei paesi; né era mite o placido sotto il piccolo naso mal conformato, il sorriso della larga bocca senza labbra. Disse a fior di labbra: "Non l'avrei mai pensato..."

"Di dove mi credevate?" domandò Orlando quasi con vivacità.

"Dell'Italia centrale."

Orlando parve riflettere un momento; poi disse con franchezza, seppure con rispetto: "Anche voi, dottore, scommetto che partecipate al solito pregiudizio."

"Quale pregiudizio?"

"Il pregiudizio del settentrione contro l'Italia meridionale e in particolare contro la Sicilia... voi, dottore, non volete dirlo, ma è così." Orlando scosse il capo, addolorato. Marcello protestò: "Veramente non pensavo affatto a questo... vi credevo dell'Italia centrale per l'apparenza fisica."

Ma Orlando non l'ascoltava più: "Vi dirò: è uno stillicidio," rispose con enfasi, evidentemente soddisfatto della parola insolita. "Per strada, in casa, dappertutto, anche in servizio... certi colleghi del nord arrivano a rimproverarci perfino gli spaghetti... io rispondo: prima di tutto gli spaghetti ormai li mangiate anche voi e più di noi; e poi: quanto è dolce la vostra polenta!..."

Marcello non disse nulla. In fondo non gli dispiaceva che Orlando parlasse di cose non attinenti alla missione: era una maniera di eludere la familiarità su un argomento terribile e che non la sopportava. Orlando disse ad un tratto con forza: "La Sicilia: la grande calunniata... per esempio la mafia... sapeste che cosa non ci sanno dire sulla mafia... per loro non c'è siciliano che non sia mafioso... a parte il fatto che ignorano tutto della mafia."

Marcello disse: "La mafia non esiste più."

"Si capisce, non esiste più," disse Orlando con aria non del tutto convinta, "ma, dottore, anche se esistesse ancora, credete a me, sarebbe sempre meglio, infinitamente meglio degli analoghi fenomeni del nord, i teppisti a Milano, i barabba a Torino... Questi sono dei vigliacchi, sfruttatori di donne, ladruncoli, prepotenti coi deboli... la mafia, se non altro, era una scuola di coraggio."

"Scusatemi, Orlando," disse Marcello freddamente, "ma voi dovete spiegarmi in che cosa consiste la scuola di coraggio della mafia."

La domanda sembrò sconcertare Orlando, non tanto per la freddezza quasi burocratica del tono di Marcello quanto per la complessità dell'argomento che non ammetteva una risposta immediata ed esauriente. "Eh dottore," disse con un sospiro, "voi mi fate una domanda alla quale non è facile rispondere... il coraggio in Sicilia è la prima qualità di un uomo d'onore e la mafia si chiama da sé onorata società... cosa volete che vi dica: chi non c'è stato e non ha veduto con i suoi occhi è difficile che possa capire. Immaginatevi, dottore, un locale, bar, caffè, osteria, trattoria, dove si trovasse riunito un gruppo di uomini armati e ostili al mafioso... ebbene costui che faceva?... Non si raccomandava ai carabinieri, non lasciava il paese... usciva, invece, di casa sua vestito a nuovo, sbarbato di fresco, si presentava in quel locale, solo e disarmato, e diceva quelle due o tre parole che bastavano e ci volevano... ora che credete? Tutti quanti, il gruppo dei nemici, gli amici, il paese intero, avevano gli occhi su di lui... lui lo sapeva e sapeva pure che se avesse mostrato con lo sguardo non tanto fermo, con la voce non abbastanza calma, con il viso non del tutto sereno che aveva paura, era finito... perciò tutto il suo studio era nel superare quest'esame: sguardi decisivi, voce tranquilla, gesti misurati, colorito normale... sono cose che a dirle sembrano facili... ma bisogna trovarsi per capire quanto, invece, siano difficili... dottore questa era, tanto per fare un esempio, la scuola di coraggio della mafia."

Orlando che si era infervorato parlando, ebbe a questo punto uno sguardo freddo e incuriosito in direzione del viso di Marcello, come a dire: "Ma non è della mafia che dovevamo parlare, noi due, se non erro." Marcello notò lo sguardo e, in maniera ostentata, gettò un'occhiata all'orologio che teneva al polso. "Ora parliamo un po' delle cose nostre, Orlando," disse con autorità, "io mi incontro oggi con il professor Quadri... secondo le istruzioni, debbo indicarvi il professore in modo che voi possiate accertarvi della sua identità... questa è la mia parte, nevvero?"

"Sì, dottore."

"Ebbene, io inviterò il professor Quadri a cena o al caffè questa sera... io non posso ancora dirvi dove... ma voi telefonatemi all'albergo stasera verso le sette e allora saprò il luogo... quanto al professor Quadri, stabiliamo fin d'ora una maniera per designarlo... per esempio diciamo che il professor Quadri sarà la prima persona a cui stringerò la mano entrando nel caffè o nel ristorante... va bene così?"

"Intesi dottore."

"E ora bisogna che me ne vada," disse Marcello guardando di nuovo l'orologio. Posò sul tavolo il prezzo dei caffè, si alzò e uscì, seguito a distanza dall'agente.

Sul marciapiede, Orlando abbracciò con lo sguardo il fitto traffico della strada in cui due file di macchine si muovevano quasi al passo in due direzioni opposte, e disse in tono enfatico: "Parigi."

"Non è la prima volta che voi ci venite, nevvero, Orlando?" domandò Marcello cercando con gli occhi, tra le macchine, un taxi libero.

"La prima volta?" disse l'agente con una sua melensa fierezza, "altro che la prima volta... provatevi un po', dottore, a fare una cifra."

"Mah, non saprei."

"Dodici," disse l'agente, "con questa la tredicesima."

L'autista di un taxi colse a volo lo sguardo di Marcello e venne a fermarsi davanti a lui. "Arrivederci Orlando," disse Marcello salendo, "allora aspetto una vostra telefonata questa sera." L'agente fece con la mano un segno di intesa. Marcello salì nel taxi dando l'indirizzo dell'albergo.

Ma, mentre il taxi correva, le ultime parole dell'agente, quel dodici e quel tredici (dodici volte a Parigi e questa è la tredicesima) sembravano prolungare il loro suono nelle sue orecchie e destargli nella memoria echi remoti. Come qualcuno che si affacci ad una grotta gridando e scopra che la propria voce si ripercuote in profondità insospettate. Poi, tutto ad un tratto, richiamato da quei numeri, ricordò che avrebbe indicato Quadri all'agente con una stretta di mano e comprese perché, invece di informare semplicemente Orlando che Quadri era riconoscibile dalla gobba, fosse ricorso all'accorgimento del saluto: erano le lontane, infantili reminiscenze della storia sacra che gli avevano fatto dimenticare la deformità del professore, tanto più conveniente della stretta di mano ai fini di un sicuro riconoscimento. Dodici erano gli apostoli e il tredicesimo era colui, appunto, che abbracciava il Cristo per farlo riconoscere dalle guardie convenute nell'orto per arrestarlo. Adesso, le figure tradizionali delle stazioni della Passione, tante volte contemplate nelle chiese, si sovrapponevano allo scenario moderno di un ristorante francese, coi tavolini imbanditi, i clienti seduti a mangiare, lui che si alzava e andava incontro a Quadri tendendogli la mano e l'agente Orlando che seduto in disparte, li osservava ambedue. Poi la figura di Giuda, il tredicesimo apostolo, si confondeva con la propria, ne sposava i contorni, era la sua.

Gli venne una volontà speculativa, quasi divertita, di riflessione di fronte a questa scoperta. "Probabilmente Giuda fece quello che fece per gli stessi motivi per cui lo faccio io," pensò, "e anche lui dovette farlo sebbene non amasse farlo perché era necessario, dopo tutto, che qualcuno lo facesse... ma perché spaventarsi? Ammettiamo senz'altro che io abbia scelto la parte di Giuda... e con questo?"

Si accorse di non essere, infatti, per nulla spaventato. Al più, come si rese conto, pervaso dalla solita fredda malinconia, in fondo per nulla spiacevole. Pensò ancora, non per giustificarsi ma per approfondire il paragone e riconoscerne i limiti, che Giuda era, sì, simile a lui, ma soltanto fino ad un certo punto. Fino alla stretta di mano; forse anche, se si voleva, sebbene egli non fosse un discepolo di Quadri, fino al tradimento inteso in senso molto generico. Poi tutto cambiava Giuda si impiccava o almeno si pensava che non potesse non impiccarsi, perché quegli stessi che gli avevano suggerito e pagato il tradimento, poi non avevano il coraggio di sostenerlo e di giustificarlo; ma lui non si sarebbe ucciso e neppure dato alla disperazione perché dietro di lui... egli vide la folla convenuta nelle piazze ad applaudire chi lo comandava e, implicitamente, a giustificare lui che ubbidiva. Finalmente pensò che non riceveva nulla, in senso assoluto, per quanto faceva. Altro che trenta denari. Soltanto il servizio, come diceva l'agente Orlando. L'analogia trascolorava, si dissolveva, non lasciando dietro di sé che una traccia di orgogliosa e sufficiente ironia. Semmai, concluse, quel che importava era che il paragone gli fosse venuto in mente, che l'avesse sviluppato e che, per un momento, l'avesse trovato giusto.

IV

Dopo colazione, Giulia volle tornare all'albergo per cambiare di vestito prima di recarsi da Quadri. Ma come furono discesi dall'ascensore ella gli passò un braccio intorno alla vita e sussurrò: "Non è vero che volevo cambiarmi... volevo soltanto stare un poco sola con te." Camminando per il lungo corridoio deserto, tra due file di porte chiuse, la vita circondata da quel braccio affettuoso, Marcello non poté fare a meno di dirsi che mentre per lui quel viaggio a Parigi era anche e soprattutto la missione, per Giulia era invece soltanto un viaggio di nozze. Ne seguiva, come pensò, che non gli era consentito di distrarsi dalla parte di sposo novello che, salendo in treno con lei, aveva accettato di recitare; anche se talvolta, come era adesso il caso, provava un sentimento angoscioso molto lontano dal turbamento d'amore. Ma questa era la normalità a cui aveva tanto anelato: questo braccio girato intorno la vita, questi sguardi, queste carezze; e ciò che si apprestava a fare con Orlando, non era che il prezzo di sangue di simile normalità. Intanto erano giunti alla loro camera: Giulia senza lasciargli la vita, con l'altra mano aprì ed entrò insieme con lui.

Una volta dentro, ella lo lasciò, diede un giro alla chiave nella toppa e gli disse: "Socchiudi la finestra, vuoi?" Marcello andò alla finestra e abbassò la persiana; come si voltò vide che Giulia, ritta presso il letto, già si sfilava il vestito per il capo; e gli sembrò di capire che cosa ella avesse voluto intendere, dicendo: "Volevo soltanto stare un poco sola con te." In silenzio andò a sedersi sulla sponda del letto, dall'altra parte di Giulia. Adesso ella era rimasta in sottoveste e calze. Dispose con molta cura il vestito su una seggiola a capo del letto, si tolse le scarpe, finalmente con gesto maldestro, prima una gamba e poi l'altra, si distese dietro di lui, supina, un braccio ripiegato sotto la nuca. Ella tacque un momento e poi disse: "Marcello."

"Che c'è?"

"Perché non ti distendi qui, accanto a me?"

Ubbidiente Marcello si chinò, si tolse le scarpe e si distese sul letto a fianco della moglie. Giulia gli si fece subito accanto, sollecita, stringendo il proprio corpo contro il suo e domandando affannosamente: "Che hai?"

"Io? Nulla... perché?"

"Non so, mi sembri tanto preoccupato."

"È un'impressione che dovresti avere spesso," egli rispose, "il mio umore normale, lo sai, non è spensierato... ma questo non vuol dire che io sia preoccupato."

Ella tacque, abbracciandolo. Quindi riprese: "Non era vero che ti avevo chiesto di venire qui per prepararmi... ma non era neanche vero che volevo stare sola con te... la verità è un'altra."

Questa volta Marcello si stupì e quasi provò rimorso di averla sospettata di una semplice avidità erotica. Abbassando gli sguardi, vide gli occhi di lei, pieni di lacrime, che lo fissavano di sotto in su. Affettuosamente, ma son senza qualche fastidio, domandò: "Ora sono io che debbo domandarti che cosa tu abbia."

"Hai ragione," ella rispose. E incominciò subito a piangere, con silenziosi singhiozzi di cui egli avvertiva le scosse contro il proprio corpo. Marcello aspettò un poco sperando che questo pianto incomprensibile finisse. Ma invece il pianto pareva raddoppiare di intensità. Allora domandò, fissando gli occhi verso il soffitto: "Ma si può sapere perché piangi?"

Giulia singhiozzò ancora un poco e poi rispose: "Per nessun motivo... perché sono una stupida," già con una punta di consolazione nella voce addolorata.

Marcello chinò gli occhi verso di lei e insistette. "Su... perché piangi?" La vide guardarlo con quei suoi occhi lacrimosi in cui già pareva riflettersi una luce di speranza; poi Giulia sorrise appena e andò con la mano a prendergli il fazzoletto dal taschino. Si asciugò gli occhi, si soffiò il naso, gli ripose il fazzoletto nel taschino e abbracciandolo di nuovo sussurrò:

“Se te lo dico perché piangevo, tu penserai chc sono matta.”
“Su coraggio,” egli disse accarezzandola, “dimmi perché piangevi.”
“Figurati,” ella disse, “durante la colazione ti ho veduto così distratto, anzi preoccupato, che ho pensato che tu ne avessi già abbastanza di me e ti fossi pentito di avermi sposata... forse per quella cosa che ti ho raccontato in treno, sai, quell'avvocato, forse perché hai già capito che hai fatto una sciocchezza, tu, con l'avvenire che hai, con la tua intelligenza e anche la tua bontà, a sposare una disgraziata come me... allora, dopo aver pensato queste cose, ho pensato di far prima io... ossia di andarmene senza dirti nulla per toglierti anche il fastidio del congedo... ho deciso, appena fossimo tornati all'albergo, di far la valigia e partire... di tornare subito in Italia lasciandoti a Parigi.”
“Ma tu non parli sul serio,” esclamò Marcello sorpreso.
“Altro che serio,” ella riprese, sorridendo, lusingata dal suo stupore, “pensa che mentre eravamo giù nell'atrio dell'albergo e tu ti sei allontanato un momento per comprare le sigarette, sono andata dal portiere e l'ho pregato di fissarmi un posto nel vagone letto per Roma, per stasera... proprio sul serio, come vedi.”
“Ma tu sei matta,” disse Marcello alzando suo malgrado la voce.
“Te l'ho detto,” ella rispose, “che avresti pensato che sono matta... in quel momento però ero sicura, assolutamente sicura che avrei fatto il tuo bene lasciandoti, andandomene... sì, ne ero sicura come sono sicura adesso,” ella soggiunse tirandosi su fino a sfiorargli con le labbra la bocca, “che ti do questo bacio.”
“Perché eri così sicura?” domandò Marcello turbato.
“Non so... così... come si è sicuri di tante cose... senza alcun motivo.”
“E poi,” egli non poté fare a meno di esclamare quasi con una remota sfumatura di rammarico, “perché hai cambiato idea?”
“Perché? Chi lo sa?... Forse perché nell'ascensore mi hai guardato in un certo modo o almeno ho avuto l'impressione che tu mi guardassi in un certo modo... ma poi, mi sono ricordata che avevo deciso di partire e che avevo ordinato il

vagone letto e allora, pensando che ormai non potevo più tirarmi indietro, mi sono messa a piangere."

Marcello non disse nulla. Giulia interpretò a modo suo questo silenzio, e domandò: "Sei seccato... di'... sei seccato per via del vagone letto?... Ma lo riprendono sai... pagando soltanto il venti per cento."

"Che assurdità," egli rispose lentamente e come riflettendo.

"Allora," ella disse soffocando una risata incredula in cui, però, tremava ancora qualche timore, "sei seccato perché non sono partita davvero?"

"Altra assurdità," egli rispose. Ma questa volta gli sembrò di non essere del tutto sincero. E come per sopprimere un'ultima esitazione o un ultimo rimorso, soggiunse: "Se tu te ne fossi andata, la mia vita intera sarebbe crollata." E questa volta gli sembrò di aver detto la verità, sebbene in maniera ambigua. Non sarebbe forse stato desiderabile che la sua vita, quella vita che aveva costruito a partire dal fatto di Lino, crollasse del tutto invece di sovraccaricarsi di altri fardelli e altri impegni, come un palazzo assurdo a cui un infatuato proprietario aggiunge belvederi, torricelle e balconi fino a comprometterne la solidità? Sentì le braccia di Giulia avvolgerlo; poi la voce di lei sussurrargli: "Dici davvero?"

"Sì," rispose, "dico davvero."

"Ma cosa avresti fatto," ella insistette con una sua compiaciuta e quasi vanitosa curiosità, "se veramente ti avessi lasciato e fossi partita... mi saresti corso dietro?"

Egli esitò e poi rispose, e di nuovo gli parve che nella sua voce echeggiasse quel lontano rammarico. "No, non credo... non ti ho forse detto che la mia vita intera sarebbe crollata?"

"Saresti rimasto in Francia?"

"Sì, forse."

"E la tua carriera? Avresti spezzato la tua carriera?"

"Senza di te non avrebbe più avuto senso..." egli spiegò con calma, "faccio quello che faccio perché ci sei tu."

"Ma cosa avresti fatto, allora?" Ella pareva provare quasi un crudele piacere a immaginarlo solo, senza di lei.

"Avrei fatto quello che fanno tutti coloro che abbandonano il proprio paese e la propria professione per motivi di questo genere; mi sarei adattato a qualsiasi mestiere: lo sguattero, il marinaio, l'autista... oppure mi sarei arruolato nella legione straniera... ma perché ti preme tanto di saperlo?"

"Così... tanto per parlare... nella legione straniera? Con un altro nome?"

"Probabilmente."

"Dove risiede la legione straniera?"

"Nel Marocco, credo... e anche in altri luoghi."

"Nel Marocco... e invece io sono rimasta," ella mormorò stringendosi a lui con una sua forza ghiotta e gelosa. Poi seguì il silenzio: adesso Giulia non si muoveva più, e, come Marcello la guardò, vide che aveva chiuso gli occhi, pareva che dormisse. Allora chiuse anche lui gli occhi, con desiderio di assopirsi. Ma non gli riuscì di dormire sebbene si sentisse prostrato da una stanchezza e da un torpore mortali. Provava una sensazione dolorosa e profonda, come di ribellione contro tutto l'esser suo; e gli tornava, insistente, alla mente un paragone singolare: egli era un filo, nient'altro che un filo di umanità attraverso il quale passava senza posa una corrente di energia terribile che non dipendeva da lui di rifiutare o di accettare. Un filo simile a quei fili dell'alta tensione, attaccati a pali sui quali è scritto Pericolo di morte. Egli non era che uno di questi fili conduttori e la corrente talvolta gli ronzava attraverso il corpo senza dargli fastidio, anzi, infondendogli una maggiore vitalità, ma talaltra, come, per esempio, adesso, gli pareva troppo forte, troppo intensa, ed egli allora avrebbe voluto essere un filo non più teso e vibrante ma divelto e abbandonato alla ruggine su un mucchio di detriti, in fondo ad un cortile di officina. E poi perché proprio lui doveva sopportare di trasmettere la corrente, mentre tanti non ne erano neppure sfiorati? E ancora, perché la corrente non si interrompeva mai, non cessava mai un solo momento di fluirgli attraverso? Il paragone si articolava, si ramificava in domande senza risposta; e intanto cresceva il suo doloroso e voglioso torpore, annebbiandogli la mente, oscurandogli lo specchio della coscienza. Finalmente si assopì e gli parve che il sonno avesse interrotto in qualche modo la corrente e che egli fosse davvero, per una volta, un troncone di filo rugginoso, gettato in un canto con altri rifiuti. Ma nello stesso momento sentì una mano toccargli il braccio, balzò a sedere e vide Giulia ritta presso il letto, tutta vestita, il cappello in capo. Ella disse a bassa voce: "Dormi? Non dobbiamo andare da Quadri?"

Marcello si sollevò a fatica e per un momento fissò in silenzio gli occhi nella penombra della stanza, traducendo mentalmente: "Non dobbiamo ammazzare Quadri?" Quindi domandò, quasi per gioco: "E se non ci andassimo da Quadri... se, invece, ci facessimo una buona dormita?"

Era una domanda importante, pensò guardando Giulia di sotto in su; e forse non era troppo tardi per mandare a monte ogni cosa. La vide considerarlo incerta, quasi scontenta, come pareva, che le proponesse di restare in albergo ora che aveva fatto i preparativi per uscire. Poi ella disse: "Ma hai già dormito... quasi un'ora... e poi non mi avevi forse detto che questa visita a questo Quadri era importante per la tua carriera?"

Marcello tacque un momento e poi rispose: "Sì, è vero... è molto importante."

"Allora," ella disse allegramente chinandosi e dandogli un bacio sulla fronte, "che stai a pensarci su? Spicciati, su, vestiti, non fare il poltrone."

"Ma io non vorrei andarci," disse Marcello fingendo di sbadigliare. "Vorrei soltanto dormire," soggiunse, e questa volta gli sembrò di essere sincero, "dormire, dormire e dormire."

"Dormirai stanotte," rispose Giulia leggermente andando allo specchio e guardandosi con attenzione, "hai preso un impegno, ormai è tardi per cambiare programma." Parlava con bonaria saggezza, al solito; ed era sorprendente, pensò Marcello, e al tempo stesso oscuramente significativo, che dicesse sempre le cose giuste senza saperlo. In quel momento squillò il telefono sul comodino. Marcello, levandosi su un gomito, staccò il ricevitore e l'avvicinò all'orecchio. Era il portiere che l'informava di avere fissato il vagone letto per Roma, quella sera. "Lo disdica," disse Marcello senza esitare, "la signora non parte più". Giulia, dallo specchio in cui stava mirandosi, gli rivolse uno sguardo di timida gratitudine. Marcello disse, abbassando il ricevitore: "Ecco fatto... lo disdiranno e così non parti più."

"Sei arrabbiato con me?"

"Ma che ti viene in mente?"

Discese dal letto, si infilò le scarpe, passò nel bagno. Mentre si lavava e si pettinava, si domandò che cosa avrebbe detto Giulia se le avesse rivelato la verità sulla sua professione e sul viaggio di nozze. Gli parve di potere senz'altro rispondere che non soltanto non l'avrebbe condannato ma anche alla fine l'avrebbe approvato, sia pure spaventandosi e magari domandandogli se fosse proprio necessario che facesse quel che faceva. Giulia era buona, senza dubbio; ma non fuori dei limiti sacri degli affetti familiari; al di là di questi limiti cominciava per lei un mondo oscuro e confuso in cui poteva anche avvenire che un professore gobbo e barbuto venisse assassinato per motivi politici. Allo stesso modo, concluse dentro di sé uscendo dal bagno, doveva ragionare e sentire la moglie dell'agente Orlando. Giulia che aspettava seduta sul letto, si levò in piedi dicendo; "Sei seccato perché non ti ho lasciato dormire? Avresti preferito non andare da Quadri?"

"Al contrario, hai fatto bene," rispose Marcello precedendola nel corridoio. Adesso si sentiva rinfrancato e gli sembrava di non provare più alcun sentimento di ribellione contro il proprio destino. La corrente di energia gli fluiva tuttora per il corpo ma senza dolore né difficoltà, come per un canale naturale. Fuori dell'albergo, sul lungosenna, guardò al profilo grigio dell'immensa città, al di là dei parapetti, sotto il vasto cielo sereno. Davanti a lui, si allineavano gli scaffali dei libri usati, i passanti camminavano piano soffermandosi ad osservarli. Gli parve persino di rivedere il giovane malvestito, col libro sotto il braccio, che incedeva lentamente lungo gli scaffali, risalendo il marciapiede in direzione di Notre-Dame. O forse era un altro, simile nel modo di vestire, nell'atteggiamento e anche nel destino. Ma gli sembrò di guardarlo senza invidia seppure con diaccio e fermo sentimento di impotenza: lui era lui e il giovane era il giovane, e non c'era nulla da fare. Un taxi passava, egli lo fermò con un cenno della mano e salì dopo Giulia dando l'indirizzo di Quadri.

V

Come Marcello entrò in casa di Quadri, fu subito colpito dalla differenza con l'appartamento in cui l'aveva visto la prima e l'ultima volta, a Roma. Già il palazzo, situato in un quartiere moderno, in fondo ad una stradina serpeggiante, simile, coi molti balconi rettangolari sporgenti dalla liscia facciata, ad un cassettone con tutti i cassetti aperti, gli aveva dato il senso di un vivere ovvio e anonimo, informato ad una specie di mimetismo sociale; come se Quadri, stabilendosi a Parigi, avesse tenuto a confondersi con la massa tutta eguale della borghesia agiata francese. Poi, una volta entrato, la differenza si accentuò: la dimora romana era vecchia, buia, ingombra di suppellettili, di libri e di carte, polverosa e negletta; questa invece luminosa, nuova, pulita con pochi mobili e nessuna traccia di studi. Aspettarono alcuni minuti nel salotto, una stanza spaziosa e nuda con un solo gruppo di poltrone confinate in un angolo intorno ad un tavolo dal piano di vetro. Unico particolare di gusto meno solito, un grande quadro appeso ad una delle pareti, opera di un pittore cubista: una mischia fredda e decorativa di sfere, cubi, cilindri, e parallele variamente colorate. Di libri, quei libri che avevano tanto colpito Marcello a Roma, neppure uno. Sembrava, pensò considerando il pavimento di legno lucidato a cera, le lunghe tende chiare, le pareti vuote, di essere sulla ribalta di un teatro moderno, nella messa in scena sommaria ed elegante allestita per un dramma di pochi personaggi e di una sola situazione. Quale dramma? Senza dubbio il suo e di Quadri; ma, mentre la situazione gli era ormai nota, gli pareva, non sapeva perché, che non tutti i personaggi si fossero svelati. Qualcuno ancora mancava e, chissà, forse il suo intervento avrebbe modificato completamente la situazione stessa.

Quasi a confermare questo oscuro presentimento, la porta in fondo al salotto si aprì e invece di Quadri entrò una giovane donna, la stessa probabilmente, come pensò Marcello, che gli aveva parlato in francese al telefono. Si avvicinò attraverso il pavimento specchiante, alta e singolarmente elastica e graziosa nel modo di camminare, in un bianco vestito estivo dalla gonna scampanata. Per un momento Marcello non poté impedirsi dal guardare, con una specie di furtivo piacere, all'ombra del corpo di lei, profilata nella trasparenza dell'abito: ombra opaca ma dai contorni precisi, elegante, come di ginnasta o di danzatrice. Poi levò gli occhi al viso e fu sicuro di averla già veduta prima di allora, senza tuttavia spiegarsi dove né quando. Ella si avvicinò a Giulia, le strinse le due mani con familiarità quasi affettuosa e le spiegò in italiano corretto ma con un forte accento francese che il professore era occupato e sarebbe venuto tra qualche minuto. Meno cordialmente, come parve a Marcello, anzi quasi di sfuggita, lo salutò di lontano; quindi li invitò a sedersi. Mentre ella discorreva con Giulia, Marcello la studiò attentamente, curioso di definire a se stesso il ricordo oscuro per cui gli pareva di averla già conosciuta. Era di alta statura, con mani e piedi grandi, spalle larghe, e vita di incredibile snellezza cui davano risalto il petto gonfio e i fianchi ampi. Il collo lungo e sottile sorreggeva un viso pallido, privo di belletto, poco fresco e come macerato sebbene giovanile, dall'espressione vispa, ansiosa, inquieta e pronta. Dove l'aveva già veduta? Come se si fosse sentita osservata ella si voltò improvvisamente verso di lui: e allora dal contrasto tra lo sguardo inquieto e intenso e la serenità luminosa dell'alta fronte bianca, capì ad un tratto dove l'avesse già incontrata o meglio dove avesse incontrato una persona simile a lei: nella casa di tolleranza di S., quando, rientrato nella sala comune per prendervi il cappello, aveva trovato Orlando in compagnia della prostituta Luisa. A dire il vero, la somiglianza consisteva tutta nella particolare forma, bianchezza e luminosità della fronte, simile, anche in costei, ad un diadema regale; per il resto le due donne differivano sensibilmente. La prostituta aveva la bocca larga e sottile; questa, piccola, carnosa, serrata, paragonabile, come pensò, ad una rosa esigua dai petali fitti e un po' avvizziti. Altra differenza: la mano della prostituta era muliebre, liscia, carnale; questa aveva invece una mano quasi d'uomo, dura, rossa, nervosa. Finalmente la prostituta aveva l'orribile voce rauca così frequente tra le donne della sua professione; la voce di questa, invece, era secca, limpida, astratta, piacevole come una musica razionale e sottile: una voce di società.

Marcello notò queste somiglianze e queste differenze; e poi, mentre la donna discorreva con la moglie, notò anche l'estrema freddezza del suo atteggiamento verso di lui. Forse, come pensò, era stata informata da Quadri dei suoi passati sentimenti politici; e avrebbe preferito non riceverlo. Si domandò pure chi potesse essere: Quadri, a quanto ricordava, non era sposato; costei, dai modi ufficiosi, si sarebbe detta una segretaria, o quanto meno, un'ammiratrice in veste di segretaria. Ripensò al sentimento provato nella casa di S., quando aveva veduto la prostituta Luisa ascendere la scala al fianco di Orlando: sentimento di rivolta impotente, di pietà straziata; e tutto ad un tratto, capì che quel sentimento non era stato in realtà che desiderio dei sensi mascherato da spirituale gelosia: il quale adesso gli tornava intero e senza più maschere per la donna che gli sedeva di fronte. Ella gli piaceva in una maniera nuova e sconvolgente; ed egli desiderava piacerle; e quell'ostilità che traspariva da ogni gesto di lei l'addolorava acerbamente. Disse, alla fine, quasi suo malgrado, pensando non a Quadri ma a lei: "Ho l'impressione che la nostra visita non faccia piacere al professore... forse è troppo occupato."

La donna rispose subito senza guardarlo: "Al contrario, mio marito mi ha detto che vi vedeva con molto piacere... si ricordava benissimo di lei... tutti coloro che vengono dall'Italia sono bene accolti qui... è vero, è molto occupato... ma la sua visita gli è particolarmente gradita... aspetti, vado a vedere se viene." Queste parole furono pronunziate con una sollecitudine inaspettata che riscaldò il cuore di Marcello. Come ella fu uscita, Giulia domandò senza tuttavia mostrare alcuna curiosità: "Perché credi che il professor Quadri non abbia piacere a vederci?"

Marcello rispose con calma: "Me l'ha fatto pensare l'atteggiamento ostile di questa signora."

"Strano," esclamò Giulia, "a me ha fatto invece l'impressione contraria... mi è sembrata così contenta di vederci... come se ci conoscessimo già... ma tu l'avevi già incontrata prima?"

"No," egli rispose con la sensazione di mentire, "mai prima di oggi... non so neppure chi sia."

"Non è la moglie del professore?"

"Non so, Quadri non mi risulta che fosse sposato... sarà forse la sua segretaria."

"Ma se ha detto: mio marito," esclamò Giulia sorpresa; "dov'eri con la testa?... Ha detto proprio questo: mio marito... a che pensavi?"

Così non poté fare a meno di riflettere Marcello, la donna lo turbava al punto da renderlo distratto fino alla sordità. Questa scoperta gli fece piacere e per un momento, stranamente, desiderò di parlarne a Giulia, come se ella non fosse stata parte in causa, ma una persona estranea a cui avesse potuto confidarsi liberamente. Disse: "Mi ero distratto... la moglie? Ma allora deve essersi sposato da poco."

"Perché?"

"Perché quando l'ho conosciuto era celibe."

"Ma tu e Quadri non vi scrivevate?"

"No, era il mio professore, poi andò a stabilirsi in Francia e oggi lo vedrò per la prima volta dopo di allora."

"Curioso, credevo che foste amici."

Seguì un lungo silenzio. Poi la porta su cui Marcello fissava gli occhi senza impazienza, si aprì e sulla soglia apparve qualcuno in cui, a tutta prima, non riconobbe Quadri. Quindi, dal viso gli occhi gli andarono alla spalla, ritrovò la prominenza che l'alzava fino quasi all'orecchio e comprese che Quadri si era semplicemente tagliato la barba. Adesso ritrovava la forma bizzarra quasi esagonale del viso, quella sua consistenza unidimensionale, come di piatta maschera dipinta e fornita di parrucca nera. Riconosceva pure gli occhi fissi e brillanti, cerchiati di rosso; il naso triangolare, simile ad un batocchio; la bocca informe, specie di cerchio di carne rossa e viva. Sola novità, il mento, un tempo nascosto dalla barba. Era piccolo e storto, profondamente ripiegato sotto il labbro inferiore, di una bruttezza significativa forse denotante un carattere dell'uomo.

Quadri invece del vestito da banchiere che Marcello gli aveva veduto la prima e l'ultima volta che si era incontrato con lui, indossava, con una preferenza di gobbo per le tinte chiare, un abito sportivo color tortora. Sotto la giacca aveva una camicia a scacchi rossi e verdi, da buttero americano e una cravatta vistosa. Disse venendo incontro a Marcello, in tono cordiale, e al tempo stesso, del tutto indifferente: "Clerici, non è vero?... Ma sicuro, mi ricordo benissimo di lei... anche perché fu l'ultimo studente che venne a trovarmi prima della mia partenza dall'Italia... sono molto contento di rivederla, Clerici."

Anche la voce, pensò Marcello, era rimasta la stessa: dolcissima e insieme casuale, affettuosa e insieme distratta. Intanto presentava la moglie a Quadri il quale, con galanteria forse ostentata, si inchinava a baciare la mano che Giulia gli tendeva. Come si furono seduti, Marcello disse, con impaccio: "Sono in viaggio di nozze a Parigi, e allora ho pensato di venire a trovarla... era il mio professore... ma forse l'ho disturbata."

"Ma no, caro figliolo," rispose Quadri con la solita dolcezza struggente, "no, al contrario, mi ha fatto molto piacere... ha fatto benissimo a ricordarsi di me... chiunque venga dall'Italia, se non altro perché mi parla nella bella lingua italiana, è bene accolto qui da me." Prese dal tavolo una scatola di sigarette, ci guardò dentro, e vedendo che non ne conteneva che una, l'offrì con un sospiro a Giulia: "Prenda, signora... io non fumo, e neppure mia moglie e così ci dimentichiamo sempre che gli altri amano fumare... dunque le piace Parigi?... Immagino che non sia la prima volta che viene."

Così, pensò Marcello, Quadri voleva fare la conversazione convenzionale. Rispose per Giulia: "No, è la prima volta, per tutti e due."

"In tal caso," disse Quadri sollecitamente, "vi invidio... è sempre invidiabile chi capita per la prima volta in questa bellissima città... e per giunta in viaggio di nozze, e in questa stagione, la migliore per Parigi." Sospirò di nuovo e domandò con cortesia a Giulia: "E che impressione le ha dato Parigi, signora?"

"A me?" disse Giulia guardando non a Quadri ma al marito. "Veramente non ho ancora avuto il tempo di vederla... siamo arrivati ieri."

"Vedrà signora, è una città molto bella, bellissima proprio." disse Quadri con accento generico e come pensando ad altro. "E più ci si vive più si è conquistati da questa bellezza... ma signora, non guardi soltanto ai monumenti che sono notevoli, senza dubbio, ma non superiori a quelli delle città italiane... giri, si faccia accompagnare da suo marito per i quartieri di Parigi... la vita in questa città ha una varietà di aspetti veramente sorprendente..."

"Per ora abbiamo visto poco," disse Giulia che non pareva rendersi conto del carattere convenzionale e quasi ironico dei discorsi di Quadri. E quindi, rivolta al marito, tendendo una mano a toccargli la sua carezzevolmente: "Ma gireremo, non è vero Marcello?"

"Sicuro," disse Marcello.

"Dovrebbero," riprese Quadri sempre con lo stesso tono, "dovrebbero soprattutto conoscere il popolo francese... è un popolo simpatico... intelligente, libero... e sebbene ciò contraddica in parte l'idea che di solito ci si fa dei francesi, anche buono... in loro l'intelligenza, così fine e sensibile, è diventata una forma di bontà... conoscono qualcuno a Parigi?"

"Non conosciamo nessuno," rispose Marcello, "e d'altronde temo che non sarà possibile... ci fermiamo appena una settimana."

"Peccato, veramente peccato... non si può apprezzare nel suo vero valore un paese, se non se ne conoscono gli abitanti..."

"Parigi è la città dei divertimenti notturni, non è vero?" domandò Giulia che pareva trovarsi perfettamente a suo agio in questa conversazione da manuale turistico "noi non abbiamo visto ancora nulla... ma vogliamo andarci... ci sono tante sale da ballo, e locali notturni, non è vero?"

"Ah, sì, i *tabarins*, le *boîtes*, le scatole come le chiamano qui," disse il professore con aria distratta. "Montmartre, Montparnasse... noi, a dir la verità, non le abbiamo mai frequentate molto... qualche volta al passaggio di un amico italiano, abbiamo approfittato della sua ignoranza in tale materia per istruirci noi stessi... sempre le stesse cose però... seppure fatte con la grazia e l'eleganza che sono proprie a questa città... vede, signora, il popolo francese è un popolo serio, molto serio... con abitudini fortemente familiari... forse la stupirò dicendole che la grande maggioranza dei parigini non ha mai messo il piede nelle *boîtes*... la famiglia qui è molto importante, ancora più che in Italia... e sono spesso dei buoni cattolici... più che in Italia, con devozione meno formale, più sostanziosa... così non è sorprendente che le *boîtes* le lascino a noialtri stranieri... un'ottima fonte di denaro, del resto... Parigi deve una buona parte della sua prosperità proprio alle *boîtes* e in generale alla sua vita notturna."

"Curioso," disse Giulia, "io credevo invece che i francesi si divertissero molto di notte." Arrossì e soggiunse: "Mi avevano detto che i *tabarins* stanno aperti tutta la notte che sono sempre pieni... come da noi un tempo, di carnevale."

"Sì", disse il professore distrattamente, "ma coloro che ci vanno sono in prevalenza stranieri."

"Non importa," disse Giulia, "mi piacerebbe molto vederne almeno uno... se non altro per poter dire di esserci stata."

La porta si aprì e la signora Quadri entrò reggendo sulle due mani un vassoio con il bricco e le tazze del caffè. "Scusatemi," disse allegramente, chiudendo con un piede la porta, "ma le cameriere francesi non sono come quelle italiane... oggi era giornata di libertà per la mia cameriera e se ne è andata subito dopo colazione... bisogna fare tutto da noi." Era veramente allegra, pensò Marcello, in una maniera impreveduta; e c'era molta grazia in quest'allegria e nei gesti della grande persona leggera e disinvolta.

"Lina," disse il professore perplesso, "la signora Clerici vorrebbe vedere una *boîte*... quale possiamo raccomandarle?"

"Oh, ce ne sono tante, non è davvero la scelta che le manca," ella rispose lietamente, versando il caffè nelle tazze, la persona intera appoggiata su una gamba, l'altra protesa in fuori, come a mostrare il grande piede calzato di una scarpa senza tacco, "ce n'è per tutti i gusti e per tutte le borse." Diede a Giulia la tazza e poi soggiunse sbadatamente: "Ma si potrebbe portarceli noi, Edmondo, in una *boîte*... sarebbe una buona occasione per te, di distrarti un poco."

Il marito si passò una mano sul mento come se avesse voluto accarezzarsi la barba e rispose: "Certo, sicuro, perché no?"

"Sapete che facciamo?" ella continuò servendo il caffè a Marcello e al marito, "siccome dobbiamo cenare fuori in ogni caso, ceniamo insieme in un piccolo ristorante della riva destra, non caro, ma dove si mangia bene, *Le coq au vin*, e poi dopo cena, andiamo a vedere un locale molto bizzarro... ma la signora Clerici non dovrà scandalizzarsi."

Giulia rise, rallegrata da quella allegria: "Non mi scandalizzo così facilmente."

"È una *boîte* che si chiama *La cravate noire*, la cravatta nera," ella spiegò sedendosi sul divano accanto a Giulia, "è un locale dove vanno delle persone un poco particolari," soggiunse guardando Giulia e sorridendo.

"Come sarebbe a dire?"

"Delle donne dai gusti speciali... vedrà... la padrona e le cameriere sono tutte in smoking, con la cravatta nera... vedrà, sono così buffe."

"Ah, ora capisco," disse Giulia un po' confusa, "ma possono andarci anche degli uomini?"

Questa domanda fece ridere la donna: "Ma si capisce... è un luogo pubblico... una piccola sala da ballo... tenuta da una donna di gusti particolari, molto intelligente del resto, ma ci va chiunque vuole andarci... non è mica un convento..." Rideva a piccole scosse, guardando Giulia; poi soggiunse con vivacità: "Ma se non le piace, possiamo andare in un altro luogo... meno originale, però."

"No," disse Giulia, "andiamoci pure... mi incuriosisce."

"Delle disgraziate," disse il professore genericamente. Si levò in piedi: "Caro Clerici, voglio dirle che mi ha fatto molto piacere vederla e ancor più mi farà piacere cenare stasera con sua moglie e con lei... parleremo... lei ha sempre gli stessi sentimenti e le stesse idee di allora?"

Marcello rispose con calma: "Non mi occupo di politica."

"Tanto meglio, tanto meglio." Il professore prese la mano e stringendola tra le sue, soggiunse: "Allora possiamo forse sperare di conquistarla," in tono dolce, accorato e struggente come un prete che parli ad un ateo. Si portò la mano al petto in direzione del cuore e Marcello poté vedere con stupore che, nei grossi occhi tondi e sporgenti, un luccicore di pianto sviava e rendeva implorante lo sguardo. Poi, come a nascondere questa sua commozione, Quadri andò in fretta a salutare Giulia e uscì dicendo: "Mia moglie si metterà d'accordo con voi, per stasera."

La porta si chiuse e Marcello, un po' impacciato, sedette in una poltrona, davanti al divano sul quale stavano le due donne. Adesso, partito Quadri, l'ostilità della moglie gli sembrava evidente. Ella ostentava di ignorare la sua presenza e di parlare soltanto a Giulia: "E lei ha già veduto i negozi di mode, le sarte, le modiste?... Rue de la Paix, il Faubourg Saint-Honoré, Avenue de Matignon?"

"Veramente," disse Giulia con l'aria di chi udisse per la prima volta quei nomi, "veramente no."

"Le piacerebbe vedere quelle strade, entrare in qualche negozio, visitare qualche casa di mode?... Le assicuro che è molto interessante," continuò la signora Quadri con una affabilità insistente, insinuante, avvolgente, protettiva.

"Ah, sì, certo." Giulia guardò il marito e poi soggiunse: "Vorrei anche comprare qualche cosa... un cappello, per esempio."

"Vuole che ve la porti io?" propose la donna giungendo alla conclusione obbligata di tutte quelle domande, "conosco bene alcune case di moda... potrei anche darle qualche consiglio."

"Magari," disse Giulia con malsicura gratitudine.

"Vogliamo andarci oggi, questo pomeriggio, tra un'ora? Lei permette, non è vero, che le porti via sua moglie per qualche ora?" Queste ultime parole furono rivolte a Marcello, ma con un tono assai diverso da quello adottato con Giulia: sbrigativo, quasi sprezzante. Marcello trasalì e rispose: "S'intende... se a Giulia fa piacere."

Gli parve di capire che la moglie avrebbe preferito sottrarsi alla tutela della signora Quadri; almeno a giudicare dallo sguardo interrogativo che ella gli rivolse; e si accorse di risponderle, a sua volta, con uno sguardo che le ordinava di accettare. Ma subito dopo si domandò: lo faccio perché questa donna mi piace e voglio rivederla; oppure lo faccio perché sono in missione e non mi conviene di scontentarla? Gli parve improvvisamente molto angoscioso di non sapere se facesse le cose perché gli piaceva farle o perché convenivano ai suoi piani. Intanto Giulia obbiettava: "Veramente, pensavo di andare un momento all'albergo..."

Ma l'altra non la lasciò finire. "Lei vuol rinfrescarsi un poco prima di uscire? Fare un po' di toletta?... Ma non è necessario che vada fino all'albergo... se vuole può anche riposare qui, sul mio letto... so come è affaticante, quando si viaggia, girare tutto il giorno, senza un sol momento di sosta, soprattutto per noi donne... venga... venga con me, cara." Prima che Giulia avesse potuto fiatare, ella l'aveva già costretta ad alzarsi dal divano; e ora la spingeva dolcemente ma fermamente verso la porta. Sulla soglia, quasi a rassicurarla, le disse in tono agrodolce: "Suo marito l'aspetterà qui... non abbia paura, non lo perderà," poi, cingendole la vita con un braccio, l'attirò nel corridoio e chiuse la porta.

Rimasto solo, Marcello si levò di scatto in piedi e mosse qualche passo per la sala. Gli pareva chiaro che la donna nutriva contro di lui un'avversione irriducibile e avrebbe voluto conoscerne il motivo. Ma, a questo punto, i suoi sentimenti diventavano confusi: da un lato l'addolorava l'ostilità di una persona come quella da cui avrebbe voluto, invece, essere amato; dall'altro l'idea che ella sapesse la verità sull'esser suo, lo preoccupava perché in tal caso la missione oltre che difficile, diventava anche pericolosa. Ma ciò che lo faceva soffrire di più, forse, era di sentire come queste due diverse inquietudini si confondessero e lui non fosse quasi più capace di distinguere l'una dall'altra; quella dell'amante che si vede respinto da quella dell'agente segreto che si teme scoperto. D'altra parte, come comprese con un rigurgito dell'antica malinconia, anche se fosse riuscito a dissipare l'ostilità della donna, sarebbe poi stato costretto, una volta di più, a mettere i rapporti che potevano seguirne al servizio della missione. Come quando aveva proposto al Ministero di abbinare il viaggio di nozze all'incarico politico. Come sempre.

Alle sue spalle, la porta si aprì e la signora Quadri rientrò. Si avvicinò al tavolo e disse: "Sua moglie era molto stanca e credo che si sia assopita sul mio letto... più tardi usciremo insieme."

"Questo vuol dire," disse Marcello con calma, "che lei mi manda via."

"Oh, Dio mio, no," ella rispose in tono freddo e mondano, "ma io ho molto da fare... il professore anche... lei sarebbe costretto a rimanere solo qui nel salotto... c'è di meglio da fare per lei, a Parigi."

"Mi scusi," disse Marcello mettendo le due mani sulla spalliera di una poltrona e guardandola, "ma mi sembra che lei mi sia ostile... non è così?"

Ella rispose subito, con precipitosa intrepidezza: "E la stupisce?"

"Veramente sì," disse Marcello, "non ci conosciamo affatto, oggi è la prima volta che ci vediamo..."

"Io la conosco benissimo," ella l'interruppe, "anche se lei non conosce me."

"Ci siamo," pensò Marcello. Si accorse che l'ostilità della donna, confermata ormai in maniera indubitabile, destava nel suo cuore un dolore acuto, quasi da gridarne. Sospirò, angosciato, e disse piano: "Ah, lei mi conosce?"

"Sì," ella rispose, gli occhi scintillanti di luce aggressiva, "so che lei è un funzionario della polizia, una spia pagata dal suo governo... si stupisce adesso che le sia ostile?... Non so gli altri, ma io non ho mai potuto soffrire *les mouchards*, le spie," soggiunse traducendo dal francese con una cortesia insultante.

Marcello abbassò gli occhi, tacendo per un momento. La sua sofferenza era acuta, il disprezzo della donna era come un ferro sottile che gli frugasse senza pietà in una ferita aperta. Disse finalmente: "E suo marito lo sa?"

"Ma certamente," ella rispose con un suo ingiurioso stupore, "come può pensare che lui non lo sappia?... È stato lui a dirmelo."

"Ah, sono bene informati," non poté fare a meno di pensare Marcello. Riprese in tono ragionevole: "Perché allora ci avete ricevuti? Non sarebbe stato più semplice rifiutare di riceverci?"

"Io infatti non avrei voluto," ella disse, "ma mio marito è diverso... mio marito è una specie di santo... crede ancora che la bontà sia il miglior sistema."

"Un santo molto furbo," avrebbe voluto rispondere Marcello. Ma gli venne in mente che era proprio così: i santi dovevano essere stati tutti molto furbi; e tacque. Soggiunse: "Mi dispiace che lei mi sia così ostile... perché... lei mi è molto simpatica."

"Grazie, la sua simpatia mi fa orrore."

Marcello ebbe, più tardi, a domandarsi che cosa gli fosse successo in quel momento: come un abbagliamento che pareva partire dalla fronte luminosa della donna e al tempo stesso un impulso profondo, violento, possente, mescolato di turbamento e di disperato affetto. Si accorse ad un tratto che era presso la signora Quadri, che le girava un braccio intorno alla vita, che l'attirava, che le diceva a voce bassa: "E anche perché lei mi piace molto."

Stretta contro lui in modo che Marcello poteva sentire la tenerezza gonfia del petto di lei palpitare contro il suo, ella lo guardò un momento interdetta; quindi: "Ah, perfetto," gridò con voce stridula e trionfante, "perfetto... in viaggio di nozze e tuttavia pronto a tradire sua moglie... perfetto." Fece un gesto furioso per liberarsi dal braccio di Marcello aggiungendo: "Mi lasci... o chiamo mio marito." Marcello subito la lasciò; ma la donna, trasportata dal suo impulso ostile, si rivoltò contro di lui, come se egli l'avesse ancora trattenuta, e lo schiaffeggiò sulla guancia.

Ella sembrò pentirsi subito del suo gesto. Andò alla finestra, guardò un momento di fuori e poi, voltandosi, disse bruscamente: "Mi scusi." Ma parve a Marcello che ella non fosse tanto pentita quanto timorosa dell'effetto che poteva produrre lo schiaffo. C'era, come pensò, più calcolo e buona volontà che rimorso nel tono restio e ancora malevolo della sua voce. Egli disse con decisione: "Ora non mi resta davvero che andarmene... la prego di avvertire mia moglie e di farla venire qui... e ci scuserà con suo marito per stasera... gli dirà che mi ero dimenticato di avere un altro impegno." Questa volta, pensò, era proprio finita; e anche la missione, nonché il suo amore per la donna, era compromessa.

Fece per ritirarsi fuori dal cammino che ella doveva percorrere per andare alla porta. La vide, invece, guardarlo fissamente un istante, fare con la bocca una smorfia di scontento capriccioso, e poi venirgli incontro. Marcello notò che nei suoi occhi si era accesa una fiamma torbida e decisa. Giunta a un passo da lui, ella alzò lentamente un braccio, e, di lontano, portò la mano alla guancia di Marcello e disse: "No, non se ne vada... anche lei mi piace molto... se sono stata così violenta, ciò si deve appunto al fatto che lei mi piace... non se ne vada e dimentichi quanto è avvenuto." Intanto, con la mano, gli faceva una lenta carezza tutt'intorno la guancia con un gesto goffo ma sicuro, pieno di volontà imperiosa, quasi a toglierne il bruciore recente dello schiaffo.

Marcello la guardava, guardava alla sua fronte, e, sotto lo sguardo di lei, al contatto un po' ruvido della mano maschile, sentiva con stupore, poiché era la prima volta in vita sua che lo provava, un turbamento profondo, commosso, pieno di affetto e di speranza, gonfiargli il petto, impedirgli il respiro. Ella gli stava davanti, il braccio teso, carezzandolo, ed egli, in un solo sguardo, ebbe il senso della sua bellezza come di qualche cosa che gli era destinata da sempre, quasi una vocazione della sua vita intera: e capì di averla amata sempre, prima di quel giorno, anche prima di quando l'aveva presentita nella donna di S. Sì, pensò, questo era il sentimento d'amore che avrebbe dovuto nutrire per Giulia se l'avesse amata; e che invece provava per questa donna che non conosceva. Poi si mosse verso di lei, le braccia tese e fece per abbracciarla. Ma la donna si svincolò subito seppure in una maniera che gli parve affettuosa e complice; e mettendosi un dito sulle labbra mormorò: "Adesso vattene... ci vediamo stasera." Prim'ancora che Marcello potesse rendersene conto, ella l'aveva fatto uscire dal salotto, l'aveva spinto nel vestibolo, aveva aperto la porta. Poi la porta si chiuse e Marcello si ritrovò solo sul pianerottolo.

VI

Lina e Giulia si sarebbero riposate e poi sarebbero andate a visitare le case di moda. Quindi Giulia sarebbe tornata all'albergo e più tardi i Quadri sarebbero venuti a prenderli per andare insieme a cena. Erano le quattro circa, all'ora della cena mancavano più di quattro ore; ma soltanto tre al momento in cui Orlando avrebbe telefonato all'albergo per conoscere l'indirizzo del ristorante. Marcello aveva dunque tre ore per star solo. Quanto era successo in casa di Quadri, gli faceva desiderare la solitudine, se non altro per cercare di comprendere meglio se stesso. Perché, come pensò scendendo la scala, mentre il contegno di Lina, con un marito tanto più vecchio di lei e tutto assorbito dalla politica, non era sorprendente, il proprio, invece, a pochi giorni dal matrimonio, in viaggio di nozze, insieme lo stupiva, lo spaventava e, vagamente, lo lusingava. Sinora aveva creduto di conoscersi abbastanza bene e però di essere in grado di controllarsi ogni volta che l'avesse voluto. Ma adesso si rendeva conto, non sapeva se con più sgomento o compiacenza, che forse si era sbagliato.

Camminò un pezzo da una viuzza all'altra, sbucò finalmente in una larga strada in leggera salita, l'Avenue de la Grande Armée, come lesse sul canto di una casa. E infatti, come levò gli occhi, imprevisto ed enorme, gli apparve il rettangolo ritto dell'Arco di Trionfo che si profilava di fianco, in cima alla strada. Massiccio eppure quasi fantomatico, pareva sospeso nel cielo pallido, forse a causa della caligine estiva che l'inazzurrava. Pur camminando, gli occhi fissi alla mole trionfale, Marcello provò ad un tratto un sentimento nuovo per lui, inebriante, di libertà e di disponibilità; come se, improvvisamente, qualche gran peso che l'opprimeva, gli fosse stato tolto di dosso, e il passo gli si fosse fatto più leggero, quasi volante. Si domandò un momento se dovesse attribuire questo sollievo potente al semplice fatto di trovarsi a Parigi, lontano dalle strettoie solite, di fronte a quel monumento magniloquente: avveniva talvolta di scambiare per moti profondi dell'animo effimere sensazioni di fisico benessere; poi, ripensandoci, capì che quella sensazione derivava, invece, dalla carezza di Lina: se ne accorse dal flusso di pensieri tumultuosi e conturbanti che, al ricordo della carezza, affioravano nella sua mente. Macchinalmente si passò una mano sulla guancia là dove si era posata la palma di lei; e non poté fare a meno di chiudere gli occhi, per dolcezza, come riassaporando il contatto della mano ruvida e intrepida che gli girava intorno il viso, quasi a riconoscerne affettuosamente il contorno.

Che cos'era l'amore, si domandò risalendo l'ampio marciapiede, gli occhi rivolti all'Arco di Trionfo, che cos'era l'amore per cui adesso, come si rendeva conto, stava forse per disfare tutta la propria vita, abbandonare la moglie appena sposata, tradire la fede politica, gettarsi allo sbaraglio di un'avventura irreparabile? Ricordò che a questa domanda, molti anni addietro, ad una compagna di università che ostinatamente rifiutava la sua corte, indispettito egli aveva risposto che per lui l'amore era la vacca ferma nel mezzo del prato, a primavera, e il toro che si alzava sulle zampe per montarla. Quel prato, pensò ancora, era il tappeto borghese del salotto di Quadri e Lina era la vacca e lui il toro. Nudi, nonostante il luogo diverso e le membra non bestiali, sarebbero stati in tutto simili ai due animali. E il furore del desiderio, sfogato con maldestra e urgente violenza, sarebbe stato anche lo stesso. Ma qui si fermavano le somiglianze; al tempo stesso così ovvie e così poco importanti. Perché, per una misteriosa e spirituale alchimia, quel furore si trasformava presto in pensieri e sentimenti lontanissimi, i quali, pur ricevendone il suggello della necessità, non avrebbero in alcun modo potuto esser riportati ad esso soltanto. Il desiderio non era in realtà che l'aiuto decisivo e potente della natura a qualcosa che esisteva prima di essa e senza di essa. La mano della natura che traeva dai visceri dell'avvenire, l'infante tutto umano e mortale delle cose future.

"In parole povere," pensò, cercando di ridurre e raffreddare l'esaltazione straordinaria che si era impadronita del suo animo, "in parole povere, io desidero abbandonare mia moglie durante il viaggio di nozze, disertare il mio posto durante una missione, per diventare l'amante di Lina e vivere con lei a Parigi. In parole povere," continuò, "io farò certamente queste cose se riconoscerò che Lina mi ama come io la amo, per gli stessi motivi e con la stessa intensità."

Se gli restava qualche dubbio circa la serietà di questa sua decisione, esso scomparve del tutto poiché, giunto al termine dell'Avenue de la Grande Armée, levò gli occhi verso l'Arco di Trionfo. Adesso, infatti, richiamato per analogia dalla vista di quel monumento innalzato a celebrare le vittorie di una tirannide gloriosa, gli pareva quasi di provare del rimpianto per l'altra tirannide che aveva sinora servito e che si preparava a tradire. Alleggerita e resa quasi innocente dal senso anticipato di questo tradimento, la parte che aveva fino a quel mattino recitata gli appariva ora più comprensibile e però più accettabile; non più, come gli era apparsa sinora, il frutto di una volontà esterna di normalità e di riscatto, bensì quasi di una vocazione, o per lo meno, di una inclinazione non del tutto artificiosa. D'altronde, questo rimpianto così distaccato e già retrospettivo era un indizio sicuro, appunto, dell'irrevocabilità della sua decisione.

Aspettò un lungo momento che il carosello delle macchine che giravano in tondo intorno il monumento si interrompesse e, attraversata la piazza, andò direttamente all'Arco, penetrando, il cappello in mano, sotto la volta, dove era la lapide del Soldato Ignoto. Ecco, sulle pareti dell'Arco, gli elenchi delle battaglie vinte, ciascuna delle quali aveva significato per innumerevoli uomini fedeltà e dedizioni del genere di quelle che l'avevano legato, fino a pochi minuti prima, al suo governo; ecco la tomba vegliata dalla fiamma perennemente accesa, simbolo di altri sacrifici non meno completi. Leggendo i nomi delle battaglie napoleoniche, non poté fare a meno di ricordarsi della frase di Orlando: "Tutto per la famiglia e per la patria"; e capì ad un tratto che ciò che lo distingueva dall'agente così convinto e, insieme, così impotente a giustificare razionalmente la propria convinzione, era soltanto la sua capacità di scelta, a cui faceva la spia la malinconia che lo perseguitava da tempo immemorabile. Sì, pensò, egli aveva scelto in passato e ora di nuovo si apprestava a scegliere. E la sua malinconia era la malinconia, appunto, mischiata di rimpianto che suscita il pensiero delle cose che avrebbero potuto essere e a cui, scegliendo, bisognava per forza rinunziare.

Uscì da sotto l'Arco, aspettò di nuovo che il passaggio delle macchine si interrompesse e raggiunse il marciapiede de l'Avenue des Champs Elysées. Gli sembrò che l'Arco stendesse come un'ombra invisibile sulla ricca e festosa strada che ne discendeva; e che un nesso indubitabile corresse tra quel monumento bellicoso e la prosperità pacifica e allegra della folla che popolava i marciapiedi. Pensò allora che anche questo era un aspetto di ciò a cui rinunziava: una grandezza sanguinosa e ingiusta che si mutava più tardi in letizia e in ricchezza ignara delle origini, un sacrificio cruento che, col tempo, diventava, per le generazioni posteriori, potenza, libertà e agio. Ecco altrettanti argomenti a favore di Giuda, pensò scherzosamente.

Ma ormai la decisione era presa e provava un solo desiderio: pensare a Lina e perché e come l'amasse. L'animo pieno di questo desiderio, discese pian piano l'Avenue des Champs Elysées, fermandosi ogni tanto a osservare i negozi, i giornali esposti ai chioschi, la gente seduta ai caffè, i cartelloni dei cinema, le insegne dei teatri. La folla che si addensava sui marciapiedi lo circondava d'ogni parte con un pullulante movimento che gli pareva quello stesso della vita. Le quattro file di macchine, due per ogni verso, che risalivano e discendevano la larghissima strada, gli trascorrevano nell'occhio destro; nell'occhio sinistro si alternavano i ricchi negozi, le liete insegne, i caffè gremiti. Via via che camminava affrettava il passo, quasi desideroso di lasciarsi indietro l'Arco di Trionfo, che, ormai, come si accorse ad un certo momento voltandosi, si era fatto remoto e, per la lontananza e la caligine estiva, del tutto immateriale. Come giunse in fondo alla strada, cercò una panchina all'ombra degli alberi dei giardini e vi sedette con sollievo, contento di potersi dedicare in pace al pensiero di Lina.

Volle riandare con la memoria alla prima volta che aveva avvertito la sua esistenza: alla visita alla casa di tolleranza a S. Perché la donna intravveduta nella sala comune a fianco dell'agente Orlando gli aveva ispirato un sentimento tanto nuovo e violento? Rammentò che era stato colpito dalla luminosità della fronte di lei e capì che ciò che l'aveva attratto prima in quella donna e poi, compiutamente, in Lina era la purezza che gli era sembrato di intravvedere mortificata e profanata nella prostituta e trionfante in Lina. Il ribrezzo della decadenza, della corruzione e dell'impurità che l'aveva perseguitato tutta la vita e che il suo matrimonio con Giulia non aveva mitigato, adesso comprendeva che soltanto la luce radiosa di cui era circondata la fronte di Lina, poteva dissiparlo. Gli parve che la coincidenza dei nomi, Lino che gli aveva ispirato per la prima volta quel ribrezzo e Lina che ne lo liberava, fosse un segno fausto. Così naturalmente, spontaneamente, per sola forza d'amore, egli ritrovava attraverso Lina la normalità tanto sognata. Ma non la normalità quasi burocratica che aveva perseguito per tutti quegli anni, bensì altra normalità di specie quasi angelica. Di fronte a questa normalità luminosa ed eterea, la pesante bardatura dei suoi impegni politici, del suo matrimonio con Giulia, della sua vita ragionevole e smorta di uomo d'ordine, si rivelava nient'altro che un simulacro ingombrante da lui adottato in inconsapevole attesa di un più degno destino. Ora egli se ne liberava e ritrovava se stesso attraverso gli stessi motivi che gliel'avevano fatto, suo malgrado adottare.

Mentre, seduto sulla panchina, si abbandonava a questi pensieri, l'occhio gli cadde improvvisamente su una grossa macchina che, scendendo in direzione di Piazza della Concordia, pareva gradualmente rallentare la marcia; e infatti, a poca distanza da lui, si fermò presso il marciapiede. Era una macchina nera e vecchia seppure di lusso, di una foggia antiquata che sembrava accusata dalla lucentezza e forbitezza quasi eccessiva delle nichelature e degli ottoni della carrozzeria. Una Rolls. Royce, come pensò; e tutto ad un tratto, fu assalito da una impaurita apprensione, mischiata, non sapeva perché, di un orrendo senso di dimestichezza. Dove e quando aveva già veduto quella macchina? L'autista, un uomo magro e brizzolato, in divisa blu scura, appena la macchina si fu fermata, fu lesto a scendere e a correre ad aprire lo sportello e, allora, da quel gesto, scaturì nella memoria di Marcello una immagine in risposta alla sua domanda: la stessa macchina, dello stesso colore e della stessa marca, ferma all'angolo della strada, sul viale vicino alla scuola e Lino che si sporgeva ad aprirgli lo sportello affinché egli salisse al suo fianco. Intanto, mentre l'autista se ne stava presso lo sportello, il berretto in mano, una gamba maschile, in pantalone di flanella grigia, terminata nel piede calzato di una scarpa di un giallo forbito e lucente come gli ottoni della macchina, si sporgeva con precauzione, poi l'autista tese la mano, e la persona intera apparve a Marcello mentre scendeva faticosamente sul marciapiede. Era un uomo anziano, come giudicò; magro e molto alto, dalla faccia scarlatta e dai capelli forse ancora biondi, vacillante nel passo che aiutava appoggiandosi su un bastone dalla punta gommata, e tuttavia singolarmente giovanile. Marcello l'osservò attentamente mentre si avvicinava con lentezza alla panchina, domandandosi donde venisse al vecchio quell'aria di gioventù e poi capì: dalla foggia della pettinatura, con la riga da una parte, e dalla cravatta a farfalla verde che portava al colletto di una camicia vivace, a strisce rosa e bianche. Il vecchio camminava con gli occhi rivolti in basso, ma, come fu giunto alla panchina, li alzò e Marcello vide che erano azzurri, limpidi di una durezza ingenua, anch'essi giovanili. Egli sedette finalmente, a fatica, accanto a Marcello e l'autista, che l'aveva seguito passo passo, gli porse subito un piccolo involto di carta bianca. Quindi, fatto un breve inchino, tornò alla macchina e vi salì, restando fermo al suo posto dietro il parabrezza.

Marcello che aveva seguito con gli occhi l'arrivo del vecchio adesso li teneva bassi, riflettendo. Avrebbe voluto non aver mai provato tanto orrore alla sola vista di una macchina simile a quella di Lino; e già questo era motivo per lui di turbamento. Ma ciò che lo spaventava di più era il vivo, torbido, acre senso di soggezione, di impotenza e di servitù che si accompagnava al ribrezzo. Era come se tutti quegli anni non fossero passati o, peggio, fossero passati invano, ed egli fosse ancora il ragazzo di allora e nella macchina l'aspettasse Lino ed egli si avviasse a salirvi, ubbidiente all'invito dell'uomo. Gli pareva di subire una volta di più l'antico ricatto, ma questa volta non era più Lino che glielo faceva, con l'esca di una rivoltella, bensì la sua stessa carne memore e turbata. Atterrito da questo divampare improvviso e conturbante di un fuoco che credeva spento, trasse un sospiro e si frugò meccanicamente per le tasche cercando le sigarette. Subito una voce gli disse, in francese: "Sigarette?... Eccole."

Si voltò e vide che il vecchio, con la mano rossa un po' tremula, gli porgeva un pacchetto, intatto, di sigarette americane. Intanto lo guardava con espressione singolare, insieme imperiosa e benevola. Marcello, assai imbarazzato, senza ringraziare, prese il pacchetto, l'aprì in fretta, ne tolse una sigaretta, restituì il pacchetto al vecchio. Ma questi afferrando il pacchetto, e cacciandoglielo con mano autoritaria nel taschino della giacca, disse in tono allusivo: "Sono per voi... potete tenerle."

Marcello sentì di arrossire e poi di impallidire per non sapeva che mescolanza di ira e di vergogna. Per fortuna gli occhi gli andarono alle proprie scarpe: erano bianche di polvere e sformate dal molto camminare. Allora, gli albeggiò nella mente che il vecchio, probabilmente, lo scambiava per qualche miserabile o disoccupato; e la sua collera cadde. Senza ostentazione, semplicemente, tolse il pacchetto dal taschino e lo posò sulla panchina, tra loro due.

Ma il vecchio non si accorse della restituzione, non si occupava più di lui. Marcello lo vide aprire il pacchetto che gli aveva dato l'autista e trarne un panino. Lo ruppe piano e laboriosamente, con le mani tremanti, e gettò due o tre molliche in terra. Subito, da uno degli alberi fronzuti che ombreggiavano la panchina, volò a terra un grosso passero pasciuto e familiare. Zampettando, andò alla mollica, girò la testa due o tre volte a guardarsi intorno poi afferrò la briciola col becco e prese a divorarla. Il vecchio gettò altre tre o quattro molliche e altri passeri volarono giù dai rami degli alberi sul marciapiede. La sigaretta accesa tra le labbra, gli occhi socchiusi, Marcello osservava la scena. Il vecchio, sebbene stesse curvo e avesse le mani tremanti, serbava davvero qualcosa dell'adolescente, o meglio non era necessario un grande sforzo per immaginarlo adolescente. Di profilo, la bocca rossa e capricciosa, il naso dritto e grande, i capelli biondi ricadenti con una ciocca quasi monellesca sulla fronte, facevano anzi pensare che fosse stato un adolescente assai leggiadro; forse uno di quegli atleti nordici che uniscono la grazia della fanciulla alla forza virile. Piegato su se stesso, la testa pensosamente inchiodata sul petto, egli sbriciolò ai passeri tutto il panino; quindi, senza muoversi né voltarsi, sempre in francese, domandò: "Di che paese siete?"

"Italiano," rispose brevemente Marcello.

"Come ho fatto a non pensarlo?" esclamò il vecchio dandosi, con una sua bizzosa vivacità, un gran colpo sulla fronte. "Mi domandavo appunto dove avevo potuto vedere un viso come il vostro, così perfetto... stupido, che diamine, in Italia... e come vi chiamate?"

"Marcello Clerici," rispose Marcello dopo un momento di esitazione.

"Marcello," ripeté il vecchio levando il viso e guardando davanti a sé. Seguì un lungo silenzio. Il vecchio pareva riflettere; o meglio, come pensò Marcello, pareva sforzarsi di ricordare qualche cosa. Finalmente, con aria trionfante, si voltò verso Marcello e recitò: "Heu miserande puer, si qua fata aspera rumpas, tu Marcellus eris."

Erano versi che Marcello conosceva bene, per averli tradotti a scuola e anche perché, allora, gli avevano attirato gli scherzi dei compagni. Ma detti in quel momento, dopo l'offerta del pacchetto di sigarette, quei versi famosi gli diedero un senso spiacevole di goffa lusinga. Questo senso si cambiò in irritazione, come vide il vecchio lanciargli un'occhiata riassuntiva dalla testa ai piedi, e, poi, informarlo: "Virgilio."

"Sì, Virgilio," ripeté seccamente, "e voi di che paese siete?"

"Sono britanno," disse il vecchio parlando ad un tratto, bizzarramente, in un italiano aulico e, forse, ironico. Quindi, ancor più bizzarramente, mescolando il napoletano all'italiano: "Aggio vissuto a Napoli molti anni... sei napoletano?"

"No," disse Marcello sconcertato da quel tu improvviso. Adesso i passeri, divorate le molliche, erano rivolati via; qualche passo più in là, presso il marciapiede, la Rolls Royce stava ferma, aspettando. Il vecchio afferrò il bastone e si alzò in piedi a fatica, dicendo a Marcello in tono di comando, questa volta in francese: "Volete accompagnarmi alla macchina?... Vi dispiace darmi il braccio?"

Meccanicamente, Marcello porse il braccio. Il pacchetto di sigarette era rimasto sulla panchina, là dove egli l'aveva posato. "Dimenticate le sigarette," disse il vecchio designando l'oggetto con la punta del bastone. Marcello finse di non aver udito e mosse il primo passo verso la macchina. Questa volta il vecchio non insistette e si avviò con lui.

Il vecchio camminava piano, più piano assai di quando, poco prima, aveva camminato solo; e con la mano si appoggiava al braccio di Marcello. Ma questa mano non stava ferma: andava su e giù per il braccio del giovane con una carezza già possessiva. Marcello si sentì ad un tratto mancare il cuore e levando gli occhi comprese perché: la macchina era là, che li aspettava entrambi ed egli, come capì, sarebbe stato invitato a salirvi, come tanti anni prima. Ma ciò che lo atterriva di più era di sapere che non avrebbe rifiutato l'invito. Con Lino vi era stato, oltre al desiderio della pistola, una specie di inconsapevole civetteria; con costui, come si rese conto con stupore, quasi la memore soggezione di chi, avendo soggiaciuto già una volta in passato ad una oscura tentazione, colto di sorpresa, dopo molti anni, dalla stessa insidia, non trovi ragione di resistervi. Come se Lino avesse fatto il piacere suo con lui, pensò; come se egli, in realtà, non avesse resistito a Lino e non l'avesse ucciso. Questi pensieri furono oltremodo rapidi, quasi più illuminazioni che pensieri. Poi levò gli occhi e vide che erano giunti davanti la macchina. L'autista era disceso e aspettava presso lo sportello aperto, il berretto in mano.

Il vecchio, senza lasciargli il braccio, disse: "Allora, volete salire?"

Marcello rispose subito, contento della propria risolutezza: "Grazie, ma debbo andare al mio albergo... mia moglie mi aspetta."

"Poverina," disse il vecchio con una maliziosa familiarità, "fatela aspettare un poco... le farà bene."

Così bisognava spiegarsi, pensò Marcello. Disse: "Non ci siamo capiti." Esitò, poi colse con la coda dell'occhio un giovane vagabondo che si era fermato presso la panchina sulla quale era restato il pacchetto delle sigarette e soggiunse: "Io non sono quello che credete... per voi forse ci vorrebbe quello lì." E indicò il vagabondo che, in quel momento, con gesto veloce, intascava furtivamente il pacchetto. Il vecchio guardò anche lui, sorrise e rispose con una sua scherzosa sfrontatezza: "Di quelli ne ho finché ne voglio."

"Mi dispiace," disse freddamente Marcello del tutto rinfrancato; e fece per avviarsi. Il vecchio lo trattenne: "Almeno permettete che vi accompagni..."

Marcello esitò, guardò l'orologio: "Va bene, accompagnatemi... poiché vi fa piacere."

"Mi fa molto piacere."

Salirono, prima Marcello e poi il vecchio. L'autista chiuse lo sportello, salì in fretta al suo posto. "Dove?" domandò il vecchio.

Marcello disse il nome dell'albergo; il vecchio, rivolto all'autista, disse qualche cosa in inglese. La macchina partì. Era una macchina silenziosa e molleggiata, come notò Marcello, mentre l'automobile correva rapidamente, tacitamente sotto gli alberi delle Tuileries, in direzione di piazza della Concordia. L'interno era foderato di feltro grigio; un vaso di fiori di cristallo di una foggia antiquata, fissato presso lo sportello, conteneva alcune gardenie. Il vecchio dopo un momento di silenzio, si voltò verso Marcello e disse: "Scusatemi per quelle sigarette... vi avevo scambiato per un povero."

"Non importa," disse Marcello.

Il vecchio tacque ancora un poco e poi riprese: "Mi sbaglio raramente... avrei giurato che voi... ne ero così sicuro che quasi mi vergognai di ricorrere al pretesto delle sigarette... ero convinto che sarebbe bastato uno sguardo."

Parlava con disinvoltura cinica, lieta, civile; e si capiva che tuttora considerava Marcello un invertito. Questo suo tono di complicità era così autorevole che Marcello fu quasi tentato di compiacerlo e di rispondergli: "Sì, forse avete ragione, lo sono... senza saperlo, mio malgrado... e ne ho avuto la conferma accettando di salire nella vostra macchina." Invece disse seccamente: "Vi eravate sbagliato: ecco tutto."

"Già."

La macchina adesso girava intorno l'obelisco di piazza della Concordia. Poi si fermò bruscamente di fronte al ponte. Il vecchio disse: "Sapete che cosa me lo fece pensare?"

"Che cosa?"

"I vostri occhi... così dolci, così carezzevoli nonostante si sforzino di parere corrucciati... essi parlano vostro malgrado."

Marcello non disse nulla. La macchina dopo una breve sosta, riprese la corsa, passò il ponte, e invece di prendere per il lungosenna si addentrò per le vie dietro la Camera dei Deputati, Marcello trasalì, si voltò verso il vecchio: "Ma il mio albergo è sulla Senna."

"Andiamo a casa mia," disse il vecchio, "non volete venire a bere qualche cosa? Vi tratterrete un poco e poi tornerete da vostra moglie."

Tutto ad un tratto parve a Marcello di riprovare lo stesso senso di umiliazione e di furore impotente, di quando, tanti anni prima, i compagni gli avevano affibbiato una gonna al grido canzonatorio di "Marcellina". Come i compagni, il vecchio non credeva alla sua virilità; come i compagni, si ostinava a considerarlo una specie di femmina. Disse a denti stretti: "Vi prego di portarmi all'albergo."

"Ma via... che vi fa?... Un solo momento."

"Sono salito soltanto perché ero in ritardo e mi faceva comodo che mi accompagnaste... adesso accompagnatemi."

"Strano, avevo creduto che, invece, voleste farvi rapire... siete tutti così, avete bisogno che vi si usi violenza."

"Vi assicuro che vi sbagliate adottando questo tono con me... non sono affatto quello che credete... ve l'ho già detto, ve lo ripeto."

"Come siete sospettoso... non credo nulla... via, non guardatemi in quel modo."

"L'avete voluto," disse Marcello; e portò la mano alla tasca interna della giacca. Partendo da Roma, aveva preso una piccola pistola; e invece di lasciarla nella valigia, per non insospettire Giulia la teneva sempre con sé. Trasse di tasca l'arma e la puntò discretamente, in modo che l'autista non potesse vederla, in direzione della giubba del vecchio. Costui lo considerava con aria di affettuosa ironia; poi abbassò gli occhi. Marcello lo vide farsi serio, improvvisamente, in un'espressione perplessa e quasi incomprensiva. Disse: "Avete visto? E ora ordinate al vostro autista di portarmi all'albergo."

Subito, il vecchio afferrò il portavoce e gridò il nome dell'albergo di Marcello. La macchina rallentò, deviò in una strada trasversale. Marcello dipose in tasca la rivoltella e disse: "Ora sta bene."

Il vecchio non disse nulla. Adesso pareva essersi riavuto dalla sorpresa e guardava attentamente Marcello, come studiandone il viso. La macchina sbucò sul lungosenna, prese a correre lungo i parapetti. Marcello riconobbe, ad un tratto, l'ingresso dell'albergo con la porta a tamburo sotto la pensilina di vetro. La macchina si fermò.

"Permettete che vi offra questo fiore," disse il vecchio togliendo dal vaso una gardenia e porgendola. Marcello esitò e il vecchio soggiunse: "Per vostra moglie."

Marcello prese il fiore, ringraziò e saltò fuori della macchina, davanti all'autista che aspettava a testa nuda, presso lo sportello aperto. Gli parve di udire, o forse fu un'allucinazione, la voce del vecchio che lo salutava: "Addio Marcello!" in italiano. Senza voltarsi, stringendo la gardenia tra due dita, penetrò nell'albergo.

VII

Andò al banco del portiere e domandò la chiave della stanza. "È su," disse il portiere dopo aver guardato al casellario, "l'ha presa vostra moglie... è salita di sopra con una signora."

"Una signora?"

"Sì."

Oltremodo turbato, e, al tempo stesso, immensamente felice, dopo l'incontro con il vecchio, di turbarsi a quel modo alla sola notizia che Lina si trovava in camera con Giulia, Marcello si avviò verso l'ascensore. Entrandovi, guardò l'orologio che teneva al polso e vide che non erano ancora le sei. Aveva tutto il tempo per portar via Lina con un pretesto, appartarsi con lei in un salotto dell'albergo, decidere per l'avvenire. Subito dopo si sarebbe definitivamente disfatto dell'agente Orlando che doveva telefonare alle sette. Queste coincidenze gli sembrarono fauste. Mentre l'ascensore saliva, guardò alla gardenia che stringeva tuttora tra le dita e fu improvvisamente sicuro che il vecchio gliel'avesse data non per Giulia, ma per la sua vera moglie, Lina. Toccava adesso a lui consegnarla quale pegno del loro amore.

Percorse in fretta il corridoio, andò alla sua camera ed entrò senza bussare. Era una grande camera da letto matrimoniale con un piccolo vestibolo in cui dava anche il bagno. Marcello accostò senza rumore la porta e indugiò un momento al buio nel vestibolo. Si accorse allora che l'uscio della camera era socchiuso e che una luce ne trapelava; e gli venne desiderio di spiare, non visto, Lina, quasi parendogli che in tal modo avrebbe potuto sincerarsi se ella l'amava veramente. Mise l'occhio alla fessura e guardò.

Un lume brillava sul comodino; il resto della camera era avvolto nell'ombra. Seduta presso il capezzale, il dorso contro i cuscini, egli vide Giulia tutta avvolta in un panno bianco: l'asciugamani spugnoso del bagno. Ella tratteneva con le due mani al petto l'asciugamani, ma non pareva potere o volere impedire che si aprisse largamente in basso, scoprendole il ventre e le gambe. Accovacciata a terra, ai piedi di Giulia, nel giro dell'ampia gonna bianca, in atto di circondarle con ambedue le braccia le gambe, la fronte contro le ginocchia e il petto contro gli stinchi, Marcello vide Lina. Senza riprovazione, anzi, si sarebbe detto, con una specie di divertita e indulgente curiosità, Giulia tendeva il collo ad osservare la donna che, per la sua posizione un po' rovesciata indietro, non poteva vedere che imperfettamente. Lina disse alfine, senza muoversi, con voce bassa: "Non ti dispiace che io stia un poco così?"

"No, ma tra poco dovrò vestirmi."

Lina riprese, dopo un momento di silenzio, come tornando ad un discorso precedente: "Che stupida però... che ti farebbe?... Se tu stessa hai detto che se non fossi sposata, non avresti nulla in contrario."

"Forse l'ho detto," rispose Giulia con civetteria, "per non offenderti... e poi sono sposata."

Marcello che guardava, vide che, adesso, pur parlando, Lina aveva tolto un braccio da intorno le gambe di Giulia e, con la mano, lentamente, tenacemente, risaliva lungo la coscia, respingendo al passaggio l'orlo dell'asciugamani. "Sposata," disse con intenso sarcasmo, senza interrompere quel suo lento approccio, "ma bisogna vedere con chi."

"Piace a me," disse Giulia. La mano di Lina, adesso, si affacciava dal fianco sull'inguine ignudo di Giulia, esitante e insinuante come la testa di un serpente. Ma Giulia la prese per il polso e la ricondusse con fermezza in basso, soggiungendo, in tono indulgente, un po' come una governante che rimbrotti un bambino irrequieto: "Non credere che non ti veda."

Lina prese la mano di Giulia e incominciò a baciarla piano, riflessivamente, strofinando ogni tanto con forza il viso intero dentro la palma, come un cane. Poi proferì: "Piccola sciocca," quasi in un soffio, con intensa tenerezza.

Seguì un lungo silenzio. La passione concentrata che emanava da ogni gesto di Lina contrastava in maniera singolare con la distrazione e l'indifferenza di Giulia. La quale, adesso, non pareva neppur più curiosa; e pur abbandonando la mano ai baci e agli strofinamenti di Lina, si guardava intorno, come chi cerchi un pretesto. Finalmente, ritirò la mano e fece per alzarsi, dicendo: "Ora però debbo vestirmi davvero."

Lina fu lesta a balzare in piedi esclamando: "Non muoverti... dimmi soltanto dove è la roba... ti vestirò io."

Ritta, le spalle alla porta, ella nascondeva completamente Giulia. Marcello udì la voce della moglie dire con un riso: "Vuoi anche farmi da cameriera..."

"Che t'importa?... A te non fa nulla... a me fa tanto piacere."

"No, mi vesto da me." Fuori della figura vestita di Lina, come per sdoppiamento, uscì Giulia completamente nuda, passò in punta di piedi davanti agli occhi di Marcello, scomparve in fondo alla stanza. Poi giunse la sua voce che diceva: "Ti prego di non guardarmi... anzi voltati... mi fai vergogna."

"Vergogna di me?... Sono anch'io una donna."

"Sei una donna per modo di dire... mi guardi come guardano gli uomini."

"Allora di' addirittura che vuoi che me ne vada."

"No, rimani pure ma non guardarmi."

"Ma io non ti guardo... sciocca: che vuoi che mi importi di guardarti?"

"Non arrabbiarti... comprendimi: se prima non mi avessi parlato in quel modo, io non mi vergognerei adesso e potresti guardarmi quanto vuoi." Questo con voce soffocata, come dal di dentro di un vestito infilato per la testa.

"Non vuoi che ti aiuti?"

"Oh Dio, se proprio lo desideri tanto..."

Con decisione benché malsicura nei movimenti, esitante seppure aggressiva, infervorata ma umiliata, Lina si mosse, si profilò un momento davanti a Marcello, scomparve dirigendosi verso la parte della stanza da cui giungeva la voce di Giulia. Ci fu un momento di silenzio e poi Giulia esclamò spazientita ma non ostile: "Auffa, come sei noiosa." Lina non disse nulla. Adesso la luce della lampada cadeva sul letto vuoto, illuminando l'incavo lasciato dai fianchi di Giulia nell'asciugamani umido. Marcello si ritirò dalla fessura e tornò nel corridoio.

Si accorse, come si fu allontanto di qualche passo dalla porta, che la sorpresa e il turbamento gli avevano fatto compiere senza accorgersene un gesto significativo: tra le dita aveva gualcito meccanicamente la gardenia donatagli dal vecchio e da lui destinata a Lina. Lasciò cadere il fiore sul tappeto e si diresse verso la scala.

Discese al pianterreno e uscì sul lungosenna, nella luce falsa e caliginosa del crepuscolo. I lumi si erano già accesi, quelli bianchi, a grappoli, dei ponti lontani, quelli gialli appaiati delle macchine, quelli rossi rettangolari delle finestre, e la notte saliva come un fumo tetro, al cielo verde e sereno, da dietro il nero profilo delle guglie e dei tetti della sponda opposta. Marcello andò al parapetto e vi appoggiò i gomiti guardando in basso alla Senna rabbuiata che, adesso, pareva travolgere nei suoi flutti oscuri strisce di gemme e cerchi di brillanti. Ciò che provava era già più simile alla quiete mortale che segue il disastro che al tumulto del disastro medesimo. Capiva di aver creduto per qualche ora, durante quel pomeriggio, all'amore; e si rendeva conto di aggirarsi, invece, in un mondo profondamente sconvolto e inaridito, in cui vero amore non si dava, ma soltanto rapporto dei sensi, dal più naturale e comune al più abnorme e insolito. Non era stato amore certo, quello di Lina per lui; non era amore quello di Lina per Giulia; d'amore non si poteva parlare nei suoi rapporti con la moglie; e forse anche Giulia, così indulgente, quasi tentata dalle profferte di Lina, non amava lui di vero amore. In questo mondo balenante e oscuro, simile ad un crepuscolo tempestoso, queste figure ambigue di uomini donne e di donne uomini che si incrociavano raddoppiando e mescolando la loro ambiguità, sembravano alludere ad un significato anch'esso ambiguo, legato, tuttavia, come gli pareva, al suo destino e alla comprovata impossibilità di uscirne. Poiché non c'era amore, soltanto per questo, egli avrebbe continuato ad essere quello che era stato sinora, avrebbe portato a termine la missione, avrebbe persistito nell'intento di crearsi una famiglia insieme con l'animalesca e imprevedibile Giulia. Questa era la normalità: questo ripiego, questa forma vuota. Al di fuori di essa, tutto era confusione e arbitrio.

Si sentiva spinto ad agire in questo modo anche dalla chiarezza che ormai illuminava la condotta di Lina. Ella lo disprezzava e, probabilmente, anche lo odiava, come aveva già dichiarato quando era stata ancora sincera; ma per non troncare i rapporti e così precludersi la possibilità di vedere Giulia di cui si era invaghita, aveva saputo fingere con lui il sentimento d'amore. Marcello capiva adesso che da lei, ormai, non poteva aspettarsi neppure comprensione o pietà; e provava di fronte a questa ostilità irrimediabile, definitiva, corazzata di anormalità sessuale, di avversione politica e di disprezzo morale, un senso di dolore acuto e impotente. Così, quella luce degli occhi e della fronte, così pura e così intelligente, che l'aveva affascinato, non si sarebbe mai chinata su di lui, per affettuosamente illuminarlo e calmarlo. Lina avrebbe preferito abbassarla e umiliarla in lusinghe, suppliche, amplessi infernali. Ricordò a questo punto che, vedendola premere il viso contro le ginocchia di Giulia, era stato colpito dallo stesso senso di profanazione che aveva provato, nella casa di S., scorgendo la prostituta Luisa lasciarsi abbracciare da Orlando. Giulia non era Orlando, come pensò; ma egli aveva desiderato che quella fronte non si abbassasse davanti a nessuno: ed era stato deluso.

Tra queste riflessioni si era fatta notte. Marcello si raddrizzò e si voltò verso l'albergo. Fece appena in tempo a scorgere la figura bianca di Lina che ne usciva e andava in fretta verso un'automobile, ferma a poca distanza, presso il marciapiede. Lo colpì l'aria contenta e insieme quasi furtiva di lei, come la faina o donnola che scappi fuori da un pollaio portandosi via la preda. Non era l'atteggiamento di chi è stato respinto, come pensò, al contrario. Forse Lina era riuscita a strappare qualche promessa a Giulia; o, forse, Giulia, per stanchezza o sensuale passività, si era lasciata andare a qualche carezza senza valore per lei, così indulgente verso se stessa e verso gli altri, ma preziosa per Lina. Intanto la donna aveva aperto lo sportello della macchina, era salita sedendosi di traverso e poi tirando dentro le gambe. Marcello la vide passare, il bel viso altero e fine, dritto, in profilo, le mani sul volante. La macchina si allontanò ed egli rientrò nell'albergo.

Salì nella camera, entrò senza bussare. La camera era in ordine. Giulia sedeva, tutta vestita, davanti la toletta, finendo di pettinarsi. Domandò tranquillamente, senza voltarsi: "Sei tu?"

"Sì, sono io," rispose Marcello sedendo sul letto.

Aspettò un momento e poi domandò: "Ti sei divertita?"

Subito, con vivacità, la moglie si voltò a metà dalla toletta e rispose: "Tanto... abbiamo visto tante belle cose, ho lasciato il mio cuore almeno in una decina di negozi."

Marcello non disse nulla. Giulia finì di pettinarsi in silenzio poi si alzò e venne a sedersi anche lei sul letto. Indossava un vestito nero, con una larga, florida scollatura dalla quale come due belle frutta da un cesto, spuntavano le due rotondità solide e brune del petto. Una rosa scarlatta di stoffa era appuntata presso la spalla. Il viso dolce e giovane, dai grandi occhi sorridenti, dalla bocca rigogliosa, aveva la consueta espressione di sensuale letizia. In un sorriso forse inconsapevole, Giulia scopriva, tra le labbra tinte di rossetto vivace, i denti regolari, di una bianchezza brillante e limpida. Gli prese la mano, affettuosamente, e disse: "Figurati che cosa mi è successo."

"Che cosa?"

"Quella signora, la moglie del professor Quadri... Ebbene, pensa... non è una donna normale."

"E cioè?"

"È una di quelle donne che amano le donne... e, insomma, figurati, si è innamorata di me... così... alla prima occhiata... me lo ha detto dopo che te ne sei andato... per questo aveva tanto insistito affinché restassi a riposarmi in casa sua... mi ha fatto una dichiarazione d'amore in regola... chi avrebbe potuto pensarlo?"

"E tu?"

"Io non me l'aspettavo proprio... stavo per assopirmi perché ero stanca davvero... lì per lì quasi non capivo... finalmente capii, e allora non sapevo che faccia fare... sai, una vera passione, furiosa, proprio come un uomo... di' la verità, te lo saresti aspettato tu, da una donna come quella, così controllata, così padrona di sé?"

"No," rispose Marcello dolcemente, "non me lo sarei aspettato... come, del resto," soggiunse, "non mi aspetterei che tu contraccambiassi queste effusioni."

"Ma che, per caso saresti geloso?" ella esclamò scoppiando in una risata lusingata e gioiosa, "geloso di una donna? Anche, mettiamo, le avessi dato retta, non dovresti esser geloso... una donna non è un uomo... ma rassicurati... tra di noi non c'è stato quasi nulla."

"Quasi?"

"Dico quasi," ella rispose in tono reticente, "perché, vedendola così disperata, mentre mi accompagnava in macchina all'albergo, le ho permesso di stringermi la mano."

"Soltanto stringerti una mano?"

"Ma sei geloso," ella esclamò di nuovo assai contenta, "sei proprio geloso... non ti conoscevo sotto quest'aspetto... ebbene, sì, se proprio vuoi saperlo," soggiunse dopo un momento, "le ho anche permesso di darmi un bacio... ma come da sorella a sorella... poi, siccome insisteva e mi seccava, l'ho mandata via: ecco tutto... adesso, dimmi, sei ancora geloso?"

Marcello aveva insistito affinché Giulia parlasse di Lina, soprattutto per ritrovare ancora una volta la solita differenza tra lui e la moglie: lui sconvolto tutta la vita per una cosa che non era avvenuta; la moglie, invece, aperta a tutte le esperienze, indulgente e dimentica nella carne prim'ancora che nell'animo. Domandò dolcemente: "Ma, tu, in passato, hai mai avuto di questi rapporti?"

"No, mai," ella rispose con decisione. Questo tono reciso era così insolito in lei che Marcello capì subito che mentiva. Insistette: "Avanti... perché mentire?... Chi non conosce queste cose, non si comporta come ti sei comportata tu con la signora Quadri... di' la verità!"

"Ma che te ne importa?"

"Mi interessa di saperlo."

Giulia tacque un momento, gli occhi bassi, poi disse lentamente: "Sai, quella storia con quell'uomo, con quell'avvocato?... Fino al giorno che ti incontrai mi aveva dato un vero orrore degli uomini... così ebbi un'amicizia, ma durò poco... con una ragazza, una studentessa, della mia età... mi voleva veramente bene e fu sopprattutto questo suo affetto, in un momento in cui ne avevo tanto bisogno, che mi convinse... poi diventò esclusiva, esigente, gelosa e allora troncai i rapporti... ogni tanto la rivedevo a Roma, qua e là... poveretta, mi vuol sempre bene." Ora sul suo viso, dopo un momento di reticenza e di imbarazzo, era tornata la solita espressione placida. Soggiunse, prendendogli la mano: "Sta' tranquillo, non esser geloso, lo sai che non amo che te."

"Lo so," disse Marcello. Ricordava adesso le lagrime di Giulia nel vagone letto, il suo tentativo di suicidio e capiva che era sincera. Mentre, convenzionalmente, aveva veduto il tradimento nella mancata verginità, ella non annetteva veramente alcuna importanza a questi suoi passati trascorsi. Intanto Giulia riprendeva: "Ma ti dico, quella donna è proprio matta... lo sai cosa vorrebbe? Che tra qualche giorno ci trasportassimo tutti quanti in Savoia, dove loro hanno una casa... anzi, figurati, ha già fatto un programma."

"Quale programma?"

"Il marito parte domani; lei invece rimane ancora qualche giorno a Parigi... dice per affari suoi, ma io invece sono convinta che ci rimane per me... ci propone di partire insieme e andare a passare una settimana con loro in montagna... che siamo in viaggio di nozze, non le passa per la testa... per lei è come se tu non esistessi... mi ha scritto l'indirizzo della casa in Savoia e mi ha fatto giurare che ti avrei persuaso ad accettare l'invito..."

"E qual è quest'indirizzo?"

"Eccolo là," disse Giulia indicando un pezzo di carta sul marmo del comodino, "ma che, per caso vorresti accettare?"

"No, ma forse tu."

"Per carità, ma credi davvero che io dia importanza a quella donna... se ti dico che l'ho mandata via perché mi seccava con le sue insistenze." Si era, intanto, alzata dal letto, e, sempre discorrendo, uscì dalla camera. "A proposito," gridò dal bagno "qualcuno mezz'ora fa aveva telefonato per te... una voce d'uomo, un italiano... non ha voluto dire chi era... ma ha lasciato un numero pregandoti di telefonare più presto che puoi... il numero l'ho segnato su quello stesso pezzo di carta."

Marcello prese il foglietto, trasse di tasca un taccuino e con cura annotò così l'indirizzo della casa savoiarda dei Quadri come il numero di Orlando. Gli pareva, adesso, di essere rientrato in se stesso dopo l'effimera esaltazione di quel pomeriggio; e lo avvertiva soprattutto dall'automatismo dei suoi atti e dalla malinconia rassegnata che li accompagnava. Così tutto era finito, pensò riponendo in tasca il taccuino, e quella fugace apparizione dell'amore nella sua vita non era stata, in fin dei conti, che una scossa di assestamento di questa stessa vita nella sua forma definitiva. Ripensò un momento a Lina e gli parve di ravvisare un segno manifesto del destino nella sua improvvisa passione per Giulia che, mentre aveva consentito a lui di conoscere l'indirizzo della casa in Savoia, nello stesso tempo faceva sì che quando Orlando e i suoi uomini vi si fossero presentati, ella non ci sarebbe ancora stata. La partenza solitaria di Quadri, la permanenza di Lina a Parigi combaciavano, insomma, perfettamente col piano della missione; se le cose fossero andate altrimenti, non si vedeva come lui e Orlando avrebbero potuto portarla a termine.

Si alzò, gridò alla moglie che scendeva ad aspettarla nell'atrio, e uscì. C'era una cabina telefonica in fondo al corridoio e vi andò senza fretta, quasi automaticamente. Soltanto alla voce dell'agente che, dal corno di ebanite del ricevitore, gli domandava, scherzosamente: "Allora, dottore, dove lo facciamo questo pranzetto?" gli parve di uscire dalla nebbia dei propri pensieri. Con calma, parlando piano ma chiaro, incominciò ad informare Orlando del viaggio di Quadri.

VIII

Come discesero dal taxi, in una straduccia del Quartiere Latino, Marcello alzò gli occhi all'insegna. *Le coq au vin* si leggeva scritto in lettere bianche su fondo marrone, all'altezza del primo piano di una vecchia casa grigia. Entrarono nel ristorante: un divano di velluto rosso girava tutt'intorno la sala; le tavole erano allineate di fronte al divano; vecchi specchi rettangolari dalle cornici dorate riflettevano in una luce tranquilla il lampadario centrale e le teste dei pochi avventori. Marcello riconobbe subito Quadri seduto in un angolo accanto alla moglie, più piccolo di lei di tutta la testa, vestito di nero, consultava al disopra degli occhiali la lista delle vivande. Lina, invece, dritta e immobile, in un vestito di velluto nero che faceva risaltare la bianchezza delle braccia e del petto e il pallore del viso, pareva sorvegliare ansiosamente la porta. Ella si alzò di scatto vedendo Giulia e dietro di lei, quasi nascosto da lei, si alzò il professore. Le due donne si strinsero la mano. Marcello levò casualmente gli occhi, e allora, sospesa nella luce gialla e senza sfarzo di uno degli specchi, apparizione incredibile, vide la testa di Orlando che li guardava. Nello stesso momento, l'orologio a pendolo del ristorante si riscosse, cominciò a torcersi e a lamentarsi con le sue viscere metalliche e finalmente batté i colpi. "Le otto," udì esclamare da Lina con voce contenta, "come siete puntuali."

Marcello rabbrividì e, mentre il pendolo continuava a battere quei suoi colpi pieni di lugubre e solenne sonorità, tese la mano a stringere la mano che Quadri gli tendeva. Il pendolo batté con forza l'ultimo colpo ed egli, allora, premendo la sua contro la palma di Quadri ricordò che quella stretta, secondo gli accordi, doveva designare la vittima a Orlando e provò, tutto ad un tratto, quasi la tentazione di chinarsi e baciare Quadri sulla guancia sinistra, proprio come aveva fatto Giuda al quale, scherzosamente, si era paragonato quel pomeriggio. Gli sembrò, anzi, di avvertire sotto le labbra addirittura il contatto scabro di quella guancia e si meravigliò di una suggestione così potente. Quindi levò di nuovo gli occhi allo specchio: la testa di Orlando era sempre là, sospesa nel vuoto, gli sguardi fissi su di loro. Finalmente sedettero tutti e quattro, lui e Quadri sulle seggiole e le due donne di fronte a loro, sul divano.

Venne il cantiniere con la lista e Quadri cominciò con l'ordinare assai minuziosamente, i vini. Egli sembrava del tutto assorbito da questa ordinazione e discusse a lungo col cantiniere sulla qualità di quei vini che pareva conoscere molto bene. Finalmente ordinò un vino bianco, secco per il pesce, un vino rosso per l'arrosto e dello champagne in ghiaccio. Al cantiniere subentrò il cameriere col quale si ripeté la stessa scena: discussioni competenti sulle vivande, esitazioni, riflessioni, domande, risposte e finale ordinazione di tre piatti, uno di antipasti, uno di pesce e uno di carne. Intanto Lina e Giulia discorrevano sottovoce, e Marcello, gli occhi fissi su Lina, era caduto in una specie di trasognatezza. Gli pareva di udire ancora i colpi smaniosi del pendolo risuonare dietro di lui mentre stringeva la mano a Quadri, gli pareva di rivedere la testa decapitata di Orlando che lo guardava dallo specchio e capiva che mai come in quel momento si era trovato di fronte al suo destino, come se fosse stato una pietra ritta nel mezzo di un crocicchio, ai due lati della quale defluivano due strade diverse ed egualmente definitive. Trasalì udendo Quadri domandargli col solito tono indifferente: "Girato per Parigi?"

"Sì, un poco."

"Piaciuto?"

"Molto."

"Sì, è un'amabile città," disse Quadri come parlando per conto suo e quasi facendo una concessione a Marcello, "ma vorrei che lei fermasse la sua attenzione su questo punto al quale l'ho già richiamato oggi: che non è la città viziosa e piena di corruzione di cui parlano i giornali in Italia... lei ha quest'idea sicuramente e quest'idea invece non risponde alla realtà."

"Io non ho questa idea," disse Marcello un po' sorpreso.

"Mi stupirebbe che non l'avesse," disse il professore senza guardarlo, "tutti i giovani della sua generazione hanno delle idee di questo genere... pensano che non si è forti se non si è austeri e per sentirsi austeri si fabbricano delle teste di turco che non esistono."

"Non mi pare di essere particolarmente austero," disse seccamente Marcello.

"Sono sicuro che lo è, ora glielo dimostrerò," disse il professore. Aspettò che il cameriere avesse disposto i piatti con gli antipasti e poi riprese: "Vediamo... scommetto che mentre io ordinavo i vini lei si meravigliava dentro di sé che io potessi apprezzare simili cose... non è così?"

Come aveva fatto a capirlo? Marcello ammise di malavoglia: "Può darsi che lei abbia ragione... ma non c'è niente di male... l'ho pensato perché lei ha un aspetto proprio secondo la sua parola, austero."

"Mai come il suo, caro figliolo, mai come il suo," ripeté il professore piacevolmente, "e poi, continuiamo... dica la verità: lei non ama il vino e non se ne intende."

"No, a dire il vero non bevo quasi mai," disse Marcello, "ma che importanza ha?"

"Molta," disse Quadri tranquillamente. "Moltissima importanza... e parimenti scommetto che lei non apprezza la buona tavola."

"Mangio..." incominciò Marcello.

"Tanto per mangiare," finì il professore con accento di trionfo, "come si voleva dimostrare... finalmente lei ha di sicuro una prevenzione contro l'amore... se, per esempio, in un parco, lei vede una coppia che si bacia, il suo primo impulso sarà di condanna e di disgusto e con molta probabilità ne inferirà che la città in cui si trova il parco è una città svergognata... non è così?"

Marcello capiva adesso dove voleva andare a parare Quadri. Disse con sforzo: "Non inferisco nulla... è vero soltanto che probabilmente non sono nato con il gusto per queste cose."

"Non soltanto, ma per lei coloro che ce l'hanno, sono colpevoli e dunque spregevoli... confessi la verità."

"Questo no, sono diversi da me, ecco tutto."

"Chi non è con noi è contro di noi," disse il professore facendo una brusca sortita nella politica, "questo è uno dei motti che volentieri si ripetono in Italia e altrove, oggigiorno, non è così?" Aveva intanto, cominciato a mangiare e così di gusto che gli occhiali gli erano andati fuori posto dagli occhi.

"Non mi pare," disse seccamente Marcello, "che la politica entri in queste faccende."

"Edmondo," disse Lina.

"Cara."

"Mi avevi promesso che non avremmo parlato di politica."

"Ma infatti non parliamo di politica," disse Quadri, "parliamo di Parigi... e concludendo, siccome Parigi è una città in cui la gente ama bere, mangiare, ballare, baciarsi nei parchi e, insomma, divertirsi... sono sicuro che il suo giudizio su Parigi non può essere che sfavorevole."

Questa volta Marcello non disse nulla. Giulia rispose per lui, sorridendo: "A me la gente di Parigi invece, mi piace tanto... è così allegra."

"Ben detto," approvò il professore, "lei signora dovrebbe curare suo marito."

"Ma non è malato."

"Sì, è malato di austerità," disse il professore, la testa china sul piatto. E soggiunse quasi tra i denti: "O meglio l'austerità non è che un sintomo."

Adesso appariva evidente a Marcello che il professore, il quale, secondo quanto gli aveva detto Lina, sapeva tutto di lui, si divertiva a giocare con lui un po' come il gatto con il topo. Non poté tuttavia fare a meno di pensare che questo fosse un gioco molto innocente in confronto al proprio, così tetro, cominciato quel pomeriggio in casa di Quadri e destinato a finire sanguinosamente nella villa di Savoia. Domandò a Lina, quasi con una malinconica civetteria: "Ma davvero sembro così austero... anche a lei?"

La vide considerarlo con uno sguardo freddo e riluttante in cui indovinò con dolore l'avversione profonda che ella nutriva per lui. Poi, evidentemente, Lina dovette rifarsi alla parte di donna innamorata che aveva deciso di recitare, perché rispose sorridendo con sforzo: "Non la conosco abbastanza.. certo dà l'impressione di essere molto serio."

"Ah, questo sì..." disse Giulia guardando con affetto il

marito. "Pensi che io l'avrò visto sorridere sì e no una dozzina di volte... serio è la parola."

Lina lo guardava adesso fissamente, con un'attenzione cattiva: "No," ella disse poi lentamente, "no, mi sono sbagliata... serio non è la parola... bisognerebbe dire preoccupato."

"Preoccupato di che?"

Marcello la vide stringersi nelle spalle, con indifferenza. "Questo poi, non lo so proprio." Ma nello stesso tempo con profonda sorpresa, sentì sotto la tavola il piede di lei che lentamente e con intenzione prima sfiorava il suo e poi lo premeva. Quadri disse con bontà: "Clerici, non si preoccupi troppo di sembrare preoccupato... sono tutti discorsi per passare il tempo... lei è in viaggio di nozze... soltanto questo deve preoccuparla... non è vero signora?" Sorrise a Giulia, con quel suo sorriso che pareva la smorfia di una mutilazione; e Giulia sorrise a sua volta dicendo allegramente: "Forse è proprio questo che lo preoccupa, non è così, Marcello?"

Adesso il piede di Lina continuava a premere il suo, ed egli provava a questo contatto, quasi un senso di sdoppiamento come se dai rapporti d'amore l'ambiguità si fosse trasferita in tutta la sua vita e invece di una situazione ce ne fossero due: la prima in cui egli indicava Quadri a Orlando e tornava in Italia con Giulia, la seconda in cui salvava Quadri, abbandonava Giulia, restava a Parigi con Lina. Le due situzioni, come due fotografie sovrapposte, si intersecavano e si confondevano coi varii colori dei suoi sentimenti di rimpianto e di orrore, di speranza e di malinconia, di rassegnazione e di rivolta. Sapeva benissimo che Lina gli premeva il piede soltanto per ingannarlo e restar fedele alla sua parte di donna innamorata e, tuttavia, quasi per assurdo, sperava che questo non fosse vero e che ella lo amasse sul serio. Intanto si domandava perché mai ella avesse scelto tra i tanti proprio questo gesto di complicità sentimentale così tradizionale e così grossolano e una volta di più gli parve di ritrovare in questa scelta il consueto disprezzo per lui, come per qualcuno che non richiedesse troppa sottigliezza e invenzione per essere ingannato. Lina diceva, intanto, pur premendogli il piede e guardandolo fissamente e con intenzione: "E a proposito del vostro viaggio di nozze... ne ho già parlato a Giulia ma siccome so che Giulia non avrà il coraggio di parlarne a lei, mi permetto di fare io la proposta... perché non verreste a finirlo in Savoia?... Da noi?... Noi ci saremo per tutta l'estate... abbiamo una bella camera per gli ospiti... resterete una settimana, dieci giorni, finché vorrete... e poi di là tornerete direttamente in Italia."

Così, si disse Marcello quasi con disappunto, questo era il motivo di quella pressione del piede. Pensò di nuovo, ma questa volta con dispetto, che l'invito in Savoia coincideva troppo bene con il piano di Orlando: accettando l'invito, essi avrebbero trattenuto Lina a Parigi e intanto Orlando avrebbe avuto tutto il tempo di sbrigarsi con Quadri laggiù in montagna. Disse lentamente: "Per conto mio non ho nulla in contrario ad una gita in Savoia... ma non prima di una settimana... dopo che abbiamo visto Parigi."

"Perfetto," disse subito Lina trionfante, "così verrete giù con me... mio marito mi precede domani, anche io debbo restare ancora una settimana a Parigi."

Marcello sentì che il piede della donna non premeva più il suo. Cessata la necessità che l'aveva ispirata, cessava anche la lusinga; e Lina non aveva neppure voluto ringraziarlo con lo sguardo. Da Lina i suoi occhi passarono alla moglie e vide che pareva scontenta. Poi ella disse: "Mi dispiace di non andare d'accordo con mio marito... e mi dispiace anche di sembrare scortese verso di lei, signora Quadri... ma è impossibile che noi andiamo in Savoia."

"Perché?" non poté fare a meno di esclamare Marcello. "Dopo Parigi..."

"Dopo Parigi, lo sai, dobbiamo andare sulla Costa Azzurra, a trovare quei nostri amici." Era una bugia, non avevano amici sulla Costa Azzurra. Marcello capì che Giulia mentiva per disfarsi di Lina e al tempo stesso dimostrargli la propria indifferenza per la donna. Ma c'era il pericolo che, disgustata dal rifiuto di Giulia, Lina partisse con Quadri. Bisognava, dunque, correre ai ripari, fare accettare senz'altro l'invito alla moglie recalcitrante. Disse in fretta: "Oh, a quelli possiamo anche rinunziarci... avremo sempre tempo di vederli."

"La Costa Azzurra... che orrore," esclamava intanto Lina, contenta dell'aiuto di Marcello, allegramente, impetuosamente, con voce cantante: "Chi va nella Costa Azzurra... i *rastà* sudamericani, le *cocottes*."

"Sì, ma abbiamo un impegno," disse Giulia con ostinazione.

Di nuovo Marcello sentì il piede di Lina premere il suo. Con sforzo domandò: "Su, Giulia, perché non accetteremmo?"

“Se tu proprio desideri,” ella rispose chinando il capo.

Vide, a queste parole, Lina voltarsi verso Giulia con un viso inquieto, triste, irritato, sorpreso. “Ma perché,” ella gridò con una specie di costernazione riflessiva nella voce, “perché per vedere quell’orribile Costa Azzurra?... Ma è un desiderio proprio da provinciali... soltanto i provinciali vogliono visitare la Costa Azzurra... le assicuro che nessuno esiterebbe al suo posto... via, via,” soggiunse ad un tratto con una vivacità disperata “ci deve essere qualche motivo che lei non dice... forse mio marito ed io le siamo antipatici.”

Marcello non poté fare a meno di ammirare questa violenza passionale che permetteva a Lina di fare quasi una scena d’amore a Giulia in presenza sua e di Quadri. Un po’ sorpresa, Giulia protestò: “Ma per carità... cosa dice?”

Quadri che mangiava in silenzio, assaporando, come sembrava, il cibo, molto più che ascoltando la conversazione, osservò con la solita indifferenza: “Lina, tu metti in imbarazzo la signora... anche se è vero che le siamo antipatici, come tu dici, non ce lo dirà mai.”

“Sì, le siamo antipatici,” continuò la donna senza curarsi del marito, “o meglio, forse sono proprio io che le sono antipatica... non è vero cara?... Io le sono antipatica... si crede,” soggiunse rivolgendosi a Marcello, sempre con quella sua disperata vivacità mondana e allusiva, “di essere simpatici e, invece talvolta, proprio le persone a cui si vorrebbe essere simpatici non ci possono soffrire... dice la verità, cara, lei non può soffrirmi... e mentre parlo e insisto stupidamente per averla con noi in Savoia, lei pensa: ‘ma cosa vuole da me questa pazza?... Come fa a non accorgersi che non posso sopportare la sua faccia, la sua voce, e le sue maniere, la sua persona intera, insomma?...’ Dica la verità, lei in questo momento pensa proprio delle cose di questo genere.”

Ormai, come pensò Marcello, ella aveva abbandonato qualsiasi prudenza; e se il marito poteva forse non attribuire alcuna importanza a queste accorate insinuazioni, lui, per il quale, secondo la finzione, tutte quelle insistenze erano prodigate, difficilmente avrebbe potuto non accorgersi a chi si rivolgevano in realtà. Giulia protestò, mollemente stupefatta: “Ma guarda che cosa va a pensare... vorrei proprio sapere perché pensa queste cose.”

“Così è vero,” esclamò la donna addolorata. “io le sono

antipatica." E poi rivolta al marito, con febbrile e amaro compiacimento: "Vedi, Edmondo, tu dicevi che la signora non l'avrebbe detto... invece lo ha detto: io le sono antipatica."

"Non ho detto questo," disse Giulia sorridendo, "non me lo sono neanche sognato..."

"Non l'ha detto ma l'ha lasciato capire."

Quadri disse, senza alzare gli occhi dal piatto: "Lina, non capisco questa tua insistenza... perché dovresti essere antipatica alla signora Clerici? Ti conosce da qualche ora, probabilmente non proverà alcun sentimento particolare."

Marcello capì che doveva di nuovo intervenire, gli occhi di Lina glielo imponevano, adirati, quasi insultanti di disprezzo e di imperio. Ella non gli premeva più il piede adesso, ma con una imprudenza allucinata, un momento che lui teneva la mano sulla tavola, finse di prendere il sale e gli diede una stretta alle dita. Egli disse in tono conciliante e definitivo: "Giulia ed io abbiamo invece molta simpatia per lei... ed accettiamo con piacere l'invito... verremo senz'altro... non è vero Giulia?"

"Si capisce," disse Giulia improvvisamente arresa, "era soprattutto per via di quell'impegno... ma noi volevamo accettare."

"Benissimo... allora è inteso... partiamo tra una settimana tutti insieme." Lina, raggiante, prese subito a parlare delle passeggiate che avrebbero fatto in Savoia, della bellezza di quei luoghi, della casa in cui avrebbero abitato. Marcello notò, tuttavia, che parlava confusamente, ubbidendo, si sarebbe detto, piuttosto ad un impulso di canto, come un uccello che un raggio di sole rallegri improvvisamente dentro la gabbia, che alla necessità di dire certe cose o fornire certe informazioni. E come l'uccello acquista brio dal suo stesso canto, ella pareva inebriarsi al suono della propria voce in cui tremava e si esaltava una gioia imprudente e indomita. Sentendosi escluso dalla conversazione tra le due donne, Marcello levò gli occhi, quasi macchinalmente, verso lo specchio appeso dietro le spalle di Quadri: l'onesta, bonaria testa di Orlando era sempre là, sospesa nel vuoto, decapitata eppure viva. Ma non era più sola: di profilo, non meno nitida e non meno assurda, adesso si vedeva un'altra testa che parlava a quella di Orlando. Era la testa di un rapace, senza nulla di aquilino però, di specie triste e inferiore: occhi profondamente infossati piccoli, spenti, sotto una fronte bassa; grande naso malinconico e ricurvo; guance incavate piene di ombra ascetica; bocca piccola; mento rattrappito. Marcello indugiò a osservare questo personaggio, domandandosi se l'avesse già visto; poi trasalì alla voce di Quadri che gli chiedeva: "A proposito Clerici... se io le chiedessi un favore... lei me lo farebbe?"

Era una domanda inaspettata; e Marcello notò che Quadri aveva atteso, per muoverlo, che la moglie si fosse finalmente taciuta. Disse: "Certo, se è nelle mie possibilità."

Gli parve che Quadri prima di parlare guardasse alla moglie come per riceverne la conferma di un accordo già discusso e stabilito. "Si tratta di questo," disse poi Quadri in tono insieme dolce e cinico, "certo lei non ignora quale sia la mia attività qui a Parigi e perché io non sia più tornato in Italia... ora noi abbiamo degli amici in Italia coi quali corrispondiamo nei modi che possiamo... uno di tali modi consiste nell'affidare lettere a persone apolitiche e comunque non sospettabili di svolgere un'attività politica... ho pensato che lei potrebbe portarmi una di queste lettere in Italia... e impostarla alla prima stazione in cui le accadrà di passare... per esempio, Torino."

Seguì il silenzio. Marcello adesso si rendeva conto che la richiesta di Quadri non aveva altro scopo che quello di metterlo alla prova; o per lo meno in imbarazzo; e capiva pure che tale richiesta era fatta d'accordo con Lina. Probabilmente Quadri, fedele ai suoi sistemi di persuasione, aveva convinto la moglie dell'opportunità di una simile manovra; ma non tanto da modificare l'ostilità di lei verso Marcello. Gli parve di indovinarlo dal viso teso, freddo e quasi irritato di lei. Quali fini, poi, si proponesse Quadri, per il momento non gli riusciva di penetrare. Rispose, per guadagnare tempo: "Ma se mi scoprono, finisco in galera."

Quadri sorrise e disse scherzosamente: "Non sarebbe un gran male... anzi, per noi sarebbe quasi un bene... non sa che i movimenti politici hanno bisogno di martiri e di vittime?"

Lina aggrottò le sopracciglia ma non disse nulla. Giulia guardò Marcello con ansietà: era chiaro che desiderava che il marito rifiutasse. Marcello riprese lentamente: "In fondo, lei desidera quasi che la lettera venga scoperta."

"Questo no," disse il professore versandosi del vino con una giocosa disinvoltura che, non sapeva neppur lui perché, ispirò ad un tratto a Marcello quasi della compassione. "Noi desideriamo soprattutto che il maggior numero possibile di persone si comprometta e lotti con noi... andare in prigione per la nostra causa non è che una delle tante maniere di compromettersi e lottare... non certo la sola." Bevve lentamente; poi soggiunse con serietà, in maniera inaspettata: "Ma glielo ho proposto pro forma... per così dire... io so che lei rifiuterà."

"Ha indovinato," disse Marcello che intanto aveva soppesato il pro e il contro della proposta, "mi rincresce ma mi pare di non potere farle questo favore."

"Mio marito non si occupa di politica," spiegò Giulia con una sollecitudine spaventata, "è un funzionario dello stato... è fuori di queste cose."

"Si capisce," disse Quadri con aria indulgente e quasi affettuosa, "si capisce: è un funzionario dello stato."

Parve a Marcello che Quadri fosse stranamente soddisfatto della sua risposta. La moglie, invece, sembrava indispettita. Ella domandò a Giulia, in tono aggressivo: "Perché ha così paura che suo marito si occupi di politica?"

"Tanto a cosa serve?" rispose Giulia con naturalezza. "Lui deve pensare al suo avvenire, non alla politica."

"Ecco come ragionano le donne in Italia," disse Lina volgendosi al marito, "e poi ti sorprendi che le cose vanno come vanno."

Giulia si indispettì: "Veramente, qui l'Italia non c'entra... in certe condizioni le donne di qualsiasi paese ragionerebbero nello stesso modo... se lei vivesse in Italia, la penserebbe come me."

"Via, non si arrabbi," disse Lina con un riso fosco, triste e affettuoso, passando, in rapida carezza, una mano intorno al viso imbronciato di Giulia, "ho scherzato... può darsi che lei abbia ragione... comunque è così carina quando difende suo marito e si arrabbia per lui... non è vero, Edmondo, che è tanto carina?" Quadri fece un cenno di assenso distratto e un po' infastidito, come per dire: "Discorsi di donne!" e poi riprese seriamente: "Lei ha ragione signora... non si dovrebbe mai mettere l'uomo in condizione di scegliere tra la verità e il pane."

L'argomento, come pensò Marcello, era esaurito. Gli restava tuttavia la curiosità di conoscere il vero motivo della proposta. Il cameriere cambiò i piatti e mise sulla tavola una fruttiera colma. Il cantiniere si avvicinò e domandò se potesse stappare la bottiglia dello champagne. "Sì," disse Quadri, "stappatela pure."

Il cantinere trasse la bottiglia dal secchio, ne avvolse il collo in un tovagliolo, spinse in su il tappo e poi, prontamente, versò il vino spumoso nei bicchieri a calice. Quadri si alzò, il bicchiere in mano: "Beviamo alla salute della causa," disse; e quindi, volgendosi a Marcello, "non ha voluto portare la lettera, ma almeno vorrà fare un brindisi, non è vero?" Sembrava commosso, con gli occhi lucidi di lacrime; e tuttavia, come notò Marcello, così nel gesto del brindisi come nell'espressione del viso c'erano una certa furbizia e quasi del calcolo. Egli guardò la moglie e Lina prima di rispondere al brindisi. Giulia, che si era già alzata in piedi, gli fece cenno con gli occhi come per dire: "Il brindisi puoi farlo." Lina, il calice in mano, gli occhi rivolti in basso, aveva un'aria indispettita, fredda, quasi annoiata. Marcello si alzò e disse: "Alla salute dunque della causa," e andò a urtare il proprio bicchiere contro quello di Quadri. Per uno scrupolo quasi puerile, volle tuttavia aggiungere mentalmente: "della mia causa," sebbene gli paresse ormai di non avere più alcuna causa da difendere ma soltanto un doloroso, incomprensibile dovere da assolvere. Notò con dispiacere che Lina evitava di battere il proprio bicchiere contro il suo. Giulia, invece, esagerando la cordialità, cercava il bicchiere di ciascuno chiamando pateticamente i nomi: "Lina, signor Quadri, Marcello." Il tintinnio dei cristalli, acuto, eppure flebile, lo fece rabbrividire di nuovo, come già i rintocchi della pendola. Guardò in su, allo specchio e vide la testa di Orlando, sospesa a mezzaria, che lo fissava con gli occhi lucidi e inespressivi, veri occhi di decapitato. Quadri tese il bicchiere al cantiniere che glielo riempì di nuovo; quindi, mettendo una certa sua enfasi sentimentale nel gesto, si voltò verso Marcello, il bicchiere alzato, e disse: "E ora alla sua salute personale, Clerici... e grazie." Sottolineò la parola "grazie" con tono allusivo, vuotò di un fiato il calice e sedette.

Per qualche minuto bevvero in silenzio. Giulia aveva vuotato due volte il proprio calice e guardava adesso al marito, con espressione intenerita, riconoscente ed ebbra. Improvvisamente esclamò: "Quanto è buono lo champagne... di' Marcello, non ti pare buono lo champagne?"

"Sì, è un vino molto buono," egli ammise.

"Non lo apprezzi abbastanza," disse Giulia, "è proprio delizioso... e io sono già ubriaca." Rise scuotendo la testa e poi soggiunse ad un tratto, levando il calice: "Su, Marcello, beviamo al nostro amore."

Ebbra, ridente, gli tendeva il bicchiere. Il professore guardava lontano; Lina fredda e disgustata in volto, non nascondeva la propria riprovazione. Subitamente Giulia cambiò idea. "No," gridò, "tu sei troppo austero è vero... ti vergogni di brindare al nostro amore... allora brinderò io, da *sola*, alla vita che mi piace tanto e che è tanto bella... alla vita." Bevve con impeto gioioso e maldestro così che parte del vino si sparse sul tavolo; poi gridò: "porta fortuna," e, bagnate le dita nel vino, fece per toccare le tempie a Marcello. Egli non poté fare a meno di accennare un gesto come per schermirsi. Allora Giulia si alzò, esclamando: "Ti vergogni... ebbene, io non mi vergogno." E, fatto il giro della tavola, andò ad abbracciare Marcello, quasi cascandogli addosso e baciandolo forte sulla bocca. "Siamo in viaggio di nozze," disse in tono di sfida, tornando al suo posto, tutta affannata e ridente; "siamo in viaggio di nozze e non per fare della politica e prendere lettere da portare in Italia."

Quadri, a cui parevano rivolte queste parole, disse tranquillamente: "Lei ha ragione, signora," Marcello, tra la consapevole allusione di Quadri e quella inconsapevole e innocente della moglie, preferì tacere abbassando gli occhi. Lina aspettò che fosse passato un momento di silenzio e poi domandò, come per caso: "Domani, cosa fate?"

"Andiamo a Versailles," rispose Marcello togliendosi col fazzoletto, dalla bocca, il rossetto di Giulia.

"Ci vengo anch'io," disse Lina sollecitamente, "possiamo partire la mattina e fare colazione lì... aiuterò mio marito a far le valigie e poi verrò a prendervi."

"Benissimo," disse Marcello. Lina soggiunse con scrupolo: "Vorrei condurvi in automobile... ma mio marito se la porta via: ci toccherà andare in treno... è più allegro." Quadri non pareva aver udito: adesso pagava il conto, estraendo, con gesto proprio di gobbo, i biglietti da banca piegati in quattro dalla tasca dei pantaloni a strisce. Marcello fece per tendergli del denaro ma Quadri lo respinse dicendo: "A buon rendere... in Italia." Giulia disse ad un tratto con voce ebbra e molto alta:

"In Savoia stiamo pure insieme... ma a Versailles voglio andarci sola con mio marito."

"Grazie," disse Lina ironicamente alzandosi dalla tavola, "almeno questo si chiama parlare chiaro."

"Non si offenda," incominciò Marcello impacciato, "è lo champagne..."

"No, è l'amore che ho per te stupido," gridò Giulia. Ridendo, si avviò con il professore verso la porta. Marcello la udì soggiungere: "Le pare ingiusto che durante il mio viaggio di nozze desideri di star sola con mio marito?"

"No, cara," rispose Quadri con dolcezza, "è giustissimo." Lina, intanto, commentava in tono agro: "Non ci avevo pensato, sciocca che sono... la gita a Versailles è rituale per gli sposini." Alla porta, Marcello volle che Quadri passasse prima di lui. Mentre usciva udì di nuovo il pendolo battere i colpi: erano le dieci.

IX

Fuori, il professore sedette al volante dell'automobile, lasciando lo sportello aperto. "Suo marito può andare avanti col mio," disse Lina a Giulia, "e lei venir dietro con me." Ma Giulia rispose con voce canzonatoria ed ebbra: "Perché? Per conto mio preferisco andare davanti," e salì con decisione a fianco di Quadri. Così Marcello e Lina si trovarono l'uno accanto all'altro, sui sedili posteriori.

Adesso Marcello desiderava prendere in parola la donna comportandosi come se avesse veramente creduto di esserne amato. C'era in questo desiderio oltre ad un impulso vendicativo, quasi un resto di speranza: come se, dopo tutto, in una maniera contraddittoria e involontaria, egli si fosse ancora illuso sui sentimenti di Lina. La macchina si mosse, rallentò in un punto buio per girare in una strada traversa; allora, approfittando dell'oscurità, Marcello afferrò la mano che Lina teneva sulle ginocchia riconducendola sul sedile, tra i loro due corpi seduti. La vide voltarsi, al contatto, con uno scatto iroso, che, però, si trasformò subito in un falso complice gesto di supplichevole ammonimento. La macchina correva infilando una dopo l'altra le viuzze del Quartiere Latino e Marcello stringeva la mano di Lina. La sentiva, nella propria, tendersi tutta, rifiutando non soltanto coi muscoli ma, si sarebbe detto, anche con la pelle, la sua carezza, in un brulichio impotente delle dita in cui parevano mescolarsi ripugnanza, indignazione e collera. Ad una svolta, la macchina sbandò ed essi caddero l'uno contro l'altro. Allora Marcello afferrò Lina alla nuca, come si fa con un gatto che potrebbe rivoltarsi e graffiare, e torcendogli da una parte il capo, la baciò sulla bocca. Ella tentò, a tutta prima, di svincolarsi, ma Marcello strinse con maggior forza la nuca rasata, esile, come di ragazzo; e allora, con un gemito sommesso di dolore, Lina cessò del tutto di resistere e subì il bacio. Però le sue labbra, come Marcello avvertì chiaramente, si torcevano in una smorfia di disgusto; e nello stesso tempo, la mano che tuttora egli stringeva nella sua, gli ficcava le unghie aguzze nel palmo: gesto apparentemente voluttuoso ma che Marcello sapeva in realtà traboccante di ribrezzo e avversione. Egli prolungò il bacio più a lungo che fosse possibile, guardando ora agli occhi di lei, scintillanti di odio e di impaziente repulsione, ora, invece, alle due teste nere e immobili, là davanti, di Giulia e di Quadri. I fanali di una macchina che veniva incontro alla loro illuminarono vividamente il parabrise: Marcello lasciò Lina e si rigettò indietro sul sedile.

La vide, con la coda dell'occhio, ricadere anche lei all'indietro e poi, lentamente, levando alla bocca il fazzoletto, asciugarsela con un gesto riflessivo e pieno di schifo. Allora osservando con quanta cura e con quanta ripugnanza ella si detergeva le labbra che, secondo la finzione, avrebbero dovuto essere invece ancora palpitanti e avide del bacio, gli venne un disperato, oscuro, spaventoso sentimento di dolore.

"Amami," avrebbe voluto gridare, "amami... per l'amor di Dio." Gli parve ad un tratto che dall'amore di Lina per lui, così desiderato e così impossibile, dipendesse ormai non soltanto la propria ma anche la vita di lei. Ora, infatti, come per contagio dell'avversione irriducibile di Lina, capiva di provare anche lui, seppure mischiato all'amore e da questo inseparabile, un odio sanguigno, omicida. Pensò che in quel momento l'avrebbe volentieri uccisa; non sembrandogli possibile di sopportare ancora di saperla al tempo stesso viva e nemica; e pensò anche, pur spaventandosi di pensarlo, che vederla morire gli avrebbe ormai, forse, ispirato maggior piacere che esserne amato. Poi, con subitaneo e generoso moto dell'animo, si pentì e si disse: "Grazie al cielo, ella non sarà in Savoia quando Orlando e gli altri ci andranno... grazie al cielo." E comprese che, in realtà, aveva desiderato, per un momento, di farla morire con il marito nello stesso modo e nella stessa occasione.

La macchina si fermò ed essi discesero. Marcello intravvide una strada buia di sobborgo, tra una fila ineguale di casette e un muro di giardino. "Vedrà," disse Lina prendendo Giulia sottobraccio, "non è proprio un luogo per educande... ma è interessante." Si avvicinarono ad una porta illuminata. Sopra la porta, un piccolo rettangolo di vetro rosso portava, a lettere azzurre, la scritta: *La cravate noire*. "La cravatta nera," spiegò Lina a Giulia, "la cravatta che portano gli uomini con lo smoking e qui dentro portano tutte le donne, dalle cameriere alla padrona." Entrarono nel vestibolo; e, infatti, subito, una testa dai tratti duri e dai capelli corti, ma imberbe e di bianchezza e fisionomia muliebre, si sporse al disopra del banco del guardaroba, dicendo con voce secca: "*Vestiaire*." Giulia divertita si accostò al banco e si voltò lasciando cadere dalle spalle nude la mantiglia nelle mani di questa guardarobiera in giacca nera, camicia inamidata e cravatta a farfalla. Quindi, in un'aria densa di fumo e assordante di musica e di voci, passarono nella sala da ballo.

Una donna formosa, di età incerta ma non giovanile, il viso pingue, pallido e liscio stretto sotto il mento dalla solita cravatta nera a farfalla, venne loro incontro tra i tavoli affollati. Ella salutò con affettuosa familiarità la moglie di Quadri e poi, levando all'occhio imperioso un monocolo legato con un cordone di seta al risvolto della giubba maschile, disse: "Quattro persone... ho proprio quello che ci vuole per lei, signora Quadri... prego, mi segua." Lina, che il luogo pareva aver messo di buon umore, disse, chinandosi sulla spalla della donna dal monocolo, qualche cosa di malizioso e di allegro a cui, colei, proprio come un uomo, rispose con un'alzata di spalle e una smorfia di disdegno. Così, seguendola, giunsero in fondo alla sala ad una tavola libera. "*Voilà*," disse la direttrice. A sua volta, ella si chinò su Lina che si era seduta, le disse qualche cosa all'orecchio, con aria giocosa e persino birichina e quindi, impettita, il capo lustro e piccolo ritto imperiosamente, si allontanò tra i tavoli.

Venne una cameriera piccola, tarchiata, molto bruna, vestita alla solita foggia, e Lina, con una sicurezza lieta e disinvolta di persona che si trovi finalmente in un luogo secondo i propri gusti, ordinò le bevande. Ella si voltò, poi, verso Giulia e disse allegramente: "Ha visto come sono vestite?... È un vero convento... non è curioso?"

Giulia, come parve a Marcello, sembrava adesso impacciata; e sorrise in maniera affatto convenzionale. In un piccolo spazio rotondo, tra i tavoli, sotto una specie di fungo capovolto di cemento tutto vibrante della luce falsa del neon, si pigiavano numerose coppie, di cui alcune di sole donne. L'orchestra anch'essa di donne vestite da uomini, era confinata sotto la scala che portava al ballatoio. Il professore disse, un po' distrattamente: "Questo luogo non mi piace... queste donne mi sembrano più degne di compassione che di curiosità." Lina non parve aver udito l'osservazione del marito. Gli occhi pieni di una luce divorante. Le propose finalmente, come cedendo ad un desiderio irresistibile, con un riso nervoso: "Vogliamo ballare insieme? Così ci prenderanno per due di loro... è divertente... fingiamo di essere come loro... venga, venga..."

Ridente, eccitata, si era già alzata in piedi e invitava Giulia ad alzarsi posandole una mano sulla spalla. Giulia la guardò, guardò il marito, irresoluta. Marcello disse asciutto: "Perché mi guardi?... Non c'è niente di male." Aveva capito che doveva secondare Lina, anche questa volta. Giulia sospirò e, lentamente e malvolentieri, si alzò in piedi. L'altra, intanto, perdendo affatto la testa, ripeteva: "Se lo dice anche suo marito che non c'è niente di male... venga su, venga." Giulia disse avviandosi, con aria di malumore: "A dire la verità non ci tengo a passare per una di loro." Ma precedette Lina e, giunta allo spazio riservato alla danza, si voltò verso di lei, le braccia tese, per farsi abbracciare. Marcello vide Lina avvicinarsi, cingere, con sicurezza e autorità maschili, la vita di Giulia, e poi spingerla, a passo di danza, sulla pista, tra le altre coppie di ballerini. Per un momento, stupefatto in maniera dolorosa e oscura, guardò le due donne che ballavano abbracciate: Giulia era più piccola di Lina, ballavano guancia a guancia e, ad ogni passo, il braccio di Lina pareva stringere di più la vita di Giulia. Gli pareva una vista triste e incredibile: questo, non poté fare a meno di pensare, era l'amore che in un mondo diverso, con una vita diversa, sarebbe stato destinato a lui, che l'avrebbe salvato, di cui avrebbe goduto. Ma una mano si posava sul suo braccio. Si voltò e vide il viso rosso e informe di Quadri che si tendeva verso il suo: "Clerici," disse Quadri con voce commossa, "non creda che non l'abbia capito."

Marcello lo guardò e disse lentamente: "Mi scusi, ma adesso sono io che non capisco."

"Clerici," rispose subito l'altro, "lei sa chi sono io... ma anch'io so chi è lei." Lo guardava con intensità e, intanto aveva preso con le due mani i risvolti della giacca di Marcell

Il quale turbato, raggelato da una specie di terrore, lo fissò a sua volta in viso: no, non c'era odio negli occhi di Quadri, bensì una commozione sentimentale, lacrimosa e struggente, e tuttavia, come pensò, discretamente calcolata e maliziosa. Poi Quadri riprese: "Io so chi è lei e mi rendo conto che parlando in questo modo posso darle l'impressione di essere un illuso, un ingenuo, o addirittura, uno stupido... non importa... Clerici, io voglio, nonostante tutto, parlarle con sincerità e le dico: grazie."

Marcello lo guardò e non disse nulla. I risvolti della sua giacca erano tuttora tra le mani di Quadri e lui sentiva la giacca tirata sul collo come avviene quando qualcuno ci afferra per scaraventarci lontano. "Le dico: grazie," proseguì Quadri, con voce commossa, "non creda che non l'abbia capito. Se lei avesse fatto il suo dovere, lei avrebbe preso la lettera, l'avrebbe portata ai suoi superiori... per decifrarla, per farne arrestare i destinatari... lei non lo ha fatto Clerici, non ha voluto farlo... per lealtà, per un'improvvisa resipiscenza, per un dubbio subitaneo, per onestà... non so... so soltanto che lei non l'ha fatto e le ripeto di nuovo: grazie."

Marcello fece un movimento come per rispondere, ma Quadri, lasciando finalmente la giubba, gli turò la bocca con una mano: "No, non mi dica che non ha voluto accettare di spedire la lettera per non insospettirmi, per mantenersi fedele alla sua parte obbligata di sposino in viaggio di nozze... non lo dica perché so che non è vero... lei, in realtà, ha mosso un primo passo verso la redenzione... io la ringrazio di avermi dato l'occasione di aiutarla a muoverlo... continui Clerici... e lei potrà veramente rinascere ad una nuova vita." Quadri si lasciò andare sulla seggiola e finse di voler smorzare la sete con un gran sorso del suo bicchiere. "Ma ecco le signore," disse levandosi in piedi. Marcello stupito si alzò anche lui.

Notò che Lina pareva di malumore. Come si fu seduta, ella aprì con aria indispettita e frettolosa il portacipria e in fretta, a piccoli colpi ripetuti e rabbiosi, si diede la cipria sul naso e sulle guance. Placida, invece, indifferente, Giulia si mise accanto al marito e, sotto il tavolo, gli prese una mano, con gesto affettuoso, come per confermargli la propria ripugnanza per Lina. La direttrice dal monocolo si avvicinò, e, increspando la guancia liscia e pallida in un sorriso di miele, domandò con voce manierata se tutto andava bene.

Lina rispose seccamente che tutto non poteva andar meglio. La direttrice si chinò verso Giulia e le disse: "Lei è la prima volta che viene qui... posso offrirle un fiore?"

"Sì, grazie," disse Giulia sorpresa.

"Cristina," chiamò la direttrice. Si avvicinò una ragazza anch'essa in giubba maschile, assai diversa dalle fioraie bellocce che si trovano di solito nelle sale da ballo: pallida e smunta senza belletti, con un viso orientale dal naso grande, dalle labbra grosse, dalla fronte calva e ossuta sotto i capelli tagliati cortissimi e malamente, come per una malattia che li avesse diradati. Ella tese un cesto pieno di gardenie e la direttrice sceltane una, l'appuntò sul petto a Giulia dicendo: "Omaggio della direzione."

"Grazie," disse Giulia.

"Non c'è di che," disse la direttrice, "scommetto che la signora è spagnola... non è vero?"

"Italiana," disse Lina.

"Ah italiana... avrei dovuto pensarlo... con quegli occhi neri..." Le parole si persero nel brusio della folla, mentre la direttrice e la magra e melanconica Cristina si allontanavano insieme.

L'orchestra, adesso, riprendeva a suonare. Lina si voltò verso Marcello e gli disse quasi irosamente: "Perché non m'invita? Vorrei ballare." Senza dir parola egli si alzò e la seguì verso la pista della danza.

Incominciarono a ballare. Lina si teneva alquanto distante da Marcello che non poté fare a meno di ricordare con tristezza l'affetto possessivo con il quale, poco prima, ella si era stretta a Giulia. Ballarono per un poco in silenzio e poi, tutto ad un tratto, Lina disse con una rabbia in cui, stranamente, la finzione della complicità amorosa si tingeva di collera e di avversione: "Invece di baciarmi nell'automobile, con il pericolo che mio marito se ne accorgesse, avresti potuto importi a tua moglie, per la gita a Versailles."

Marcello rimase stupito dalla naturalezza con la quale ella innestava la sua vera ira sul falso rapporto d'amore; nonché da quel tu, cinico e brutale, proprio di donna che non si faccia scrupolo di tradire il marito; e per un momento non disse nulla. Lina, interpretando a suo modo questo silenzio, insistette: "Perché non parli ora... è questo il tuo amore? No sei neanche capace di farti ubbidire da quella sciocca di tua moglie."

"Mia moglie non è una sciocca." egli rispose dolcemente, più incuriosito da questa strana ira che offeso.

Ella si slanciò subito nella via che quella risposta le apriva. "Come, non è una sciocca," esclamò irritata e quasi sorpresa, "ma mio caro, anche un cieco lo vedrebbe... è bella, sì, ma perfettamente stupida, una bella bestia... come fai a non rendertene conto?"

"Mi piace com'è," egli disse a caso.

"Un'oca... una stupida... la Costa Azzurra... una piccola provinciale senza un briciolo di cervello... la Costa Azzurra, davvero,... e perché non Montecarlo o Deauville... oppure addirittura la Torre Eiffel?" Ella pareva fuori di sé dalla rabbia, segno, come pensò Marcello, che tra lei e Giulia durante il ballo c'era stata qualche spiacevole discussione. Egli disse con dolcezza: "Non preoccuparti per mia moglie... domani mattina presentati all'albergo... Giulia dovrà pure accettare la tua presenza... e andremo tutti e tre a Versailles."

La vide guardarlo quasi con speranza. Quindi l'ira prevalse ed ella disse: "Che idea assurda... tua moglie ha pur detto chiaramente che non desiderava la mia presenza... non ho l'abitudine di andare dove non sono gradita."

Marcello rispose semplicemente: "Ebbene, io desidero che tu venga."

"Sì, ma tua moglie no."

"Che t'importa di mia moglie? Non ti basta che ci amiamo noi due?"

Inquieta, diffidente, ella lo considerava tirando indietro il capo, il petto gonfio e morbido premuto contro il suo. "Ma davvero... parli del nostro amore come se fossimo amanti da chissà quanto tempo... ma credi che ci amiamo sul serio?"

Marcello avrebbe voluto dirle: "Perché non mi ami? Io ti amerei tanto." Ma le parole gli morivano sulle labbra, come echi soffocati da una lontananza invalicabile. Mai gli pareva di averla tanto amata quanto adesso che, sforzando la finzione fino alla parodia, ella gli domandava falsamente se fosse sicuro di amarla. Disse alla fine con tristezza: "Tu sai che io vorrei che ci amassimo."

"Anch'io," ella rispose distrattamente; ed era chiaro che pensava a Giulia. Soggiunse, poi, come svegliandosi alla realtà con rabbia improvvisa: "Ad ogni modo ti prego di non baciarmi più in macchina o in altri simili luoghi... non ho mai potuto soffrire questo genere di effusioni... mi sembrano una mancanza di riguardo e anche di educazione."

"Tu però," egli proferì stringendo i denti, "non mi hai ancora detto se verrai domani a Versailles."

La vide esitare e quindi domandare, sperduta: "Pensi veramente che tua moglie non si irriterà vedendomi arrivare... non mi insulterà come ha fatto oggi al ristorante?"

"Sono sicuro di no... sarà forse un poco sorpresa... ecco tutto... ma prima che tu venga penserò io a persuaderla."

"Lo farai?"

"Sì."

"Ho l'impressione che tua moglie non possa soffrirmi," ella disse in tono interrogativo come aspettandosi di essere rassicurata.

"Ti sbagli," egli rispose venendo incontro a quel suo desiderio così scoperto, "ha invece molta simpatia per te."

"Veramente?"

"Sì, veramente... anche oggi me lo diceva."

"E che diceva?"

"Oh, Dio, nulla di particolare... che eri bella, che sembravi intelligente... la verità insomma."

"Allora verrò," ella si decise ad un tratto "verrò subito dopo la partenza di mio marito... verso le nove... in modo da poter prendere il treno delle dieci... verrò al vostro albergo."

Marcello risentì questa fretta e questo sollievo come un'offesa di più al suo sentimento. E accendendosi improvvisamente di non sapeva che desiderio di un amore purchessia, anche finto ed ambiguo, disse: "Sono tanto contento che tu abbia accettato di venire."

"Sì."

"Sì, perché penso che non l'avresti fatto se tu non mi amassi."

"Potrei anche averlo fatto per qualche altro motivo," ella rispose con cattiveria.

"Quale?"

"Noi donne siamo dispettose... unicamente per far dispetto a tua moglie."

Così ella pensava sempre e soltanto a Giulia. Marcello non disse nulla ma, sempre ballando, la guidò verso l'ingresso.

Ancora due giravolte e si trovarono davanti il guardaroba, a un passo dalla porta. "Ma dove mi porti?" ella domandò.

"Senti," supplicò Marcello a bassa voce in modo che la guardarobiera ritta dietro il suo banco, non udisse, "usciamo un momento in strada."

"Perché?"

"Non c'è nessuno... vorrei che tu mi dessi un bacio... spontaneamente... per dimostrarmi che mi ami davvero."

"Non ci penso neppure," ella disse, adirandosi ad un tratto.

"Ma perché... è una strada deserta, buia."

"T'ho già detto che non posso soffrire queste espansioni in pubblico."

"Ti prego."

"Lasciami," ella disse con voce dura e alta; e si svincolò, allontanandosi subito verso la sala. Quasi trasportato dal suo slancio, Marcello varcò la soglia e uscì nella strada.

La strada era buia e deserta, come egli aveva detto a Lina, nessuno passava per i marciapiedi scarsamente illuminati di rari fanali. Sull'altro lato della strada, sotto il muro di cinta del giardino, stavano allineate alcune macchine. Marcello si tolse di tasca il fazzoletto e si asciugò la fronte sudata, guardando agli alberi fronzuti che spuntavano al di sopra del muro. Provava un senso di stordimento come dopo aver ricevuto un colpo secco e forte sulla testa. Non ricordava di aver mai supplicato tanto una donna e quasi si vergognava di averlo fatto. Al tempo stesso si rendeva conto che ogni speranza di piegar Lina nonché ad amarlo ma anche soltanto a comprenderlo, era ormai svanita. In quel momento udì alle spalle il rumore di un motore d'automobile e poi la macchina gli scivolò accanto e si fermò. Era illuminata dentro; e al volante, Marcello vide la figura, proprio da autista di famiglia, dell'agente Orlando. Il compagno di Orlando, dalla faccia lunga e magra di uccello rapace, gli stava allato. "Dottore," disse Orlando a voce bassa.

Macchinalmente Marcello si avvicinò: "Dottore.. noi ce ne andiamo... lui parte domani mattina in automobile e noi lo seguiremo... probabilmente però non aspetteremo di esser giunti in Savoia."

"Perché?" domandò Marcello quasi senza rendersi conto di quel che dicesse.

"La strada è lunga e la Savoia lontana... perché aspettare la Savoia se si può far prima e in migliori condizioni?... Arrivederci, dottore... Ci vediamo in Italia." Orlando fece un gesto di saluto e il compagno inclinò la testa. La macchina scivolò via, andò in fondo alla strada, girò intorno il cantone e scomparve.

Marcello tornò sul marciapiede, varcò la soglia e rientrò nella sala. La musica era ricominciata nel frattempo ed egli non trovò al tavolo che Quadri. Lina e Giulia ballavano di nuovo insieme, come vide, confuse tra la folla che si addensava sulla pista. Egli sedette, prese il bicchiere ancora pieno di limonata ghiacciata e lo vuotò con lentezza guardando nel fondo al pezzo di ghiaccio. Quadri disse improvvisamente: "Clerici, lei sa che potrebbe esserci molto utile?"

"Non capisco," disse Marcello riposando il bicchiere sul tavolo.

Quadri spiegò senza alcun imbarazzo: "Ad un altro potrei anche proporre di restare addirittura a Parigi... c'è da fare per tutti, le assicuro... e noi abbiamo soprattutto bisogno di giovani come lei... ma lei potrebbe esserci anche più utile proprio restando dove si trova adesso... al suo posto."

"Dandovi delle informazioni," finì Marcello guardandolo negli occhi.

"Precisamente."

A queste parole, Marcello non poté fare a meno di ricordare gli occhi lustri di commozione, quasi lacrimosi, sinceramente affettuosi di Quadri, poco prima, mentre lo stringeva per i baveri della giacca. Era, quella commozione come pensò, il velluto sentimentale in cui erano dissimulati gli artigli del freddo calcolo politico. La stessa commozione, pensò ancora, che aveva osservato negli occhi di certi suoi superiori, seppure di qualità diversa, patriottica invece che umanitaria. Ma che importavano questi sentimenti giustificativi, se poi, in ambedue i casi, in tutti i casi, non allignava alcuna considerazione per lui, per la sua persona umana, intesa disinvoltamente come un mezzo tra i tanti per raggiungere certi fini? Pensò, con quasi burocratica indifferenza, che Quadri, con quella sua richiesta, aveva controfirmata la propria condanna a morte. Quindi levò gli occhi e disse: "Lei parla come se io avessi le sue stesse idee... o fossi in procinto di averle... se così fosse, io stesso le avrei offerto i miei servizi... ma stando le cose come stanno, e cioè non avendo io né volendo avere le sue idee, lei mi chiede semplicemente un tradimento."

"Un tradimento mai," disse Quadri con prontezza, "per

noi non esistono traditori... esistono soltanto persone che si accorgono dei loro errori e si ravvedono... io ero e sono tuttora convinto che lei è una di tali persone."

"Lei si sbaglia."

"Sia come non detto, allora, sia come non detto... signorina." Frettolosamente, forse per nascondere il disappunto, Quadri chiamò una delle cameriere e pagò il conto. Poi tacquero, Quadri guardando la sala, in atteggiamento di sereno spettatore, Marcello seduto con le spalle alla sala, gli occhi rivolti in basso. Finalmente egli sentì una mano posarsi sulla sua spalla e la voce lenta e calma di Giulia dire: "Allora vogliamo andare? Sono tanto stanca..."

Marcello si alzò subito dicendo: "Credo che siamo tutti d'accordo nell'aver sonno." Gli parve che Lina avesse in viso un'espressione stravolta e un pallore intenso ma attribuì la prima alla stanchezza della serata e la seconda alla luce livida del neon. Uscirono e andarono alla macchina, in fondo alla strada. Marcello finse di non udire la moglie che gli sussurrava "mettiamoci come prima," e salì decisamente accanto a Quadri. Per tutta la durata del tragitto nessuno dei quattro parlò. Soltanto Marcello, a metà strada, disse a caso: "Ma quanto tempo ci metterà per arrivare in Savoia?" E Quadri, senza voltarsi, rispose: "È una macchina veloce e siccome sarò solo e non avrò da fare altro che correre, penso che arriverò ad Annecy a notte... il giorno dopo ripartirò all'alba..."

Davanti all'albergo, discesero dalla macchina e si salutarono. Quadri, dopo aver stretto in fretta la mano a Marcello e a Giulia, tornò alla macchina. Lina si trattenne un momento a dire qualche cosa a Giulia e poi Giulia la salutò ed entrò nell'albergo. Per un istante rimasero soli Lina e Marcello, sul marciapiede. Egli disse con impaccio: "Allora a domani." "A domani," echeggiò la donna, inclinando il capo in un sorriso mondano. Quindi gli voltò le spalle; ed egli raggiunse Giulia nell'atrio.

X

Come Marcello si destò e rivolse gli occhi al soffitto, nella penombra incerta delle imposte malchiuse, ricordò subito che, a quell'ora, Quadri correva già per le strade di Francia, seguito a breve distanza da Orlando e dai suoi uomini; e comprese che il viaggio a Parigi era finito. Il viaggio era finito, si ripeté, sebbene il viaggio fosse appena cominciato. Era finito perché si era compiuto, con la morte già scontata di Quadri, quel periodo della sua vita durante il quale egli aveva cercato con ogni mezzo di disfarsi del peso di solitudine e di anormalità che gli aveva lasciato la morte di Lino. Ci era riuscito, a prezzo di un delitto, o meglio di quello che sarebbe rimasto un delitto, se egli non avesse saputo giustificarlo e dargli un senso. Per quanto lo riguardava personalmente era sicuro che tale giustificazione non sarebbe mancata: buon marito, buon padre, buon cittadino, grazie anche alla morte di Quadri che gli precludeva definitivamente ogni ritorno indietro, avrebbe visto la sua vita acquistare lentamente ma solidamente quell'assolutezza che sinora le era mancata. Così la morte di Lino, che era stata la causa prima della sua oscura tragedia, sarebbe stata risolta e annullata da quella di Quadri, proprio come un tempo l'offerta espiatoria di una vittima umana innocente, risolveva e annullava l'empietà di un precedente misfatto. Ma non c'era soltanto lui; e la giustificazione della sua vita e l'uccisione di Quadri non dipendeva soltanto da lui. "Adesso," pensò lucidamente, "bisogna che anche gli altri facciano il loro dovere... altrimenti resterò solo, con questo morto sulle braccia e alla fine non avrò aggiunto che il nulla al nulla." Gli altri, come sapeva, erano il governo che con quell'uccisione egli aveva inteso servire, la società che si esprimeva in quel governo, la nazione stessa che accettava di essere guidata da quella società. Non gli sarebbe bastato dire: "Ho fatto il mio dovere... ho agito in questo modo perché ero comandato." Questa giustificazione poteva bastare per l'agente Orlando, non per lui. Ci voleva, per lui, il successo completo di quel governo, di quella società, di quella nazione; e non soltanto un successo esteriore ma anche intimo e necessario. Soltanto in questo modo, quello che normalmente era considerato un comune delitto sarebbe, invece, diventato un passo positivo in una direzione necessaria. In altri termini, doveva operarsi, grazie a forze che non dipendevano da lui, una trasmutazione completa dei valori: l'ingiusto doveva diventare giusto; il tradimento, eroismo, la morte, vita. Sentì il bisogno a questo punto di esprimere in parole grezze e sarcastiche la propria situazione e pensò con freddezza: "Insomma, se il fascismo fa fiasco, se tutte le canaglie, gli incompetenti, e gli imbecilli che stanno a Roma portano la nazione italiana alla rovina, allora io non sono che un misero assassino." Ma subito dopo, corresse mentalmente: "Eppure stando come stanno le cose, non potevo fare altrimenti."

Al suo fianco, Giulia che dormiva ancora, si mosse e con un gesto lento, possente e graduale si avvinghiò a lui prima con le braccia poi con le gambe, ponendogli la testa sul petto. Marcello la lasciò fare e sporgendo un braccio, prese sul comodino la piccola sveglia fosforescente e guardò l'ora: erano le nove e un quarto. Non poté fare a meno di pensare che, se le cose erano andate come Orlando aveva lasciato supporre che dovessero andare, a quell'ora, in un punto qualsiasi di una strada francese, la macchina di Quadri giaceva abbandonata in un fosso con un cadavere al volante. Giulia domandò a bassa voce: "Che ore sono?"

"Le nove e un quarto?"

"Uh, come è tardi," ella disse senza muoversi, "abbiamo dormito almeno nove ore."

"Si vede che eravamo stanchi."

"Non andiamo più a Versailles?"

"Certo... anzi dobbiamo vestirci," egli disse con un sospiro, "tra poco sarà qui la signora Quadri."

"Preferirei che non venisse... non mi lascia mai in pace con il suo amore."

Marcello non disse nulla. Dopo un momento, Giulia riprese: "E qual è il programma per i prossimi giorni?"

Prim'ancora che avesse potuto trattenersi, Marcello rispose: "Partire," con una voce che gli parve quasi lugubre a forza di malinconia.

Questa volta Giulia si riscosse e tirando alquanto indietro la testa e il petto ma senza staccarsi da lui, domandò con voce stupita e già allarmata: "Partire? Così presto? Siamo appena arrivati e dobbiamo già partire?"

"Non te l'ho detto ieri sera," egli mentì, "per non guastarti la serata... ma ieri nel pomeriggio ho ricevuto un telegramma che mi richiama a Roma..."

"Peccato... veramente peccato," disse Giulia in tono bonario e già rassegnato, "proprio quando cominciavo a divertirmi a Parigi... e poi non abbiamo ancora visto nulla."

"Ti dispiace?" egli domandò con dolcezza, carezzandole il capo.

"No, ma avrei preferito restare qualche giorno almeno... se non altro per farmi un'idea di Parigi."

"Ci torneremo."

Seguì il silenzio. Poi Giulia fece un vivo movimento con le braccia e con tutto il corpo contro di lui e disse: "Allora dimmi almeno quello che faremo in futuro... dimmi come sarà la nostra vita."

"Perché vuoi saperlo?"

"Così," ella rispose stringendosi contro di lui, "perché mi piace tanto parlare del futuro... a letto... al buio."

"Ebbene," incominciò Marcello con voce calma e incolore, "adesso torniamo a Roma e cerchiamo casa."

"Quanto grande?"

"Quattro o cinque stanze e i servizi... trovata che l'abbiamo compriamo tutto il necessario per arredarla."

"Io vorrei un appartamento al pianterreno," ella disse con voce sognante, "con un giardino... anche non grande... ma con degli alberi e dei fiori, da poterci stare nella bella stagione."

"Nulla di più facile," confermò Marcello, "dunque mettiamo su casa... io penso che avrò abbastanza denaro per arredarla completamente... non con mobili di lusso, si intende..."

"Tu ti farai un bello studio," ella disse.

"Perché uno studio, dal momento che lavoro all'ufficio?... Meglio una grande stanza di soggiorno."

“Sì, una stanza di soggiorno... hai ragione... salotto e sala da pranzo insieme... e avremo anche una bella camera da letto, no?”

“Certo.”

“Ma niente *sommiers*, che sono così squallidi... voglio la camera da letto regolare... con il letto a due piazze, matrimoniale... e dimmi... avremo anche una bella cucina?”

“Una bella cucina, perché no?”

“Voglio avere il fornello doppio, col gas e con l’elettricità... e voglio avere anche un bel frigidaire... se non abbiamo abbastanza soldi queste cose potremo comprarle a rate.”

“Si capisce... a rate.”

“E dimmi ancora, che faremo in questa casa?”

“Ci vivremo e saremo felici.”

“Ho tanto bisogno di essere felice,” ella disse rannicchiandosi ancor più contro di lui, “tanto... se tu sapessi... mi sembra che ho bisogno di esser felice da quando sono nata.”

“Ebbene, saremo felici,” disse Marcello con fermezza quasi aggressiva.

“E avremo dei figli?”

“Certo.”

“Io ne voglio tanti,” ella disse con una specie di cantilena nella voce, “ne voglio uno per ogni anno almeno per i primi quattro anni del nostro matrimonio... così avremo una famiglia e io voglio avere una famiglia il più presto possibile... mi sembra che non bisogna aspettare, altrimenti, poi, sarà troppo tardi... e quando si ha una famiglia, tutto il resto viene da sé, nevvero?”

“Certo, tutto il resto viene da sé.”

Ella tacque un momento e poi domandò: “Credi che io sia già incinta?”

“Come faccio a saperlo?”

“Se lo fossi,” ella disse con un riso, “vorrebbe dire che nostro figlio è nato in treno.”

“Ti farebbe piacere?”

“Sì, sarebbe un buon augurio per lui... chissà, poi diventerebbe un gran viaggiatore... il primo figlio lo voglio maschio... il secondo preferirei che fosse una femmina... sono sicura che sarebbe molto bella... tu sei bello e io non sono proprio brutta... da noi due nasceranno certamente dei bambini molto belli.”

Marcello non disse nulla e Giulia riprese: "Perché stai zitto? Non ti piacerebbe avere dei figli da me?"

"Certo," egli rispose; e tutto ad un tratto, con stupore, sentì due lacrime sgorgargli dagli occhi e colargli sulle guance. E poi due altre, calde, brucianti, come già piante in un tempo anteriore e remoto e rimaste dentro gli occhi a impregnarsi di ardente dolore. Capì che ciò che lo faceva lacrimare era proprio quel discorso sulla felicità tenuto poco prima da Giulia, sebbene non gli riuscisse di penetrarne la ragione. Forse perché questa felicità era stata pagata in anticipo a così caro prezzo; forse perché si rendeva conto che non avrebbe mai potuto essere felice, almeno nel modo semplice e affettuoso descritto da Giulia. Con sforzo, finalmente ricacciò indietro la voglia di pianto e, senza che Giulia se ne accorgesse, si asciugò gli occhi con il rovescio della mano. Intanto Giulia l'abbracciava sempre più stretto, aderendo vogliosamente con il proprio corpo al suo, cercando di guidargli le mani distratte e inerti a carezzarla e a stringerla. Poi la sentì tendere il viso verso il suo e incominciare a baciarlo fittamente sulle guance, sulla bocca, sulla fronte, sul mento, con una avidità frenetica e infantile. Ella sussurrò finalmente, quasi lamentandosi: "Perché non vieni contro di me... prendimi," e nella sua voce implorante gli parve di avvertire quasi un rimprovero per aver pensato piuttosto alla propria che alla felicità di lei. Allora, mentre l'abbracciava e, dolcemente e agevolmente penetrava in lei; ed ella, sotto di lui, la testa sul guanciale e gli occhi chiusi, cominciava ad alzare e abbassare i fianchi in un movimento regolare, placato e oscuramente riflessivo, simile a quello di un'onda marina che si gonfi e si distenda secondo il flusso e il riflusso, un colpo forte risuonò alla porta: "Espresso."

"Che sarà?" ella mormorò ansante, socchiudendo gli occhi, "non ti muovere... che t'importa?" Marcello si voltò e intravvide, laggiù sul pavimento, nel chiarore presso la porta, una lettera che era stata introdotta da sotto la fessura. Nello stesso momento, Giulia ricadde supina e si irrigidì sotto di lui rovesciando indietro la testa, sospirando profondamente e ficcandogli le unghie nelle braccia. Ella girò il capo sul guanciale prima da una parte e poi dall'altra, e mormorò: "Uccidimi."

Senza ragione, Marcello ricordò improvvisamente il grido di Lino: "Ammazzami come un cane," e sentì un'orribile inquietudine invadergli l'animo. Un lungo momento aspettò che le mani di Giulia ricadessero sul letto; quindi accese la lampada, mise i piedi in terra, andò a prendere la lettera e tornò a stendersi al fianco della moglie. Giulia gli voltava adesso le spalle, rannicchiata su se stessa, gli occhi chiusi. Marcello guardò la lettera prima di posargliela sul bordo del letto, presso la bocca ancora aperta e ansante. La busta portava la scritta: "Madame Giulia Clerici" di mano chiaramente femminile. "Una lettera della signora Quadri," disse.

Giulia mormorò, senza aprire gli occhi: "Dammela."

Seguì un lungo silenzio. La lettera posata all'altezza della bocca di Giulia era illuminata in pieno dalla lampada; Giulia accasciata e immobile, sembrava dormire. Quindi ella sospirò, aprì gli occhi, e tenendo con una mano sola un angolo della lettera, lacerò coi denti la busta, trasse fuori il foglio e lesse.

Marcello la vide sorridere; poi ella mormorò: "Dicono che in amor vince chi fugge... siccome ieri sera l'ho trattata male, mi informa che ha cambiato idea e che è partita stamani con il marito... spera che la raggiunga... buon viaggio."

"È partita?" riprese Marcello.

"Sì, è partita stamani alle sette insieme con il marito, per la Savoia... e sai perché è partita?... Ti ricordi ieri sera quando ballai con lei la seconda volta? Fui io a chiederle di ballare e lei era contenta perché sperava che finalmente le dessi retta... ebbene io, invece, le dissi con la massima franchezza che doveva assolutamente rinunziare a me... e che se continuava, avrei cessato di vederla del tutto, e che volevo bene soltanto a te e che mi lasciasse in pace e si vergognasse... insomma gliene dissi tante e tante che quasi piangeva... allora oggi è partita... hai capito il calcolo... parto affinché tu mi raggiunga... aspetterà un pezzo."

"Sì, aspetterà un pezzo," ripeté Marcello.

"Del resto mi fa piacere che sia partita," riprese Giulia, "era così insistente e noiosa... quanto a raggiungerla, non ne parliamo neppure... non voglio più vederla quella donna."

"Non la vedrai mai più," disse Marcello.

XI

La stanza dove lavorava Marcello, al ministero, dava su un cortile secondario: molto piccola, di forma asimmetrica, non conteneva che la scrivania e un paio di scaffali. Era situata in fondo ad un corridoio cieco, lontano dalle anticamere; per andarci Marcello si serviva di una scala di servizio che sboccava dietro il palazzo, in un vicolo poco frequentato. Una mattina, una settimana dopo il ritorno da Parigi, Marcello sedeva al tavolino. Nonostante il caldo forte, non si era tolta la giacca né sfilata la cravatta, come erano soliti fare tanti suoi colleghi: era sua abitudine quasi puntigliosa non modificare in ufficio la tenuta che adottava di fuori. Tutto vestito, dunque, il collo chiuso in un solino alto e stretto, prese ad esaminare i giornali italiani e stranieri, prima di mettersi al lavoro. Anche quella mattina, sebbene fossero ormai passati sei giorni, il suo primo sguardo fu per il delitto Quadri. Notò che notizie e titoli erano molto ridotti, segno indubbio che le indagini non avevano fatto progressi. Un paio di giornali francesi di sinistra, rifacevano, ancora una volta, la storia del delitto, soffermandosi a interpretare certi particolari più strani o più significativi: Quadri ucciso all'arma bianca, nel fitto di un bosco; sua moglie, invece, colpita da tre proiettili di rivoltella al margine della strada e poi trascinata, già morta, accanto al marito; la macchina portata anch'essa nel bosco e dissimulata tra i cespugli. Questa cura di nascondere cadaveri e automobile tra gli alberi, lontano dalla strada, aveva impedito il rinvenimento per due giorni. I giornali di sinistra davano per sicuro che i due coniugi fossero stati uccisi da sicari appositamente venuti dall'Italia; alcuni giornali di destra arrischiavano invece, seppure in forma dubitativa, la tesi ufficiale dei giornali italiani, che fossero stati assassinati da compagni di antifascismo per dissensi riguardanti la condotta della guerra di Spagna. Marcello gettò via i giornali e prese una rivista illustrata francese. Subito lo colpì una fotografia pubblicata in seconda pagina e facente parte di tutto un servizio giornalistico sul delitto. Portava la scritta: LA TRAGEDIA DELLA FORESTA DI GEVAUDAN, e doveva essere stata presa al momento della scoperta o subito dopo. Vi si vedeva un sottobosco con i tronchi degli alberi ritti e irti di rami, le chiazze più chiare del sole tra un tronco e l'altro e in terra, affondati nell'erba alta, quasi introvabili a prima vista in quel confuso variare di luci e di ombre boschive, i due morti. Quadri era disteso supino e di lui non si vedevano che le spalle e la testa, e di questa soltanto il mento con la gola attraversata dalla riga nera di un taglio. Invece, di Lina, gettata un po' di traverso sul marito, si scorgeva la persona intera. Marcello posò con calma la sigaretta accesa sull'orlo del portacenere, prese una lente di ingrandimento e scrutò con attenzione la fotografia. Sebbene fosse grigia e sfocata e per giunta resa indistinta dalle macchie di sole e di ombra del sottobosco, pure vi era riconoscibile il corpo di Lina, insieme snello e formoso, puro e sensuale, bello e bizzarro: le spalle larghe sotto la nuca delicata e il collo sottile, il petto esuberante al disopra dell'esiguità di vespa della vita, l'ampiezza dei fianchi e la lunghezza elegante delle gambe. Ella copriva il marito con parte della persona e con la veste largamente sparpagliata, e pareva volergli parlare all'orecchio, girata da un lato, il viso immerso nell'erba, la bocca contro la guancia da lui. A lungo Marcello guardò attraverso la lente la fotografia, cercando di studiarne ogni ombra, ogni linea, ogni particolare. Gli pareva che da quell'immagine piena di un'immobilità che andava al di là dell'immobilità meccanica dell'istantanea e raggiungeva quella definitiva della morte, spirasse un'aria di invidiabile pace. Era una fotografia, pensò, piena del profondissimo silenzio che doveva esser seguito alla terribile fulminea agonia. Pochi istanti prima tutto era stato confusione, violenza, terrore, odio, speranza e disperazione; pochi istanti dopo tutto era finito e placato. Ricordò che i due morti erano rimasti a lungo nel sottobosco, quasi due giorni; e immaginò che il sole, dopo averli scaldati per molte ore attirando su di loro la vita ronzante degli insetti, se ne fosse andato lentamente lasciandoli alle tenebre silenziose della dolce notte estiva. La rugiada notturna aveva pianto sulle loro guance, il vento leggero aveva mormorato tra i rami più alti e per i cespugli del sottobosco. Col primo sole, le luci e le ombre del giorno avanti erano tornate, come ad un convegno, a scherzare sulle due figure distese e immobili. Rallegrato dalla frescura e dal puro splendore del mattino, un uccello si era posato su un ramo e aveva cantato. Un'ape aveva volato intorno il capo di Lina, un fiore si era aperto presso la fronte rovesciata di Quadri. Per loro così silenziosi e inerti, avevano parlato le acque loquaci dei ruscelli che serpeggiavano per la foresta, si erano mossi intorno gli abitatori del bosco, gli scoiattoli furtivi, i conigli selvatici saltellanti. E intanto, sotto di loro, la terra premuta aveva spostato lentamente, col morbido letto di erbe e di musco, le forme rigide dei corpi, si era preparata, accogliendone la muta richiesta, a riceverli nel suo grembo.

Trasalì ad un colpo bussato alla porta, gettò via la rivista e gridò di entrare. La porta si aprì lentamente e per un momento Marcello non vide nessuno. Quindi, guardinga, si affacciò alla fessura l'onesta, pacifica, larga faccia dell'agente Orlando.

"Posso, dottore?" domandò l'agente.

"Accomodatevi, Orlando," disse Marcello in tono ufficiale, "venite pure avanti... avete qualche cosa da dirmi?"

Orlando entrò, chiuse la porta e si avvicinò guardando fissamente Marcello. Allora, per la prima volta, Marcello notò che tutto era bonario in quel viso florido e accaldato, tutto eccetto gli occhi che, piccoli e infossati sotto la fronte calva, scintillavano in maniera singolare. "Strano," pensò Marcello guardandolo, "che non me ne fossi accorto prima." Accennò all'agente di sedere e questi ubbidì senza dir parola, sempre fissandolo con quegli occhi brillanti. "Una sigaretta?" propose Marcello spingendo l'astuccio verso Orlando.

"Grazie, dottore," disse l'agente prendendo la sigaretta. Seguì un silenzio. Poi Orlando buttò fumo dalla bocca, guardò un istante la punta accesa della sigaretta e disse: "Voi sapete, dottore, qual è il lato più curioso dell'affare Quadri?"

"No, quale?"

"Che non era necessario."

"Come sarebbe a dire?"

"Sarebbe a dire che al ritorno dalla missione, subito dopo aver passato la frontiera, andai a trovare Gabrio a S. per riferire. Sapete la prima cosa che mi dice? Avete ricevuto il contrordine?... Domando: quale contrordine?... il contrordine, dice lui, di sospendere la missione... E perché sospenderla?... Sospenderla, risponde, perché tutto ad un tratto a Roma hanno scoperto che in questo momento sarebbe utile un riavvicinamento con la Francia e perciò pensano che la missione potrebbe compromettere le trattative... io dico allora; non ho ricevuto alcun contrordine fino alla mia partenza da Parigi, si vede che è stato spedito troppo tardi... comunque la missione è stata compiuta, come potrete vedere nei giornali di domani mattina... a questa mia risposta lui comincia a urlare: siete delle bestie, mi avete rovinato, questo può guastare i rapporti franco-italiani in un momento così delicato della politica internazionale, siete dei delinquenti, ora cosa dirò a Roma?... Direte, gli rispondo calmo, la verità: che il contrordine è stato inviato troppo tardi... avete capito, dottore? Tante fatiche, due morti, e poi non era necessario, anzi controproducente."

Marcello non disse nulla. L'agente aspirò ancora una boccata di fumo e poi pronunziò con l'enfasi ingenua e compiaciuta dell'uomo incolto che ama riempirsi la bocca con le parole solenni: "Fatalità."

Seguì un nuovo silenzio. L'agente riprese: "Ma è l'ultima volta che accetto una missione simile... la prossima volta, marco visita... Gabrio gridava: siete delle bestie... e invece questo proprio non è vero... siamo uomini e non bestie."

Marcello spense la sigaretta fumata a metà e ne accese un'altra. L'agente continuò: "Si ha un bel dire, ma certe cose non fanno piacere... per non dirne che una: Cirrincione..."

"Chi è Cirrincione?"

"Uno degli uomini che erano con me... subito dopo il colpo, in quella confusione, mi volto, per caso, e che vedo? Che lecca il pugnale... gli grido: che fai? Sei pazzo?... e lui: 'sangue di gobbo, porta fortuna...' avete capito? Barbaro... quasi quasi gli sparavo."

Marcello abbassò gli occhi e riordinò meccanicamente le carte che erano sul tavolo. L'agente scosse il capo in maniera deprecativa e poi riprese: "Ma quello che mi è dispiaciuto di più è stato il caso della signora, che non c'entrava per nulla e che non doveva morire... ma si gettò davanti al marito, per proteggerlo e prese per lui due colpi di rivoltella... lui scappò nel bosco dove lo raggiunse, appunto, quel barbaro di Cirrincione... lei viveva ancora e io, poi, fui costretto a darle il colpo di grazia... una donna coraggiosa più di tanti uomini."

Marcello alzò gli occhi verso l'agente, come per fargli intendere che la visita era finita. L'agente capì e si levò in piedi. Ma non se ne andò subito. Mise le due mani sulla scrivania, guardò un lungo momento Marcello, con quei suoi occhi scintillanti e poi, con la stessa enfasi con cui poco prima aveva detto "fatalità", pronunziò: "Tutto per la famiglia e per la patria, dottore."

Allora improvvisamente, Marcello comprese dove aveva già veduto quegli occhi così scintillanti e insoliti. Quegli occhi avevano la stessa espressione degli occhi di suo padre, tuttora chiuso nella clinica per i malati di mente. Disse freddamente: "La patria forse non chiedeva tanto."

"Se non lo chiedeva," domandò Orlando sporgendosi un poco verso di lui e alzando la voce, "perché allora ce l'hanno fatto fare?"

Marcello esitò e poi disse, asciutto: "Voi, Orlando, avete fatto il vostro dovere e questo deve bastarvi." Vide l'agente, tra mortificato e approvatore, accennare un leggero inchino deferente. Allora, dopo un momento di silenzio, non sapeva neppur lui perché, forse per dissipare in qualche modo quell'angoscia tanto simile alla sua, soggiunse con dolcezza: "Avete figli, voi, Orlando?"

"E come no, dottore... ne ho cinque." L'agente trasse di tasca un grosso portafogli sdrucito, ne tolse una fotografia e la porse a Marcello che la prese e guardò. Vi si vedevano, allineati in ordine di statura, cinque bambini, dai tredici ai sei anni, tre femmine e due maschi, tutti vestiti a festa, le femmine di bianco, i maschi alla marinara. Tutti e cinque, come notò Marcello, avevano visi tondi, pacifici, saggi, assai rassomiglianti a quello del padre. "Stanno al paese insieme con la madre," disse l'agente riprendendo la fotografia che Marcello gli tendeva, "la più grande già lavora da sarta."

"Sono belli e vi somigliano," disse Marcello.

"Grazie, dottore... di nuovo, dottore." L'agente si fece da parte per lasciare passare Giulia e scomparve. Giulia si avvicinò e disse subito: "Passavo qua sotto e ho pensato di farti una visita... come stai?"

“Sto benissimo,” disse Marcello.

In piedi davanti la scrivania, ella lo guardò, indecisa, dubbiosa, apprensiva. Disse finalmente: “Non credi che stai lavorando troppo?”

“No,” rispose Marcello, gettando uno sguardo di sfuggita alla finestra aperta. “Perché?”

“Hai l'aria stanca.” Giulia girò intorno la scrivania e per un poco stette ferma, appoggiata contro il bracciolo della poltrona guardando ai giornali sparsi sulla scrivania. Poi domandò: “C'è nulla di nuovo?”

“Su che cosa?”

“Nei giornali per la faccenda di Quadri.”

“No, nulla.”

Ella disse dopo un momento di silenzio: “Sempre più mi convinco che sono stati uomini del suo partito a ucciderlo. E tu che ne pensi?”

Era la versione ufficiale del delitto, fornita ai giornali italiani dagli uffici di propaganda il mattino stesso che la notizia era arrivata da Parigi. Giulia, come notò Marcello, vi aveva accennato con una specie di buona volontà, quasi sperando di convincere se stessa. Rispose seccamente: “Non so... potrebbe anche darsi.”

“Io ne sono convinta,” ella ripeté con risolutezza. E poi, dopo un momento di esitazione, ingenuamente: “Qualche volta penso che se quella sera, in quel locale notturno, non avessi trattato così male la moglie di Quadri, lei sarebbe rimasta a Parigi e non sarebbe morta... e mi viene rimorso... ma come potevo fare? La colpa fu di lei che non mi lasciava un momento in pace.”

Marcello si domandò se Giulia sospettasse qualche cosa della parte da lui avuta nell'uccisione di Quadri e poi, dopo una breve riflessione, lo escluse. Nessun amore, come pensò, avrebbe resistito ad una simile scoperta, Giulia diceva la verità: provava rimorso per la morte di Lina, perché sia pure in maniera affatto innocente, ne era stata la causa indiretta. Volle rassicurarla ma non seppe trovare di meglio che la parola già pronunziata con tanta enfasi, da Orlando. “Non aver rimorso,” disse circondandole la vita con un braccio e attirandola, “è stata la fatalità.”

Ella rispose, accarezzandogli leggermente il capo: “Non ci credo io alla fatalità... è stato invece perché ti volevo bene...

se non ti avessi amato, chissà, forse non l'avrei trattata così male, e lei non sarebbe partita e non sarebbe morta... che c'è di fatale in tutto questo?"

Marcello ricordò Lino, causa prima di tutte le vicende della sua vita e spiegò, riflessivamente: "Quando si dice fatalità si dicono appunto tutte queste cose, l'amore e il resto... tu non potevi non agire come hai agito e lei non poteva, appunto, non partire con il marito."

"Allora noi non possiamo far nulla?" domandò Giulia con voce trasognata, guardando alle carte sparpagliate sulla scrivania.

Marcello esitò e poi rispose, con profonda amarezza: "Sì, possiamo sapere che non possiamo far nulla..."

"E a cosa serve?"

"Per noi, la prossima volta... o per gli altri, dopo di noi."

Ella si staccò da lui con un sospiro e andò alla porta: "Ricordati di non tardare oggi," disse sulla soglia, "la mamma ha preparato un buon pranzo... e ricordati anche di non prendere impegni per il pomeriggio... dobbiamo andare insieme a vedere gli appartamenti." Gli fece un cenno di saluto e scomparve.

Rimasto solo, Marcello prese un paio di forbici, ritagliò con cura la fotografia dalla rivista francese, la mise in un cassetto accanto ad altre carte e chiuse a chiave il cassetto. In quel momento, dal cielo infuocato discese dentro il cortile l'ululato lacerante della sirena del mezzogiorno. Subito dopo, cominciarono a suonare le campane vicine e lontane delle chiese.

EPILOGO

I

Era venuta la sera, e Marcello, che aveva passato la giornata disteso sul letto fumando e riflettendo, si levò e andò alla finestra. Nere nella luce verdognola del crepuscolo estivo, le case che d'ogni parte rinserravano la sua, si levavano intorno i nudi cortili di cemento ornati di piccole aiuole verdi e di siepi di mortella tagliata. Qualche finestra splendeva, rossa, e, nelle stanze di servizio, si potevano vedere i camerieri in giacca da fatica a strisce, le cuoche in grembiule bianco accudire alle faccende domestiche, tra gli armadi laccati dei guardaroba e i fornelli senza fiamme delle cucine elettriche. Marcello alzò gli occhi in su, oltre i terrazzi delle case; le ultime fumate purpuree del tramonto svanivano nel cielo serotino; poi li abbassò di nuovo e vide una macchina entrare e fermarsi nel cortile e il guidatore scendere insieme con un grosso cane bianco che prese subito a correre tra le aiuole, uggiolando e abbaiando di gioia. Era un quartiere ricco, tutto nuovo, venuto su negli ultimi anni, e guardando a quei cortili e a quelle finestre, nessuno avrebbe pensato che la guerra durasse da quattro anni e che, quel giorno, un governo che durava da venti, fosse caduto. Nessuno salvo lui, come pensò, e tutti coloro che si trovavano nelle sue condizioni. Folgorante, per un momento, gli apparve l'immagine di una verga divina che, sospesa sulla grande città distesa pacificamente sotto il cielo sereno, colpiva qua e là alcune famiglie gettandole nel terrore, nella costernazione e nel lutto mentre i vicini restavano indenni. La sua famiglia era tra le colpite, come sapeva e come aveva preveduto fin dall'inizio della guerra, una famiglia come le altre, con gli stessi affetti e la stessa intimità, proprio normale, di quella normalità che egli aveva ricercato con tanta tenacia per anni e che adesso si rivelava puramente esteriore e tutta materiata di anormalità. Ricordò di aver detto alla moglie, il giorno dello scoppio della guerra in Europa: "Se fossi logico, oggi dovrei suicidarmi," e ricordò anche il terrore che avevano provocato in lei queste parole. Come se avesse saputo ciò che esse nascondevano, al di là di una semplice previsione dello sfavorevole andamento del conflitto. Ancora una volta, si domandò se Giulia sapesse del vero esser suo e della parte che aveva avuto nella morte di Quadri; e ancora una volta gli sembrò impossibile che ella sapesse; sebbene, per certi segni, si potesse supporre il contrario.

Ormai si rendeva conto, con perfetta chiarezza, che aveva, come si dice, puntato sul cavallo perdente; ma perché avesse puntato in quel modo e perché il cavallo non avesse vinto, questo, all'infuori delle constatazioni di fatto più ovvie, non gli era chiaro. Ma avrebbe voluto esser sicuro che tutto quello che era avvenuto doveva avvenire; cioè che egli non avrebbe potuto puntare in modo diverso né con esito diverso: di questa sicurezza aveva bisogno più che di una liberazione dai rimorsi che non provava. Infatti, per lui, il solo rimorso possibile era di aver sbagliato, e cioè di aver fatto quello che aveva fatto senza una necessità assoluta e fatale. Di avere, insomma, ignorato deliberatamente o involontariamente che avrebbe potuto fare cose tutte diverse. Ma se poteva avere la sicurezza che questo non era vero, ebbene, gli pareva che, sia pur nella maniera spenta e atona che gli era solita, poteva essere in pace con se stesso. In altri termini, pensò, doveva esser sicuro di aver riconosciuto il proprio destino e di averlo accettato qual era, utile agli altri e a lui stesso forse in maniera soltanto negativa, ma purtuttavia utile.

Nel dubbio, intanto, lo consolava l'idea che anche se ci fosse stato errore, e questo non si poteva escludere, egli aveva puntato più di chiunque altro; più di tutti coloro che si trovavano nelle sue stesse condizioni. Era una consolazione dell'orgoglio, la sola che gli restasse. Altri, domani, avrebbero potuto cambiare idee, partito, vita, persino carattere; per lui, invece, questo non era possibile e non soltanto nei confronti degli altri ma anche di se stesso. Aveva fatto quello che aveva fatto per motivi soltanto suoi e fuori da ogni comunione con gli altri; cambiare, anche se gli fosse stato consentito, avrebbe voluto dire annullarsi. Ora, tra i tanti annientamenti, proprio questo avrebbe voluto evitare.

Pensò a questo punto che, se errore c'era stato, il primo e maggiore errore era stato di voler uscire dalla propria anormalità, di cercare una normalità purchessia attraverso la quale comunicare con gli altri. Quest'errore era nato da un istinto potente; disgraziatamente la normalità in cui quest'istinto si era imbattuto, non era che una forma vuota dentro la quale tutto era anormale e gratuito. Al primo urto, questa forma era andata in pezzi; e quell'istinto così giustificato e così umano aveva fatto di lui un carnefice della vittima che era stato. Il suo errore, insomma, non era stato tanto di aver ucciso Quadri, quanto di aver voluto obliterare il vizio di origine della propria vita con mezzi inadeguati. Ma, tornò a domandarsi, sarebbe forse stato possibile che le cose avessero potuto andare altrimenti?

No, non sarebbe stato possibile, pensò ancora, a guisa di risposta. Lino aveva dovuto insidiare la sua innocenza e lui, per difendersi, aveva dovuto ucciderlo, e poi, per liberarsi dal senso di anormalità che ne era derivato, aveva dovuto ricercare la normalità nel modo che l'aveva cercata; e per ottenere questa normalità aveva dovuto pagare un prezzo corrispondente al fardello di anormalità di cui aveva inteso liberarsi; e questo prezzo era stata la morte di Quadri. Così tutto era stato fatale seppure liberamente accettato; come tutto era stato al tempo stesso giusto e ingiusto.

Più che pensare queste cose, gli pareva di sentirle, con la percezione acuta e dolorosa di un'angoscia che rifiutava e a cui si ribellava. Avrebbe voluto essere distaccato e calmo di fronte al disastro della propria vita come davanti ad uno spettacolo funesto ma lontano. Quest'angoscia, invece, gli faceva sospettare un rapporto di panico tra lui e gli avvenimenti, nonostante la chiarezza con cui si sforzava di esaminarli. Del resto non era facile in quel momento distinguere la chiarezza dalla paura; e, forse, il miglior partito era tenere, come sempre, un contegno decoroso e impassibile. Dopo tutto, pensò ancora, quasi senza ironia, come tirando le somme delle proprie modeste ambizioni, non aveva nulla da perdere; a meno che per perdita si intendesse la rinunzia al suo mediocre posto di funzionario statale, a questa casa che doveva pagare a rate in venticinque anni, alla macchina anch'essa da pagarsi in due anni e a pochi altri amminicoli della vita comoda che gli era sembrato di dover concedere a Giulia. Non aveva proprio nulla da perdere; e se in quel momento fossero venuti ad arrestarlo, l'esiguità dei vantaggi materiali che aveva tratto dalla sua funzione avrebbe meravigliato i suoi stessi nemici.

Si staccò dalla finestra e si voltò verso la stanza. Era una camera da letto matrimoniale, come l'aveva voluta Giulia. Di mogano lucido e scuro, con le maniglie e gli ornamenti di bronzo, di un approssimativo stile impero. Gli venne in mente che anche quella stanza era stata comprata a rate; e che era stata finita di pagare l'anno prima. "Tutta la nostra vita," pensò con sarcasmo, togliendo la giubba dalla seggiola e infilandola, "è a rate... ma le ultime sono le più grosse e non riusciremo mai a pagarle." Rimise a posto con il piede lo scendiletto in disordine e uscì dalla stanza.

Passò nel corridoio e andò, in fondo, ad una porta socchiusa attraverso la quale traspariva un po' di luce. Era la camera da letto della figlia e, come entrò, indugiò un momento sulla soglia, quasi incredulo di fronte alla scena familiare e consueta che si offriva ai suoi occhi. La stanza era piccola e arredata con lo stile grazioso e colorato proprio alle camere dove dormono e vivono i fanciulli. I mobili erano laccati di rosa, le tende erano azzurrine le pareti erano tappezzate di carta da parati con un disegno di canestrini di fiori. Sul tappeto, parimenti rosa, erano sparse in disordine molte bambole di varia grandezza e altri balocchi. La moglie stava seduta al capezzale, e Lucilla, la bambina, era già in letto. La moglie, che discorreva con la bambina, si voltò appena al suo ingresso lanciandogli un lungo sguardo, senza, però, dir parola. Marcello prese una di quelle seggioline laccate e sedette anche lui presso il letto. La bambina disse: "Buona sera, papà."

"Buona sera, Lucilla," rispose Marcello guardandola. Era una bambina bruna, delicata, con il viso tondo, gli occhi grandissimi e di espressione struggente, e i tratti molto fini, quasi leziosi nella loro eccessiva soavità. Non sapeva neppur lui perché, in quel momento ella gli parve addirittura troppo graziosa e soprattutto consapevole della sua grazia, in una maniera, come pensò, che non escludeva forse un principio di innocente civetteria e che gli ricordò, in maniera spiacevole, sua madre a cui la bambina rassomigliava molto. Questa civetteria si notava nel modo con cui, parlando a lui o alla madre, volgeva gli occhi grandi e vellutati, con effetti strani in una bambina di sei anni; e nell'estrema, quasi incredibile sicurezza del discorso. Vestita di una camicia azzurra, tutta trine e sbuffi, seduta sul letto, teneva le mani giunte per la preghiera serale che l'arrivo del padre aveva interrotto. "Suvvia, Lucilla, non t'incantare," disse la madre bonariamente, "suvvia, di' la preghiera con me."

"Io non m'incanto," disse la bambina volgendo, con una smorfia di impaziente sufficienza, gli occhi al soffitto, "sei tu che quando è entrato papà hai smesso... allora ho smesso anch'io."

"Hai ragione," disse Giulia con flemma, "ma tu la preghiera la sai... potevi continuare da sola... quando sarai più grande, non ci sarò io a suggerirtela... eppure dovrai dirla."

"Ecco, vedi come mi fai perdere il tempo... sono stanca," disse la bambina, alzando un poco le spalle, ma senza disgiungere le mani, "ti metti a discutere e intanto la preghiera l'avremmo già detta."

"Suvvia," ripeté Giulia sorridendo questa volta, come suo malgrado, "ricominciamo daccapo: *Ave Maria piena di grazia.*"

La bambina ripeté con voce strascicata: "*Ave Maria piena di grazia.*"

"*Il signore è teco, tu sei benedetta tra le donne.*"

"*Il signore è teco, tu sei benedetta tra le donne.*"

"*E benedetto è il frutto del tuo ventre, Gesù.*"

"*E benedetto è il frutto del tuo ventre, Gesù.*"

"Posso riposarmi un momento?" domandò la bambina a questo punto.

"Perché?" domandò Giulia, "sei già stanca?"

"È un'ora che mi tieni così, con le mani giunte," disse la bambina separando le mani e guardando il padre, "quando è entrato papà, avevamo già detto metà della preghiera." Si fregava le braccia con le mani, ostentando dispettosamente e civettuolamente la propria stanchezza. Poi alzò di nuovo le mani, congiungendole e disse:

"Sono pronta."

"*Santa Maria, madre di Dio,*" riprese Giulia senza fretta.

"*Santa Maria, madre di Dio,*" ripeté la bambina.

"*Prega per noi peccatori.*"

"*Prega per noi peccatori.*"
"*Adesso e nel giorno della nostra morte.*"
"*Adesso e nel giorno della nostra morte.*"
"*Così sia.*"
"*Così sia.*"
"Ma tu, papà, le preghiere non le dici mai?" domandò la bambina senza transizione.
"Le diciamo la sera prima di coricarci," rispose in fretta Giulia. La bambina, però, guardava Marcello con aria interrogativa, e, come gli parve, incredula. Egli si affrettò a confermare: "Si capisce, tutte le sere prima di andare a letto."
"Adesso stenditi e dormi," disse Giulia alzandosi e cercando di metter la bambina supina. Ci riuscì, non senza sforzo, ché la bambina non pareva affatto disposta a dormire, e poi le tirò fin sul mento il solo lenzuolo in cui consisteva tutta la copertura del letto. "Ho caldo," disse la bambina dando dei calci nel lenzuolo, "ho tanto caldo."
"Domani andiamo dalla nonna e non avrai più caldo." rispose Giulia.
"Dove sta la nonna?"
"In collina... e ci fa fresco."
"Ma dove?"
"Te l'ho detto tante volte: Tagliacozzo... è un posto fresco e ci resteremo tutta l'estate."
"Ma non ci verranno gli aeroplani?"
"Gli aeroplani non verranno più."
"Perché?"
"Perché la guerra è finita."
"E perché la guerra è finita?"
"Perché due non fa tre," disse Giulia bruscamente ma senza malumore, "ora basta con le domande... dormi, perché domani mattina partiamo presto... adesso vado a prenderti la medicina." Uscì, lasciando il marito solo con la figlia. "Papà," domandò subito la bambina, levandosi a sedere sul letto, "ti ricordi la gatta della gente che abita qua sotto?"
"Sì," rispose Marcello alzandosi dalla seggiola e mettendosi a sedere sul bordo del letto.
"Ha fatto quattro gattini."
"Ebbene?"
"La governante di quelle bambine mi ha detto che, se lo

voglio, possono darmi uno di quei gattini... posso prenderlo?... Così me lo porto a Tagliacozzo."

"Ma quando sono nati questi gattini?" domandò Marcello.

"Avant'ieri."

"Allora non è possibile," disse Marcello accarezzando il capo alla figlia, "i gattini debbono restare con la madre finché prendono il latte... lo prenderai quando tornerai da Tagliacozzo."

"E se non torniamo da Tagliacozzo?"

"Perché non dovremmo tornare? Torniamo alla fine dell'estate," rispose Marcello avvolgendo le dita nei capelli bruni e morbidi della figlia.

"Ahi, mi fai male," si lamentò la bambina prontamente, alla prima stretta.

Marcello lasciò i capelli e disse sorridendo: "Perché dici che ti ho fatto male?... Lo sai che non è vero."

"E invece mi hai fatto male," ella rispose con enfasi. E quindi, portandosi le mani alle tempie con gesto caparbiamente femminile. "Adesso mi verrà un grande mal di testa."

"Allora ti tirerò le orecchie," disse Marcello giocosamente. Sollevò con delicatezza i capelli sul piccolo orecchio tondo e roseo e lo tirò appena, scuotendolo come un campanello. "Ahi, ahi, ahi," gridò la bambina con voce acuta, fingendo dolore, il viso tutto soffuso di un leggero rossore, "ahi, ahi, mi fai male."

"Vedi come sei bugiarda," la rimproverò Marcello lasciando l'orecchio. "Lo sai che non si debbono dire bugie."

"Questa volta," ella disse giudiziosamente, "posso giurarti che mi hai fatto veramente male."

"Vuoi che ti dia una bambola per la notte," domandò Marcello volgendo lo sguardo al tappeto sul quale erano sparsi i giocattoli.

Ella lanciò un'occhiata di tranquillo disprezzo alle bambole e rispose con sufficienza: "Se vuoi."

"Come, se voglio?" domandò Marcello sorridendo, "parli come se dovessi fare un piacere a me... non ti fa piacere dormire con una bambola?"

"Sì, mi fa piacere," ella concesse, "dammi," esitò guardando al tappeto, "dammi quella con la veste rosa."

Marcello si alzò, guardò al tappeto: "Sono tutte con la veste rosa."

"C'è rosa e rosa," disse la bambina con impaziente saccenteria, "il rosa di quella bambola è uguale identico al rosa delle rose rosa che sono sul balcone."

"Questa qui?" domandò Marcello, prendendo dal tappeto la più bella e la più grande delle bambole.

"Lo vedi che non capisci nulla," ella disse severamente. Improvvisamente saltò giù dal letto, corse a piedi nudi ad un angolo del tappeto e, raccolta in terra una bambola assai brutta, di stoffa, con la faccia schiacciata e annerita, tornò in fretta a coricarsi dicendo: "Ecco fatto." Questa volta si assestò, sotto il lenzuolo, supina, la faccia rosea e placida affettuosamente stretta contro quella sudicia e attonita della bambola. Giulia rientrò portando in mano una bottiglia e un cucchiaio.

"Suvvia," disse avvicinandosi, "prendi la medicina." La bambina non si fece pregare. Ubbidiente, si levò a metà sul letto, tendendo il viso con la bocca aperta, in un gesto di uccello che prenda l'imboccata. Giulia le ficcò il cucchiaio in bocca e poi l'inclinò bruscamente, versando il liquido. La bamzina si ridistese supina dicendo: "Quanto è cattivo."

"Allora, buona notte," disse Giulia chinandosi e baciando la figlia.

"Buona notte, mamma, buona notte, papà," disse la bambina con voce acuta. Marcello la baciò a sua volta sulla guancia e poi seguì la moglie. Giulia spense la luce e chiuse la porta.

Nel corridoio, ella si voltò a metà verso il marito e disse: "Credo che sia pronto." Marcello notò allora, per la prima volta, in quell'ombra accusatrice, che Giulia aveva gli occhi gonfi, come di pianto. La visita alla bambina l'aveva rinfrancato; ma vedendo gli occhi della moglie, gli tornò di nuovo la paura di non sapersi mostrare calmo e fermo come avrebbe voluto. Intanto Giulia l'aveva preceduto nella sala da pranzo, una stanza assai piccola, con una tavolina tonda e una credenza. La tavola era preparata, la lampada centrale accesa, dalla finestra aperta giungeva la voce della radio che descriveva, nello stile ansimante e trionfale usato di solito per le partite di pallone, la caduta del governo fascista. La cameriera entrò e, dopo aver servito la minestra, uscì di nuovo. Cominciarono a mangiare lentamente, con gesti compassati. La radio parve, ad un tratto, diventare frenetica. L'annunziatore raccontava adesso, in termini esaltati e con voce febbrile, che una gran folla si addensava per le strade della città applaudendo al re. "Che schifo," disse Giulia posando il cucchiaio e guardando alla finestra.

"Perché schifo?"

"Fino a ieri battevano le mani a Mussolini... pochi giorni fa applaudivano al Papa perché speravano che li salvasse dai bombardamenti... oggi acclamano il re che ha buttato giù Mussolini."

Marcello non disse nulla. Le opinioni e le reazioni di Giulia, nelle faccende pubbliche, gli erano note al punto da poterle anticipare mentalmente. Erano le opinioni e le reazioni di una persona assai semplice, priva affatto di curiosità per i motivi profondi che originavano gli avvenimenti, guidata più che altro da ragioni personali e affettive. Finirono di mangiare la minestra in silenzio mentre la radio continuava a vociare torrenzialmente. Poi, tutto ad un tratto, dopo che la cameriera aveva portato il secondo piatto, la radio si spense e ci fu silenzio e, con il silenzio, parve tornare il senso di afa soffocante dell'immobile notte estiva. Si guardarono e poi Giulia domandò: "E adesso che farai?"

Marcello rispose brevemente: "Farò quello che faranno tutti coloro che si trovano nelle mie condizioni... siamo in parecchi in Italia ad averci creduto."

Giulia esitò prima di parlare. Poi soggiunse, lentamente: "No, voglio dire che farai per la faccenda di Quadri?"

Così ella sapeva, forse aveva sempre saputo, dopo tutto. Marcello si accorse che a quelle parole il cuore gli era venuto meno, come gli sarebbe venuto meno dieci anni prima se qualcuno gli avesse chiesto: "Ora che farai per la faccenda di Lino?" Allora, la risposta, se avesse avuto il dono della profezia, avrebbe dovuto essere: "Uccidere Quadri." Ma adesso? Posò la forchetta accanto al piatto e, appena fu sicuro che la voce non gli avrebbe tremato, rispose: "Non capisco di che cosa parli."

La vide abbassare gli occhi, facendo una smorfia come di pianto. Poi ella disse con voce lenta e triste: "A Parigi, Lina, forse perché voleva staccarmi da te, mi disse che facevi parte della polizia politica."

"E tu cosa le rispondesti?"

"Che non m'importava... che ero tua moglie e che ti volevo bene qualsiasi cosa tu facessi... che se tu lo facevi, era segno che pensavi che fosse bene farlo."

Marcello non disse nulla, commosso suo malgrado da questa fedeltà così ottusa e inflessibile. Giulia continuò, con voce esitante: "Ma quando poi Quadri e Lina furono ammazzati, mi venne tanta paura che anche tu ci entrassi... e da allora non ho fatto che pensarci... ma non te ne parlavo perché siccome non mi avevi mai detto nulla della tua professione, pensavo che a maggior ragione non potevo parlarti di questo."

"E cosa pensi ora?" domandò Marcello dopo un momento di silenzio.

"Io?" disse Giulia alzando gli occhi e guardandolo. Marcello vide che gli occhi erano lucidi e comprese che quel pianto era già una risposta. Tuttavia ella soggiunse con sforzo: "Tu stesso a Parigi mi dicesti che la visita a Quadri era molto importante per la tua carriera... così penso che possa esser vero."

Egli disse subito: "È vero."

Capì nello stesso momento che Giulia aveva sperato fino all'ultimo di essere smentita. Alle sue parole, infatti, come ad un segnale, ella si gettò sulla tavola, il viso nel braccio, e prese a singhiozzare. Marcello si alzò, andò alla porta e diede un giro alla chiave. Poi le venne accanto e, senza chinarsi, posandole una mano sui capelli, disse: "Se vuoi, da domani ci separiamo... io ti accompagno a Tagliacozzo con la bambina e poi me ne vado e non mi faccio più vedere... vuoi che facciamo così?"

Giulia smise subito di singhiozzare come, egli pensò, se non avesse creduto alle proprie orecchie. Poi, dall'incavo del braccio dove ella nascondeva il viso, gli giunse la sua voce triste e sorpresa: "Ma che dici?... Separarsi?... Non è questo... io ho tanta paura per te... che ti faranno adesso?"

Così, pensò, Giulia non provava orrore di lui, né rimorso per la morte di Quadri e di Lina; bensì soltanto timore per lui, per la sua vita, per il suo avvenire. Questa insensibilità doppiata di tanto amore, gli fece un effetto strano, come chi, salendo al buio una scala, alzi il piede credendo di trovare uno scalino e, invece, incontri il vuoto di un pianerottolo. In realtà, aveva previsto e anche sperato l'orrore e un severo giudizio. E invece non trovava che il solito amore cieco e solidale. Disse, con qualche impazienza: "Non mi faranno nulla... non ci sono prove... e poi non ho fatto che eseguire gli ordini." Esitò un momento, per una specie di pudore mischiato di ripu-

diverse ma tutte pervase da quella sola e sincera esultanza per la caduta della dittatura. Chi si abbracciava, senza conoscersi, nel mezzo della strada; chi, dopo essere stato fermo a lungo, muto e attento, al passaggio di un camion imbandierato, tutto ad un tratto levava il cappello urlando qualche frase di applauso; chi correva, come una staffetta, da un gruppo all'altro, ripetendo frasi di incitamento e di gioia; chi, come invaso da una furia subitanea di odio levava il pugno minacciosamente contro qualche palazzo chiuso e buio che era stato sede sinora di un pubblico ufficio. Marcello notò che c'erano moltissime donne al braccio dei mariti e talvolta con i bambini, cose che non avveniva più da tempo nelle manifestazioni forzate del regime caduto. Colonne di uomini risoluti e come uniti da qualche segreto legame di partito, si formavano e sfilavano un momento tra gli applausi e poi parevano perdersi tra la folla; grossi gruppi approvanti circondavano qualsiasi oratore improvvisato; altri si riunivano insieme per cantare a squarciagola un inno libertario. Marcello guidava piano la macchina, paziente, rispettoso di ogni assembramento, avanzando lentamente. "Come sono contenti," disse Giulia in tono bonario e quasi solidale, dimenticando ad un tratto timori e interessi.

"Al loro posto lo sarei anch'io."

Risalirono un buon tratto del Corso, sempre tra la folla, dietro altre due o tre macchine che avanzavano anch'esse lentamente; poi, ad un vicolo, Marcello girò e, dopo avere atteso che fosse passata una colonna di dimostranti, riuscì ad entrarvi. Condusse velocemente la macchina dietro il vicolo in altra viuzza del tutto deserta, si fermò spense il motore e, voltandosi verso la moglie, disse: "Allora scendiamo."

Giulia discese senza dir parola e Marcello, chiusi con cura gli sportelli, si avviò con lei verso la strada donde erano venuti. Adesso si sentiva del tutto calmo, padrone di sé, distaccato, come aveva desiderato di essere durante tutto quel giorno. Però si sorvegliava; e come si affacciò di nuovo nella strada affollata, e la gioia della folla gli esplose in faccia, irruente, tumultuosa, sincera, aggressiva, si domandò subito, non senza ansietà, se questa gioia non destasse nel suo animo qualche sentimento meno che sereno. No, pensò dopo un momento di attento esame, non provava né rammarico, né dispetto, né paura. Era veramente calmo, apatico, quasi spento e disposto a contemplare la gioia degli altri senza, è vero, parteciparvi, ma anche senza risentirla come una minaccia o un affronto.

Presero ad aggirarsi senza meta tra la folla, da un gruppo all'altro, da un marciapiede all'altro. Giulia, ormai, non aveva più paura e pareva anche lei calma e padrona di sé, come lui; ma, come pensò, per motivi diversi, per la sua bonaria capacità di immedesimarsi coi sentimenti altrui. La folla, nonché diminuire, sembrava aumentare ad ogni momento. Era una folla, come notò Marcello, quasi unicamente gioiosa, di una gioia stupefatta, incredula, maldestra nell'esprimersi, ancora non del tutto sicura di poterlo fare impunemente. Passarono, aprendosi a fatica un varco tra la moltitudine, altri camion carichi di operai uomini e donne, che sventolavano bandiere quali tricolori e quali rosse. Passò una piccola macchina tedesca scoperta, con due ufficiali adagiati tranquillamente sui sedili e un soldato in tenuta di guerra seduto sul bordo dello sportello, il mitra in pugno: dai marciapiedi si levarono fischi e grida di scherno. Marcello notò che c'erano anche molti soldati, sbracati e senza armi, che si abbracciavano, le facce stolide di contadini illuminate da una speranza inebriata. Per la prima volta, vedendo due di questi soldati che camminavano cingendosi l'un l'altro la vita come due fidanzati, le baionette ballonzolanti sulle tuniche sbottonate, Marcello si accorse di provare un sentimento molto simile allo sdegno: era gente in uniforme e per lui, invincibilmente, l'uniforme voleva dire decoro e dignità, qualunque fosse il sentimento di chi l'indossava. Giulia, quasi indovinando i suoi pensieri, gli domandò additando i due soldati affettuosi e discinti: "Ma non hanno detto che la guerra continua?"

"L'hanno detto," egli rispose dandosi torto ad un tratto con uno sforzo quasi penoso di comprensione, "ma non è vero... e quei poveretti hanno ragione di essere contenti: per loro la guerra è davvero finita."

Davanti il portone del ministero in cui Marcello si era recato a prendere ordini alla vigilia della sua partenza per Parigi, c'era una grande folla che protestava, urlava e agitava in aria i pugni. Quelli che stavano a ridosso del portone battevano con le mani per farsi aprire. Si udiva il nome del ministro or ora caduto ripetuto da molti a gran voce, con un particolare tono di antipatia e di disprezzo. Marcello osservò a lungo l'assembramento senza capire che cosa volessero i dimostranti. Finalmente il portone si disserrò appena e nella fessura apparve, pallido e implorante, un usciere in divisa gallonata. Egli disse qualche cosa ai più vicini, qualcuno entrò nel portone che si chiuse subito, la folla urlò ancora un poco e poi si disperse; ma non del tutto, ché alcuni ostinati restarono a bussare e a gridare contro il portone chiuso.

Marcello lasciò il ministero e passò nella piazza attigua. Un grido di "largo, largo" fece indietreggiare la folla e lui con essa. Sporgendo il capo, vide venire avanti tre o quattro ragazzacci che tiravano per la fune un grande busto del dittatore. Il busto, color bronzo, era in realtà di gesso dipinto, come si capiva da alcune sbocconcellature bianche prodotte dai rimbalzi che i tre ragazzi gli facevano fare sul selciato. Un piccolo uomo nero, la faccia divorata da un enorme paio di occhiali cerchiati di tartaruga, si voltò, dopo aver guardato il busto, verso Marcello e disse ridendo, in tono sentenzioso: "Sembrava bronzo, ma in realtà era volgare creta." Marcello non gli rispose e per un momento, tendendo il collo, guardò con intensità il busto, mentre rimbalzando pesantemente, passava davanti a lui. Era un busto come ce n'erano centinaia sparsi nei ministeri e nei pubblici uffici, grossolanamente stilizzato, la mascella sporgente, gli occhi incavati e rotondi, il cranio gonfio e liscio. Non poté fare a meno di pensare che quella bocca di finto bronzo, simulacro di altra bocca viva già così arrogante, adesso strisciava nella polvere, tra i gridi di scherno e i fischi di quella stessa folla che un tempo l'aveva così fervidamente acclamato. Ancora una volta, Giulia parve intuire i suoi pensieri, perché gli mormorò: "Pensa, una volta bastava un busto come quello, in un'anticamera, per fare abbassare la voce alla gente."

Egli rispose seccamente: "Adesso, se ce l'avessero in mano in carne e ossa, gli farebbero come a quel busto."

"Credi che l'ammazzeranno?"

"Certamente se potranno."

Fecero ancora qualche passo, tra la folla che si agitava e turbinava al buio, come l'acqua di una riottosa e malcerta inondazione. All'angolo di una strada, un gruppo di persone aveva appoggiato al cantone di un palazzo una lunga scala a pioli, uno era salito in cima alla scala e vibrava dei gran colpi di martello contro una lapide che portava il nome del regime. Qualcuno disse a Marcello, ridendo: "Ci sono dei fasci dappertutto... soltanto per scalpellarli via ci vorranno degli anni."

"Proprio così," disse Marcello.

Attraversarono la piazza, e raggiunsero, sempre facendosi largo tra la folla, la galleria. Quasi al buio, nel fioco chiarore delle lampadine oscurate, un gruppo di persone faceva circolo intorno a qualche cosa che non si vedeva, proprio nel punto dove i due bracci della galleria confluivano. Marcello si avvicinò, si sporse e vide che si trattava di un ragazzo che ballava parodiando comicamente i gesti e le contorsioni delle mime quando eseguono la danza del ventre: aveva un ritratto del dittatore, un'oleografia a colori, infilata sulle spalle per uno squarcio come un collare e faceva pensare a qualcuno che, dopo essere stato messo alla gogna, ballasse con lo strumento di tortura ancora appeso al collo. Mentre tornavano verso la piazza, un giovane ufficiale con la barbetta nera e gli occhi spiritati, al braccio di una ragazza bruna tutta infervorata e coi capelli al vento, si sporse verso Marcello gridandogli in tono insieme esaltato e didattico: "Viva pure la libertà... ma, soprattutto, viva il re."

Giulia guardò il marito. "Viva il re," disse Marcello senza batter ciglio. Si allontanarono e poi Marcello disse: "Ci sono molti monarchici che cercano di mettere la cosa a favore della monarchia... andiamo a vedere in piazza del Quirinale."

Tornarono, non senza fatica, nel vicolo e di là nella viuzza dove avevano lasciato la macchina. Giulia disse al marito, mentre Marcello accendeva il motore: "Ma è veramente necessario... sono così stanca di questi strilli."

"Tanto non abbiamo niente di meglio da fare."

Velocemente, Marcello condusse la macchina per vie traverse su fino a Piazza del Quirinale. Come giunsero nella piazza, videro che non era completamente piena. La folla, più fitta sotto il balcone al quale, di solito, si affacciavano i personaggi della famiglia reale, si andava diradando ai margini della piazza, lasciando molto spazio vuoto. Anche qui vi era poca luce, i grandi lampioni di ferro con le lampade a grappolo, gialle e tristi, illuminavano debolmente il nereggiare della moltitudine. Né gli applausi né le invocazioni erano molto frequenti; più che altrove, pareva, in questa piazza, che la moltitudine non sapesse troppo bene quel che volesse. Forse c'era più curiosità che entusiasmo: allo stesso modo che un tempo la gente si radunava come ad uno spettacolo per vedere e udire il dittatore, adesso avrebbe voluto vedere e udire colui che aveva abbattuto il dittatore. Giulia domandò piano, mentre la macchina girava dolcemente intorno alla piazza: "Ma il re si affaccerà al balcone?"

Prima di rispondere, Marcello storse il viso per guardare in su, attraverso il vetro del parabrezza, al balcone. Era fiocamente illuminato da due torce rossastre, nel mezzo si vedeva la persiana chiusa della finestra. Poi rispose: "Non credo... perché dovrebbe affacciarsi?"

"E allora che cosa aspetta tutta questa gente?"

"Niente... è l'abitudine di andare in piazza e chiamare qualcuno."

Marcello girò pian piano intorno alla piazza, quasi scostando gentilmente coi parafanghi i gruppi restii a muoversi. Giulia disse in maniera imprevista: "Sai, mi sento quasi delusa."

"Perché?"

"Pensavo che avrebbero fatto chissà che cosa: bruciato case, ammazzato gente... quando siamo usciti avevo paura per te e per questo sono venuta... invece niente: soltanto strilli, applausi, evviva, abbasso, canzoni, sfilate..."

Marcello non poté fare a meno di rispondere: "Il peggio deve ancora venire."

"Che vuoi dire?" ella domandò con voce improvvisamente spaventata, "per noi o per gli altri?"

"Per noi e per gli altri."

Subito si pentì di aver parlato poiché sentì la mano di Giulia afferrargli un braccio, forte, con angoscia: "Io lo sapevo tutto il tempo che non era vero quello che mi dicevi: che tutto si aggiusterà... e ora anche tu lo confermi."

"Non spaventarti... ho detto così per dire."

Questa volta Giulia non parlò ma si limitò ad afferrargli il braccio con le due mani stringendosi contro di lui. Impacciato ma non volendo respingerla, Marcello guidò la macchina per vie secondarie di nuovo verso il Corso. Una volta sul Corso, passando per strade traverse e meno frequentate, raggiunse Piazza del Popolo. Di qui si diresse, su per le rampe del Pincio, verso Villa Borghese. Attraversarono il Pincio, buio e popolato di busti di marmo, girarono intorno il cavalcatoio in direzione di Via Veneto. Come furono all'ingresso di Porta Pinciana,

Giulia disse improvvisamente, con voce triste e languente: "Non voglio andare a casa."
"Perché?" domandò Marcello rallentando la corsa.
"Non so perché," ella rispose guardando davanti a sé, "mi si stringe il cuore soltanto a pensarci... mi pare che sia una casa da cui stiamo per partire per sempre... niente di terribile però," si affrettò a soggiungere, "soltanto una casa che si deve sgomberare."
"Allora dove vuoi andare?"
"Dove vuoi tu."
"Vuoi fare un giro per Villa Borghese?"
"Sì, facciamolo pure."
Marcello guidò la macchina per un lungo viale buio in fondo al quale si vedeva biancheggiare la fabbrica del museo Borghese. Come giunsero nel piazzale, fermò la macchina, spense il motore e disse: "Vogliamo far due passi?"
"Sì, se vuoi."
Discesero dalla macchina e, braccio sotto braccio, si avviarono verso i giardini che si trovavano dietro il museo. Il parco era deserto, gli avvenimenti politici l'avevano spopolato perfino delle coppie di innamorati. Nella penombra, si vedevano biancheggiare sullo sfondo silvestre e oscuro degli alberi, le statue di marmo dai gesti elegiaci o eroici. Camminarono fino alla fontana e per un momento indugiarono in silenzio, a guardarne l'acqua nera e immobile. Adesso Giulia stringeva la mano al marito, inserendo fortemente, come in un minimo abbraccio, le sue dita tra le dita di lui. Ripresero a camminare, imboccarono un viale molto buio, in un bosco di querce. Dopo qualche passo, Giulia si fermò improvvisamente, e, voltandosi, cinse il collo a Marcello con un braccio e lo baciò sulla bocca. Stettero così, abbracciati, baciandosi, un lungo momento, ritti nel mezzo del viale. Poi si separarono e Giulia sussurrò, prendendo il marito per mano e tirandolo verso il bosco: "Vieni, facciamo l'amore qui... in terra."
"Ma no," non poté fare a meno di esclamare Marcello, "qui?..."
"Sì, qui," ella disse, "perché no?... Vieni, ho bisogno di farlo per sentirmi rassicurata."
"Rassicurata di che?"
"Tutti pensano alla guerra, alla politica, agli aeroplani... e invece si potrebbe essere così felici... vieni... lo farei anche

in mezzo ad una delle loro piazze," ella soggiunse con subitanea esasperazione, "se non altro per dimostrare che io almeno sono capace di pensare ad altro... vieni."

Ella pareva esaltata, adesso, e lo precedeva nell'ombra fitta, tra i tronchi degli alberi. "Vedi che bella camera da letto," la udì mormorare, "presto non avremo più casa... ma questa è una camera da letto che non potranno portarci via... vi potremo dormire e amare tutte le volte che vorremo." D'improvviso ella scomparve dai suoi occhi, come entrando dentro terra. Marcello la cercò e poi la intravvide, in quell'oscurità, distesa ai piedi di un albero, in terra, un braccio sotto la testa a far da guanciale, l'altro alzato verso di lui, silenziosamente, in atto di invitarlo a stendersi al suo fianco. Egli ubbidì e, appena si fu disteso. Giulia gli si avviticchiò strettamente, con le gambe e con le braccia, baciandolo con forza cieca ed ottusa per tutto il viso, come cercando sulla fronte e sulle guance altre bocche attraverso le quali penetrare in lui. Ma quasi subito il suo abbraccio si allentò, e Marcello la vide levarsi a metà sopra di lui, guardando nel buio: "Qualcuno sta venendo," ella disse.

Marcello si levò anche lui a sedere e guardò. Tra gli alberi, ancora lontana, si vedeva la luce di una lampadina tascabile avanzare oscillando, preceduta in terra da un debole chiarore circolare. Non si sentiva un sol rumore, il fogliame morto che ricopriva il terreno soffocava i passi dello sconosciuto. La lampadina avanzava nella loro direzione e Giulia, ad un tratto, si ricompose e si levò a sedere, prendendosi le ginocchia tra le braccia. Seduti fianco a fianco, contro l'albero, guardarono la luce avvicinarsi: "Sarà una guardia," mormorò Giulia.

Adesso la lampadina proiettava il suo raggio in terra a poca distanza da loro, poi si alzò e il raggio li investì in pieno. Abbagliati, guardarono a loro volta alla figura maschile, non più che un'ombra, dal cui pugno scaturiva quella luce bianca. La luce, pensò Marcello, doveva abbassarsi, una volta che la guardia li avesse bene bene guardati in faccia. E invece, no, ecco la luce prolungare lo sguardo, in un silenzio che gli parve pieno di meraviglia e di riflessione. "Ma si può sapere che cosa volete?" domandò allora con voce risentita.

"Non voglio nulla, Marcello," rispose subito una voce dolce. Nello stesso tempo la luce si abbassò e prese di nuovo a muoversi, allontanandosi da loro. "Ma chi è?" mormorò Giulia, "sembra che ti conosca..."

Marcello stava fermo, senza respiro, profondamente turbato. Poi disse alla moglie: "Scusami, un momento... vengo subito." Di un balzo fu in piedi e rincorse lo sconosciuto.

Lo raggiunse sul limite del bosco, presso il piedistallo di una di quelle statue di marmo bianco. Poco distante c'era un fanale, e, come l'uomo, al rumore dei suoi passi si voltò, lo riconobbe subito, sebbene fossero trascorsi tanti anni, dal viso glabro e ascetico sotto i capelli tagliati a spazzola. Allora, l'aveva veduto chiuso nella tunica di autista; anche adesso indossava una divisa nera, abbottonata fino al collo, con pantaloni sbuffanti e gambali di cuoio nero. Teneva il berretto sotto il braccio e stringeva in mano la lampadina tascabile. Disse subito sorridendo: "Chi non muore si rivede."

La frase parve a Marcello fin troppo adatta alle circostanze, sebbene in maniera scherzosa e, forse, inconsapevole. Disse, ansimante per il turbamento e per la corsa: "Ma io credevo di... di averti ucciso."

"Io, invece, speravo che tu l'avessi saputo Marcello, che mi avevano salvato," rispose Lino tranquillamente, "un giornale, è vero, annunziò che ero morto ma perché ci fu un equivoco... morì un altro all'ospedale, nel letto accanto al mio... e così tu mi credevi morto... allora ho detto bene: chi non muore si rivede."

Ora, più che del ritrovamento di Lino, Marcello provava orrore del tono discorsivo, familiare, eppure funebre che si era stabilito subito tra di loro. Disse con dolore: "Ma dall'averti creduto morto sono venute tante conseguenze. E tu invece non eri morto."

"Anche per me, Marcello, vennero tante conseguenze," disse Lino guardandolo con una specie di compassione, "pensai che fosse un avvertimento e mi sposai... poi mia moglie morì," soggiunse più lentamente, "tutto è ricominciato come prima... adesso faccio la guardia notturna... questi giardini sono pieni di bei ragazzi come te." Disse queste parole con una sfrontatezza placida e dolce, senz'ombra, però, di lusinga. Marcello notò per la prima volta che i suoi capelli erano quasi grigi e che il viso era un po' ingrassato. "E tu ti sei sposato... quella era tua moglie, nevvero?"

Improvvisamente, Marcello non poté più sopportare quel

chiacchiericcio sommesso e squallido. Disse, afferrando l'uomo per le spalle e scuotendolo: "Mi parli come se nulla fosse successo... ma ti rendi conto che hai distrutto la mia vita?"

Lino rispose, senza tentare di svincolarsi: "Perché mi dici questo, Marcello? Sei sposato, magari hai anche figli, hai l'aria di essere agiato, di che ti lamenti? Sarebbe stato peggio se tu mi avessi ucciso davvero."

"Ma io," non poté fare a meno di esclamare Marcello, "io quando ti ho conosciuto ero innocente... e dopo non lo sono più stato, mai più."

Vide Lino guardarlo con stupore: "Ma tutti, Marcello, siamo stati innocenti... non sono forse stato innocente anch'io? E tutti la perdiamo la nostra innocenza, in un modo o nell'altro... è la normalità." Egli si liberò a fatica dalla stretta già allentata di Marcello e soggiunse in tono di complicità: "guarda, ecco tua moglie... sarà bene che ci lasciamo."

"Marcello," disse nell'ombra la voce di Giulia.

Egli si voltò e vide Giulia che si avvicinava, incerta. Nello stesso momento, Lino, assestandosi sul capo il berretto, fece un gesto di saluto e si allontanò in fretta in direzione del museo.

"Ma si può sapere chi era?" domandò Giulia.

"Un mio compagno di scuola," rispose Marcello, "che è finito guardia notturna."

"Andiamo a casa," ella disse riprendendogli il braccio.

"Non vuoi più passeggiare?"

"No... preferisco andare a casa."

Raggiunsero la macchina, salirono e poi fino a casa non parlarono più. Pur guidando, Marcello ripensava alle parole di Lino, inconsapevolmente significative: "... tutti la perdiamo, la nostra innocenza, in un modo o in un altro: è la normalità." In quelle parole, pensò, era condensato un giudizio sulla sua vita. Egli aveva fatto quello che aveva fatto per riscattarsi di un delitto immaginario; e tuttavia, le parole di Lino gli facevano capire per la prima volta che anche ove non l'avesse incontrato e non gli avesse sparato o non si fosse convinto di averlo ucciso, anche, insomma, se non fosse avvenuto nulla, proprio perché in ogni caso avrebbe dovuto perdere l'innocenza, e conseguentemente, avrebbe desiderato riacquistarla, egli avrebbe fatto quello che aveva fatto. La normalità era proprio questo affannoso quanto vano desiderio di giustificare la propria vita insidiata dalla colpa originaria e non il miraggio fallace che aveva inseguito fin dal giorno del suo incontro con Lino. Udì Giulia domandare: "A che ora partiremo domani mattina?" e scacciò via questi pensieri come tanti testimoni importuni e ormai inutili del proprio errore.

"Il più presto possibile," rispose.

III

Verso l'alba, Marcello si destò e vide o credette di vedere la moglie che, ritta nell'angolo presso la finestra, guardava attraverso i vetri, in quella luce grigia del primissimo giorno. Era completamente nuda, con una mano scostava la tenda e con l'altra si copriva il petto, non si capiva se per pudore o apprensione. Una lunga ciocca di capelli disfatti le pendeva lungo la guancia; il viso, teso in avanti, pallido e senza colori, portava un'espressione di riflessione desolata, di costernata contemplazione. Anche il corpo pareva aver perduto in quella notte la sua robusta e vogliosa esuberanza: le mammelle che la maternità aveva alquanto spianate e allentate, mostravano, di profilo, una piega di flaccida stanchezza che non aveva mai notato prima; il ventre non tanto rotondo quanto gonfio dava un senso di gravezza goffa e inerme confermata dall'atteggiamento delle cosce che si stringevano come tremebonde a nascondere il grembo. La luce fredda del giorno nascente, simile ad uno sguardo indiscreto e apatico, illuminava squallidamente questa nudità. Pur guardandola, Marcello non poté fare a meno di domandarsi che cosa le passasse per la mente, mentre, immobile, in quello spicchio di chiarore antelucano, contemplava il cortile deserto. E con un vivo senso di compassione, si disse che quei pensieri egli poteva benissimo immaginarli. "Eccomi," ella certamente pensava, "eccomi scacciata dalla mia casa a metà quasi della vita, con una bambina in tenera età e un marito rovinato che non spera più nulla dal suo avvenire, la cui sorte è incerta, la cui vita, forse è in pericolo. Ecco il risultato di tanti sforzi, di tanta passione, di tante speranze."

Era veramente, pensò, Eva scacciata dall'Eden; e l'Eden era quella casa con tutte le cose modeste che conteneva: la roba negli armadi, gli utensili nella cucina, il salotto per ricevervi le amiche, le posate argentate, i falsi tappeti persiani, il vasellame di porcellana che le aveva regalato la madre, la ghiacciaia, il vaso di fiori nell'anticamera, quella camera matrimoniale in falso stile impero, comperata a rate, e lui, dentro il letto, che la guardava. L'Eden era anche, senza dubbio, il piacere di stare a tavola due volte al giorno con la famiglia, di formulare progetti per l'avvenire suo, di sua figlia e di lui. Finalmente, l'Eden era la pace dell'anima, l'accordo con se stessa e il mondo, la serenità del cuore placato e sazio. Da questo Eden, adesso, un angelo furibondo e spietato, armato di spada fiammeggiante, la scacciava per sempre, spingendola, nuda e indifesa, nell'ostile mondo esterno. Marcello l'osservò ancora un pezzo, mentre ella, immobile, prolungava la sua malinconica contemplazione; quindi, nel sonno che tornava a gravargli sulle palpebre, la vide staccarsi dalla finestra, andare in punta di piedi all'attaccapanni, toglierne una vestaglia, indossarla e uscire senza rumore. Andava probabilmente, come pensò, a sedersi presso il letto della bambina assopita, altra non lieta contemplazione; oppure a perfezionare i preparativi della partenza. Pensò un momento di raggiungerla, per consolarla in qualche modo. Ma si sentiva tuttora pieno di sonno e dopo un poco si riaddormentò.

Più tardi, mentre nella pura luce del mattino estivo, la macchina correva alla volta di Tagliacozzo, egli ripensò a quella visione lamentevole domandandosi se l'avesse sognata oppure se l'avesse osservata davvero. La moglie gli sedeva al fianco, stringendolo contro di lui, per far posto a Lucilla, che, inginocchiata sul sedile, la testa fuori del finestrino, si godeva la corsa. Ella stava dritta, la giubba sbottonata sopra una camicetta bianca, il viso eretto ombreggiato da un cappello da viaggio. Marcello notò che teneva sulle ginocchia un oggetto di forma oblunga, avvolto in carta marrone e legato con spaghi. "Che hai in quel pacco?" domandò sorpreso.

"Ti farà ridere," ella rispose, "ma non potevo risolvermi a lasciare a casa quel vaso di cristallo che stava nell'anticamera... ci ero affezionata prima di tutto perché bello e poi perché me l'hai regalato tu... ti ricordi... poco dopo che nacque la bambina... è una debolezza lo so, ma servirà... ci metterò i fiori a Tagliacozzo."

Dunque era proprio vero, egli pensò, non aveva sognato, era proprio lei, in carne e ossa, e non una figura di sogno, che aveva veduto quel mattino, ritta presso la finestra. Disse dopo un momento: "Se ti faceva piacere portarlo via, hai fatto bene... ma ti assicuro che torneremo puntualmente a casa, appena sarà finita l'estate... non devi assolutamente allarmarti."

"Io non mi allarmo."

"Tutto si risolverà per il meglio," disse ancora Marcello cambiando la marcia poiché la macchina attaccava una salita, "e poi sarai felice come sei stata negli ultimi anni e anche di più."

Giulia non disse nulla ma non pareva convinta. Marcello, pur guidando, l'osservò un momento: con una mano tratteneva il vaso sulle ginocchia, con l'altro braccio cingeva la vita alla bambina affacciata al finestrino. Tutti i suoi affetti e le sue possessioni, sembrava dire con quei gesti, erano ormai qui, in questa macchina: il marito al suo fianco, la bambina dall'altra parte, e, simbolo della vita familiare, il vaso di cristallo sulle ginocchia. Ricordò che al momento della partenza, ella aveva detto, lanciando un ultimo sguardo alla facciata della casa: "Chissà chi verrà ad occupare il nostro appartamento"; e comprese che non l'avrebbe mai persuasa perché in lei non c'era convinzione mediata bensì soltanto presentimento atterrito dell'istinto. Domandò tuttavia con calma: "Si può sapere che cosa pensi adesso?"

"Nulla," ella rispose, "non penso proprio nulla... guardo al paesaggio."

"No, cosa pensi in generale."

"In generale? Penso che le cose vanno male per noi... ma che non è colpa di nessuno."

"Forse è colpa mia."

"Perché colpa tua? Non è mai colpa di nessuno... tutti hanno nello stesso tempo torto e ragione... le cose vanno male perché vanno male, ecco tutto." Ella pronunziò questa frase con tono reciso, come a indicare che non aveva più voglia di parlare. Marcello tacque e da quel momento, per un pezzo, ci fu silenzio tra di loro.

Era il mattino di buon'ora, ma la giornata si annunziava già calda; già davanti alla macchina, tra le siepi impolverate e abbaglianti di luce, l'aria tremava e il riverbero del solleone suscitava riflessi specchianti sull'asfalto. La strada girava per un paesaggio ondulato, tra colline gialle, irte di stoppie secche, con rari cascinali bruni e grigi sperduti in fondo a valloni deserti e senz'alberi. Ogni tanto incrociavano un carretto tirato da un cavallo o una vecchia macchina provinciale: era una strada poco frequentata e il traffico militare passava per altre parti. Tutto era calmo, normale, indifferente, come pensò Marcello guidando, mai si sarebbe potuto pensare di trovarsi nel cuore di un paese in guerra e in rivoluzione. Le facce dei rari contadini che si scorgevano appoggiati alle staccionate, o in mezzo ai campi, la vanga al piede, non esprimevano che i soliti sentimenti di solida e pacifica attenzione per le cose normali, consuete, ovvie della vita. Tutta gente che pensava ai raccolti, al sole, alla pioggia, ai prezzi delle derrate o, addirittura, a nulla. Giulia era stata per anni come quei contadini pensò ancora, e adesso si doleva di essere strappata da quella pace. Gli venne fatto di pensare quasi con irritazione: peggio per lei. Vivere, per gli uomini, non voleva dire lasciarsi andare alla pace torpida offerta dalla natura indulgente, bensì essere continuamente in lotta e in agitazione, risolvere ogni momento un minimo problema dentro i limiti di problemi più vasti contenuti a loro volta nel problema complessivo, appunto, della vita. Questo pensiero gli ridiede fiducia in se stesso, mentre la macchina usciva dal paesaggio pianeggiante desolato ed entrava tra le alte rocce rosse di una catena di colline. Forse perché guidando la macchina gli pareva che il proprio corpo facesse tutt'uno con il motore che inflessibilmente e agevolmente affrontava e risolveva le difficoltà della strada tutta curve e salite, gli parve che una specie di ottimismo, il primo dopo tanti anni, insieme avventuroso e spavaldo, sgombrasse finalmente, simile ad una raffica di vento impetuoso, il cielo tempestoso del suo animo. Si trattava, pensò, di considerare finito e sepolto tutto un periodo della sua vita e di ricominciare daccapo, su un piano e con mezzi diversi. L'incontro con Lino, pensò ancora, era stato molto utile; e non tanto perché l'avesse liberato del rimorso di un delitto che non aveva commesso, quanto perché con quelle poche parole dette per caso sull'inevitabilità e normalità della perdita dell'innocenza, Lino gli aveva fatto capire che per vent'anni egli si era ostinato in una strada sbagliata dalla quale doveva ora uscire decisamente. Questa volta non ci sarebbe stato bisogno di giustificazione e di comunicazione, pensò ancora, ed egli era risoluto a non permettere che il delitto commesso davvero, quello di Quadri, lo avvelenasse con i tormenti di una vana ricerca di purificazione e di normalità. Quello che era stato era stato, Quadri era morto, e, più pesante di una pietra tombale, egli avrebbe calato su quella morte la lapide definitiva di un oblio completo. Forse perché il paesaggio, adesso, era cambiato dal deserto afoso di prima, e un'abbondanza di acque invisibili faceva traboccare ai margini della strada erbe, fiori, felci e, più su, in cima al tufo, la verdura folta e rigogliosa del bosco ceduo, gli pareva che d'ora in poi avrebbe saputo evitare per sempre la desolazione dei deserti in cui l'uomo insegue la propria ombra e si sente perseguitato e colpevole; e avrebbe invece, liberamente e avventurosamente, ricercato luoghi simili a questi che ora percorreva, luoghi rupestri e impervii, da briganti e da animali selvatici. Egli si era costretto volontariamente, ostinatamente, stupidamente, dentro legami indegni e in impegni ancora più indegni; e tutto questo per il miraggio di una normalità che non esisteva; adesso questi legami erano spezzati, questi impegni dissolti, e lui tornava libero e avrebbe saputo fare uso della libertà. In quel momento il paesaggio si presentava nel suo aspetto più pittoresco: da un lato della strada il bosco ceduo che ricopriva il fianco della collina; dall'altro un pendio erboso sparso di rare, enormi querce fronzute, digradante fino ad una fossa fitta di cespugli tra i quali traluceva l'acqua schiumosa di un torrente. Al di là della fossa si levava una parete rocciosa dalla quale piombava giù il nastro scintillante di una cascata. Improvvisamente Marcello fermò la macchina dicendo: "È un luogo molto bello... fermiamoci un momento."

La bambina domandò voltandosi dal finestrino: "Siamo già arrivati?"

"No, non siamo arrivati, ci fermiamo un momento," disse Giulia prendendola in braccio e facendola scendere dalla macchina.

Come furono discesi, la moglie disse che avrebbe approfittato della sosta per far soddisfare i bisogni naturali alla bambina e Marcello rimase presso la macchina mentre Giulia, tenendo per mano la bambina, si allontanava di qualche passo. La madre camminava piano senza inclinarsi verso la bambina, la quale, vestita di una corta vesticciola bianca, un gran fiocco in cima ai capelli sciolti sulle spalle, chiacchierava al solito con animazione, levando ogni tanto il viso verso la madre, forse per muovere qualche domanda. Marcello si domandò quale posto avrebbe avuto sua figlia nell'avvenire nuovo e libero che l'improvvisa esaltazione gli aveva dipinto poc'anzi e si disse, con vivo affetto, che, se non altro, avrebbe saputo avviarla verso una vita ispirata da motivi tutti diversi da quelli che avevano sinora guidato la sua. Tutto nella vita di sua figlia, pensò, avrebbe dovuto essere brio, estro, grazia, leggerezza, limpidezza, freschezza e avventura; tutto avrebbe dovuto rassomigliare ad un paesaggio che non conosce afe né caligini ma soltanto le rapide tempeste purificatrici che rendono più chiara l'aria e più ridenti i colori. Nulla avrebbe dovuto rimanervi della sanguinaria pedanteria che fino a ieri aveva informato il suo destino. Sì, pensò ancora, ella doveva vivere in piena libertà.

Tra queste riflessioni, lasciò il margine esterno della strada e si avvicinò al bosco che ombreggiava l'altro lato. Gli alberi erano alti e fronzuti, sotto gli alberi si avviluppavano rovi e altri arbusti selvatici, e sotto questi ultimi, in un'ombra silvestre, si intravvedevano erbe e fiori, una campanula di un azzurro quasi viola. La campanula era semplice, coi petali striati di bianco, e portandola alla narice, egli sentì un amaro odore erbaceo. Pensò che quel fiore cresciuto nel viluppo ombroso del sottobosco, su quel po' di terra aggrappata al tufo infecondo, non aveva cercato di limitare le piante più alte e robuste né di riconoscere il proprio destino al fine di accettarlo o rifiutarlo. In piena inconsapevolezza e libertà, era cresciuto dove era caduto a caso il seme, fino al giorno in cui la sua mano l'aveva colto. Essere come quel fiore solitario, su un lembo di musco, in un sottobosco buio, pensò, era un destino veramente umile e naturale. Invece l'umiltà volontaria di un adeguamento impossibile ad una normalità fallace non nascondeva se non orgoglio o amor proprio capovolti.

Trasalì alla voce della moglie che diceva: "Allora, andiamo," e riprese il suo posto al volante. La macchina girò velocemente per la strada in curva, contornando il declivio sparso di querce e poi dopo una folta boscaglia, attraverso uno spacco della collina, sbucò in vista ad un'immensa pianura. L'afa di luglio ne annebbiava gli orizzonti lontani, contornati di monti azzurri; nella luce dorata e un po' caliginosa, Marcello scorse, nel mezzo della pianura, un monte solitario, dirupato, sormontato, a guisa di acropoli, da un borgo di poche case raggruppate sotto le torri e le mura di un castello. Si vedevano distintamente le fiancate grigie delle case sospese a picco sulla strada di circonvallazione che girava a spirale intorno al monte: il castello aveva una forma quadrata, con una torre tozza e cilindrica per lato; il borgo era di un colore rosato e il sole che incendiava il cielo strappava scintillii micidiali dai vetri delle case. Ai piedi del monte, la strada correva diritta, in bianco rettifilo, verso i limiti estremi della pianura; di fronte al monte, dall'altra parte della strada si stendeva il vasto prato raso, di un verde ingiallito, di un campo di aviazione. A contrasto con le case antiche del borgo, sul campo tutto appariva moderno e nuovo: i tre lunghi capannoni mimetizzati di verde, di azzurro e di marrone, l'antenna in cima alla quale sventolava un pennone rosso e bianco, i numerosi apparecchi argentei, posati come a caso intorno i margini del campo.

Marcello osservò a lungo questo paesaggio, mentre la macchina, girando da una svolta all'altra della ripida strada, scendeva velocemente verso la pianura. Il contrasto tra la rocca antica e il campo di aviazione modernissimo gli parve significativo: sebbene, per un'improvvisa distrazione, non gli riuscisse di appurare quale precisamente fosse il significato. Al tempo stesso, come si accorse, provava un sentimento singolare di dimestichezza, come se avesse già veduto in passato quel paesaggio. Ma, come ricordò, era la prima volta che percorreva questa strada.

La macchina, giunta in fondo alla discesa, infilò il rettifilo che pareva interminabile. Marcello accelerò la corsa e la lancetta del tachimetro salì gradualmente agli ottanta, poi ai novanta chilometri all'ora. La strada, adesso, correva tra due distese di campi mietuti, di un giallo metallico, senza un albero né una casa. Evidentemente, pensò Marcello, gli abitanti vivevano tutti nel borgo e ne scendevano al mattino per recarsi a lavorare nei campi. Poi, a sera, tornavano al borgo...

La voce della moglie lo distrasse da queste riflessioni: "Guarda," ella disse indicando il campo di aviazione, "che succede?"

Marcello guardò e vide che parecchie persone correvano di qua e di là, per il grande prato raso, agitando le braccia.

Nello stesso tempo, strana in quella luce abbagliante del sole estivo, dal tetto di uno dei tre capannoni, una fiamma linguеggiò rossa, aguzza, quasi senza fumo. Poi un'altra fiamma si slanciò dal secondo tetto e un'altra ancora dal terzo. Adesso le tre fiamme si erano riunite in una sola che si muoveva con violenza, di qua e di là; mentre nuvoli di fumo nero scendevano a terra nascondendo i capannoni, diffondendosi intorno. Intanto, ogni segno di vita era scomparso e il campo era tornato deserto.

Marcello disse con calma: "Un'incursione aerea."

"Ma c'è pericolo?"

"No, saranno già passati."

Egli accelerò l'andatura, la lancetta del tachimetro salì a cento, centoventi chilometri. Adesso erano sotto il borgo, si distinguevano la strada di circonvallazione, le fiancate delle case, il castello. Nello stesso tempo, Marcello udì alle spalle il fragore sferragliante e rabbioso dell'aeroplano che si abbassava. Tra il rumore, distinse il grandinare fitto della mitragliera che sparava e capì che l'aeroplano gli era dietro e presto gli sarebbe stato sopra: il fracasso del motore era in asse con la strada, come questa diritto e inflessibile. Poi il fragore metallico gli fu sopra, assordante, un solo momento, e quindi si allontanò. Egli sentì un colpo forte alla spalla, come un pugno e poi un languore mortale; disperato, riuscì a radunare le forze e a guidare e fermare la macchina sul margine della strada. "Scendiamo," disse con voce spenta, ponendo la mano sullo sportello e aprendolo.

Lo sportello si spalancò e Marcello cadde di fuori; poi trascinandosi con la faccia e con le mani sull'erba, cavò le gambe dalla macchina e giacque in terra presso il fossato. Ma nessuno parlò, né, sebbene lo sportello fosse rimasto aperto, si affacciò dalla macchina. In quel momento, di lontano, risuonò il fragore dell'aeroplano che virava. Egli pensò ancora: "Dio, fa' che non siano colpite... sono innocenti." E poi, rassegnato, la bocca nell'erba, aspettò che l'aeroplano tornasse. La macchina con lo sportello aperto era silenziosa, ed egli ebbe il tempo di capire, con acuto dolore, che nessuno ne sarebbe disceso. Finalmente l'aeroplano fu su di lui, tirandosi dietro, mentre si allontanava nel cielo infuocato, il silenzio e la notte.